A SOMBRA DE UMA PAIXÃO

A SOMBRA DE UMA PAIXÃO

Pelo espírito

Eugene

Psicografia de

Tanya Oliveira

A sombra de uma paixão
pelo espírito *Eugene*
psicografia de *Tanya Oliveira*

7ª edição – Março de 2019
7-3-19-200-31.860

Coordenação editorial: *Ronaldo A. Sperdutti*
Revisão: *Alessandra Miranda de Sá*
Diagramação: *Sheila Fahl / Casa de Idéias*
Arte da Capa: *Daniel Rampazzo / Casa de Idéias*
Impressão e acabamento: *Renovagraf*

Dados Internacionais de Catalogação na Publicação (CIP)
(Câmara Brasileira do Livro, SP, Brasil)

Eugene (Espírito).
A sombra de uma paixão / pelo Espírito Eugene ; psicografia de Tanya Oliveira. — São Paulo : Lúmen, 2007.

1. Espiritismo 2. Psicografia 3. Romance espírita
I. Oliveira, Tanya. II. Título.

06-9070 CDD-133.9

Índice para catálogo sistemático:
1. Romance espírita : Espiritismo 133.9

LÚMEN
EDITORIAL

Rua dos Ingleses, 150 – Morro dos Ingleses
CEP 01329-000 – São Paulo – SP
Fone: (0xx11) 3207-1353

visite nosso site: www.lumeneditorial.com.br
fale com a Lúmen: atendimento@lumeneditorial.com.br
departamento de vendas: comercial@lumeneditorial.com.br
contato editorial: editorial@lumeneditorial.com.br

2019

Impresso no Brasil – *Printed in Brazil*

A todos os que transitam pelos difíceis
caminhos da obsessão.

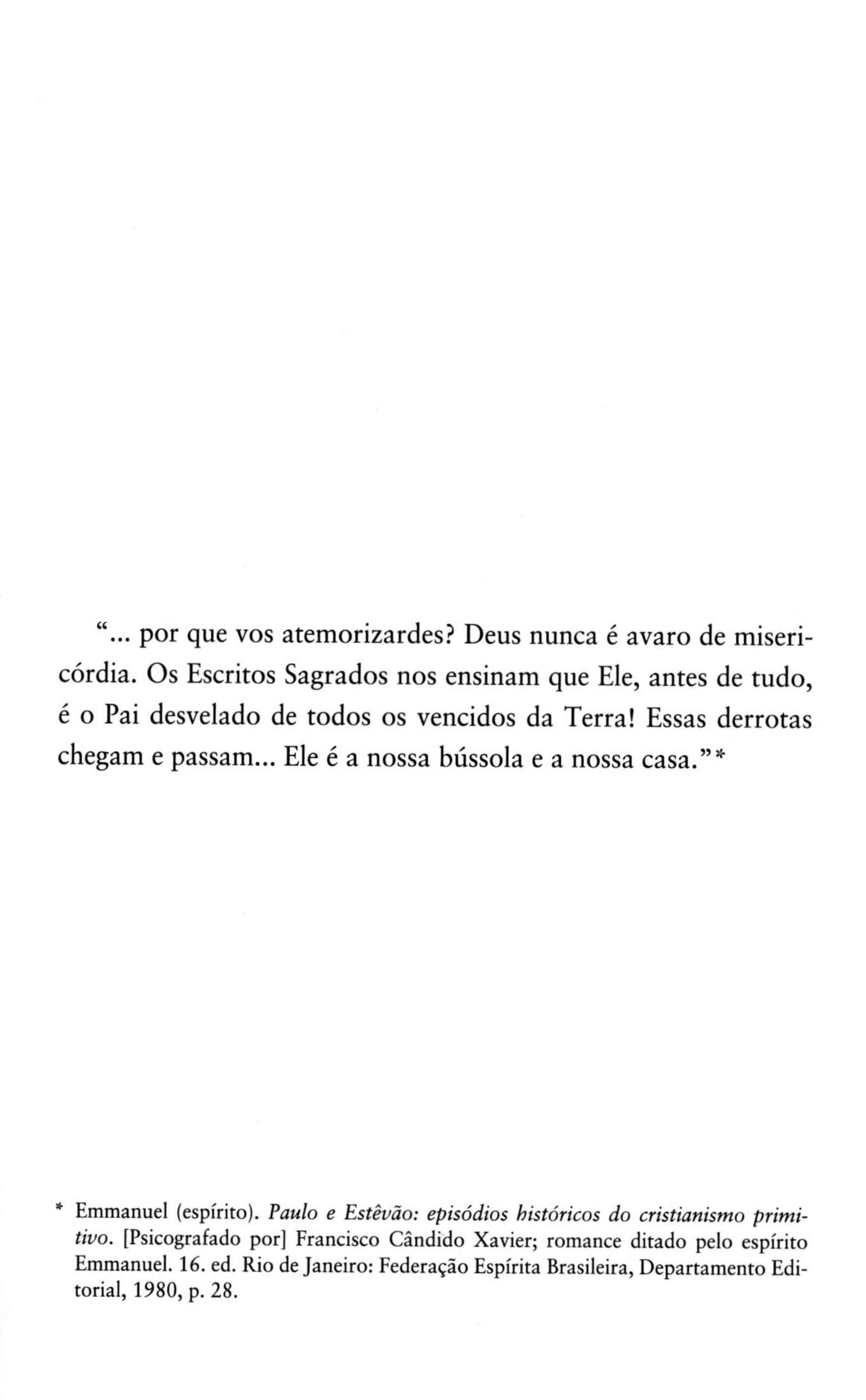

"... por que vos atemorizardes? Deus nunca é avaro de misericórdia. Os Escritos Sagrados nos ensinam que Ele, antes de tudo, é o Pai desvelado de todos os vencidos da Terra! Essas derrotas chegam e passam... Ele é a nossa bússola e a nossa casa."*

* Emmanuel (espírito). *Paulo e Estêvão: episódios históricos do cristianismo primitivo.* [Psicografado por] Francisco Cândido Xavier; romance ditado pelo espírito Emmanuel. 16. ed. Rio de Janeiro: Federação Espírita Brasileira, Departamento Editorial, 1980, p. 28.

Sumário

Introdução

É de conhecimento de grande parte dos espíritas que o Terceiro Milênio trará grandes renovações ao planeta, não apenas em aspectos materiais, mas principalmente em relação à evolução do ser humano.

Somos testemunhas do grande esforço realizado na espiritualidade no sentido de iluminar as consciências pelo conhecimento e esclarecimento sobre as realidades do Espírito.

Incontável número de irmãos nossos se adestram, por meio do estudo e da aplicação dos eternos ensinamentos de Jesus, com o intuito de reviver a mensagem evangélica, espargindo sobre a Terra o perfume de suas lições, inebriando as criaturas com o desejo de desentravar a evolução deste minúsculo e educativo orbe do Universo.

Reunindo esforços, especialmente por intermédio da sagrada missão da mediunidade, cabe-nos a tarefa de trazer ao conhecimento dos homens, por histórias simples como tantas vividas por muitos de nós, lições que necessitamos gravar no imo de nossos corações, para que não venhamos a fracassar novamente.

Dessa forma, meus amigos, sinto-me à vontade para lhes contar, mais uma vez, uma dessas belas narrativas que refletem os esforços de criaturas, que, como nós, lutam, sofrem, riem e choram, buscando um porvir aureolado pela luz da própria libertação.

A aproximação do solo brasileiro propiciou-nos o contato com realidades outras, que despertaram em nossa inquieta alma de contador de histórias o interesse por dramas desenvolvidos na terra do Cruzeiro do Sul.

Certos de que encontraríamos preciosos ensinamentos, úteis aos amigos encarnados, e atendendo gentilmente a uma solicitação de nossa parte, eis que um companheiro de outros tempos nos propiciou esse adorável relato, que nos descortina a grandeza das realidades espirituais.

Coube-nos, mais uma vez, por respeito à intimidade dos envolvidos no relato — pois muitos se acham envoltos no véu da reencarnação —, motificar e alterar nomes e circunstâncias que julgamos convenientes.

Portanto, através do livro espírita — que é luz imperecível —, colocamo-nos na condição de servo e aprendiz, buscando nossa própria retratação diante de nossa consciência, bendizendo a oportunidade de levar alguma luz aos caminhos humanos, por meio da verdade que resplandece não apenas em uma vida, mas por toda a eternidade...

Entregamos em vossas mãos mais este trabalho, no qual buscamos, entrevendo experiências dolorosas de nossos irmãos, o aprendizado que nos fortaleça contra as investidas do mal.

Agradecemos a Jesus, que sustenta nossas forças, e ao magnânimo professor e mestre Rivail, sem o qual não estaríamos à frente de tão abençoada tarefa.

Que Deus nos abençoe!

Eugene

I

O ACIDENTE

Do antigo relógio de parede, ouviam-se vinte e duas badaladas. O som retumbante — e de certa forma imponente — espalhava-se pela casa, penetrando em cada ambiente como se cumprisse um dever solene de avisar aos moradores da fazenda Esplanada que as atividades do dia estavam prestes a terminar.

No andar superior, uma jovem caminha nervosamente pelo quarto. Ao ouvir mais uma vez o relógio, suspira profundamente e, decidida, desce as escadas, dirigindo-se à grande porta de entrada.

Tomada de grande angústia, indecisa, volta para a confortável sala de estar e, na tentativa de encontrar alguma distração, liga o aparelho de televisão.

Absorta em suas preocupações, caminha até a janela e verifica que se aproxima uma tempestade. O telefone toca e Vivian corre para atendê-lo.

— Alô? É você, Vivian?

— Sim, Theo. Pode falar! Onde você está? Pensei que estivesse a caminho!... — falou a moça ansiosamente.

— Bem, querida, é que tivemos de fazer um pouso forçado aqui em Curitiba. Houve algum problema com o avião, não sei bem o que, e viemos para cá...

— Isso significa que você não chegará hoje? — perguntou, desapontada.

— Calma. Amanhã cedo estarei aí. Por que você não vai até a casa de seu irmão na cidade? Não me agrada que fique sozinha na fazenda com esse tempo... — disse o rapaz, preocupado.

— Não tem nenhum perigo. Estou segura. Preciso falar urgente com você, Theo... Queria que chegasse logo! — falou Vivian com a voz embargada.

Percebendo que se tratava de algo incomum, Theo indagou, intrigado:

— Do que se trata, meu amor?

Imediatamente, lágrimas começaram a brotar dos belos olhos de Vivian, que não mais conseguia contê-las. Theo, preocupado, voltou a perguntar:

— Aconteceu alguma coisa? Por favor, diga-me, o que houve?

— Amanhã nos falamos. Vou buscá-lo no aeroporto.

Vivian desligou o telefone. Não podia mais. Estava a ponto de ter uma crise nervosa pela sobrecarga emocional que tivera nos últimos dias.

Ao mesmo tempo, como se a natureza quisesse demonstrar sua cumplicidade e também lamentasse as desventuras da vida, começou a chover.

No início, os pingos caíam esparsos, mas ao término de alguns minutos derramavam-se em profusão, dificultando a visão do exterior.

Sozinha, desesperada, Vivian recordava... Tudo em sua vida acontecera de forma natural, tranqüila... Seus pais lhe haviam proporcionado todos os recursos necessários para que tivesse uma boa educação. Cursara a faculdade sem grandes problemas e, inclusive, quando resolvera fazer um doutorado no exterior, o conseguira sem maiores dificuldades.

Às vezes tinha a impressão de que forças desconhecidas se manifestavam, como se tudo fizesse parte de um plano onde todos os seus passos tivessem sido previamente calculados e previstos, e que só coubesse a ela a execução deste plano...

Enquanto as lembranças lhe afloravam à mente, uma sensação de dor infinita lhe invadia a alma.

Fora no exterior que conhecera Theo, seu marido. Parecia que tudo havia acontecido ontem, mas já fazia três anos que haviam se casado...

Impedida de continuar com suas lembranças, Vivian resolveu subir e, após tomar um comprimido para dormir, deitou-se. Precisava descansar, queria esquecer...

Apesar da exaustão, o sono custou a chegar e as lembranças jorravam aos borbotões em sua mente.

Quando terminara o doutorado em Veterinária, retornara ao Brasil praticamente noiva de Theo. Haviam se conhecido quando cursava o segundo ano, terminando as cadeiras teóricas; quando planejava se deter mais especificamente no assunto de sua pesquisa, quase sem perceber, acabara se envolvendo com o rapaz.

Tudo tinha acontecido rapidamente. Theo, ou Theodomiro, era de uma família de classe média de São Paulo, e a imediata empatia com os familiares do rapaz fora instantânea.

Um noivado rápido, um casamento seguido de dias felizes, até... dois dias atrás, quando ela atendera ao celular do marido —Theo o havia esquecido.

"Era uma voz de mulher!", lembrava.

Parecia aflita e dissera muito claramente: "Preciso falar com você! Não posso esperar mais... Tenho de vê-lo ainda hoje, senão..."

Vivian ainda tinha tentado falar alguma coisa, mas a voz no outro lado se calara e desligara.

Parecia que, ao perceber não ter sido Theo quem atendera, a pessoa havia resolvido desligar.

"Quem poderia ser?", perguntava-se. Não reconhecia aquela voz e, por mais que tentasse lembrar, não encontrava nenhuma semelhança com a voz de alguém conhecido...

"Talvez uma amiga que eu não conheça... Mas havia muita intimidade e uma ameaça velada em seu tom."

Vivian olhou o relógio; eram quase vinte e três horas. Precisava dormir, pois sabia que o dia seguinte seria um dos mais difíceis de sua vida.

A chuva lá fora continuava caindo torrencialmente, dificultando o trânsito na rodovia. Após algum tempo, que lhe pareceu interminável, Vivian finalmente adormeceu.

***

O sono lhe trouxe pesadelos em que ela ouvia sonoras risadas de escárnio de alguém que lhe seguia de modo insistente; em função da medicação que tomara ao deitar, não conseguia acordar plenamente, voltando de novo a dormir e se encontrando uma vez mais diante do indesejado visitante.

Vivian, em verdade, via-se às voltas com um espírito desencarnado, conhecido seu de outras existências, que aproveitando a sua invigilância havia se aproximado. Isso é muito comum, pois, quando estamos dormindo, espiritualmente gozamos de relativa liberdade em relação ao corpo e é bem fácil nos encontrarmos com espíritos que estejam ou na mesma condição de sono do corpo ou já desencarnados.

Nesses casos, quando somos vítimas de um "pesadelo", que na verdade nada mais é do que um "encontro" com alguém que nos cobra alguma coisa ou uma situação indesejada criada em torno de nós, devemos procurar a vigília por algum tempo, com uma leitura edificante, e também dispor do recurso da prece.

Por meio de um gesto simples assim, mudamos nossa faixa vibratória e, ao retornarmos ao sono, nos dirigimos espiritualmente a regiões mais compatíveis com nossa paz e serenidade; se permanecermos pensando no mau sonho e revivendo através da lembrança os momentos difíceis que passamos, ao conciliar o sono novamente, retornaremos ao plano espiritual de mesmo teor vibratório e, conseqüentemente, ao contato com os mesmos espíritos que nos estavam perturbando.

Vivian, em função da noite mal dormida, acordou cansada e um pouco tonta, com dificuldade de concatenar os pensamentos. Procurou se desvencilhar da sensação desagradável com um banho reconfortante.

Apesar de sentir um certo alívio, sentia ainda uma espécie de mal-estar, de entorpecimento dos sentidos. Na verdade, estava sob o efeito dos fluidos inferiores nos quais se envolvera durante a noite, provenientes do desafortunado irmão que a acompanhava no plano espiritual.

Theo ligou por volta das oito horas, dizendo que o avião estava saindo de Curitiba. Pediu que Vivian o aguardasse em casa, pois ele alugaria um carro ao chegar.

Vivian não lhe deu ouvidos e falou que iria buscá-lo. Não podia mais esperar.

Terminou de se vestir, penteou os cabelos ainda molhados e entrou no carro, acelerando com rapidez, se afastando de casa pela estrada de terra que ligava a residência de seus pais à rodovia principal.

A chuva continuava a cair em profusão e o limpador do pára-brisa movimentava-se rapidamente, tentando vencer a grande quantidade de água que caía e tornava o tráfego na estrada praticamente impossível.

Em outras circunstâncias ela seria mais prudente, mas no estado emocional em que se encontrava não poderia esperar, precisava encontrar Theo o quanto antes.

Ao aproximar-se do seu destino, uma luz vinda em sentido contrário ofuscou a visão de Vivian. Instintivamente ela freou o carro, tentando desviar para a direita. O outro carro tentava uma ultrapassagem em uma elevação, sem a necessária visão do veículo que vinha na direção oposta.

O automóvel derrapou, saiu da pista e capotou algumas vezes. Vivian havia esquecido de colocar o cinto de segurança e foi jogada a alguns metros longe do carro.

O motorista do outro veículo, ao perceber o acidente que causara, fugiu do local criminosamente, deixando para trás a triste cena que provocara.

Passaram-se longos minutos até que chegasse o socorro. Vivian foi levada às pressas para o hospital da cidade totalmente inconsciente.

Theo, no aeroporto, acabara de chegar e tentava inutilmente ligar para sua casa. Como ninguém atendia, imaginou que Vivian tivera o bom senso de esperá-lo e provavelmente estivesse ainda dormindo.

No íntimo, contudo, alguma coisa lhe dizia que algo estava errado. Preocupado e inquieto, perguntava-se por que Vivian não o estava esperando, já que ela era extremamente teimosa.

Em função de o tráfego estar interrompido por causa de um acidente que acontecera a alguns quilômetros adiante, resolvera desviar por um atalho.

Theo, naquele instante, mal podia imaginar que se tratava do acidente de Vivian.

***

Ao chegar em casa, o rapaz ficou surpreso com a ausência da esposa.

"Não posso entender... Deve ter acontecido alguma coisa!"

Não havia o que fazer. Não sabia onde procurar Vivian; o celular da moça também não atendia...

Cerca de uma hora após sua chegada, ouviu o telefone tocar. Atendeu imediatamente e, sem reconhecer a voz no outro lado da linha, ouviu, angustiado:

— Alô? É da residência de Vivian Dornelles Camargo?

— Sim...

— Aqui é do Hospital de Caridade, o senhor é familiar dela?

— Sim, sou o marido dela. Aconteceu alguma coisa? — perguntou Theo, aflito.

— Lamentamos lhe informar, mas a sua esposa sofreu um acidente... O senhor deve vir imediatamente para cá... — disse a voz, reticente.

Theo ficou lívido e falou gaguejando:

— Por favor, diga-me... ela... está bem? — em realidade, ele queria é saber se Vivian estava viva.

A resposta atingiu Theo como um certeiro dardo invisível:

— O senhor deverá vir o mais rápido possível. O estado de sua esposa é muito grave...

Theo desligou o telefone lentamente. Parecia estar vivendo um pesadelo, quase não conseguia acreditar que aquilo tudo fosse realidade.

Sim! Era com ele! Essas tragédias eram mostradas quase diariamente na televisão, no jornal, mas na maioria das vezes dava pouca atenção ou então dizia algumas palavras de perplexidade, sem muito envolvimento...

No entanto agora ele era uma das vítimas indiretas. Era a sua esposa, a mulher que amava, a sua Vivian que estava, provavelmente, pelo que havia sido dito pelo telefone, entre a vida e a morte...

Ela sempre fora voluntariosa, acostumada a tomar decisões sem ouvir a quem quer que fosse. Theo havia se acostumado com a personalidade da mulher e sabia que só conseguia fazer sua vontade prevalecer usando de muita paciência e um jeito especial de conduzir as coisas. Tinha sempre que dar a entender que fora ela quem tomara a decisão. Nesse caso, lamentava profundamente, pois em função desse temperamento estava prestes a perder o ser que mais amava em sua vida!

Sem pensar, pegou as chaves do seu carro e dirigiu-se ao hospital sem tentar esconder as grossas lágrimas de profunda tristeza que rolavam pelo seu rosto crispado pela angústia.

"Logo agora!", exclamava. "Vivian estava fazendo um tratamento para podermos ter nosso filho..."

Assim como Vivian, reconhecia que, de certa forma, tinham sido abençoados em suas vidas, pois tudo lhes correra sempre de maneira perfeita, sem dificuldades maiores.

Mas o que Theo e Vivian não sabiam é que a vivência na Terra serve para nos aperfeiçoar e acrescentar valores indispensáveis a nossa experiência de almas.

Por mais tranqüila ou livre das dificuldades comuns à maioria das pessoas nos seja a existência física, sempre chega o dia de provarmos nossas condições espirituais, sejam elas fé, coragem, resignação...

Muitas vezes, se nos encontramos momentaneamente livres de tais percalços e temos melhores condições que a maioria de nossos irmãos de caminhada, estamos nessa situação exatamente para auxiliar aos que mais necessitam.

Talvez por já termos vivenciado situações semelhantes e as termos superado, podemos amparar os que estão ainda em dificuldades, por termos incorporado a experiência necessária.

Esse não era o caso de Theo e Vivian...

Aquela era, na verdade, uma pausa para o refazimento dessas almas. Traziam do passado etapas de sofrimento e dor e, por misericórdia divina, viviam agora um necessário período de relativa felicidade.

No íntimo, ambos já pressentiam que o rumo das coisas mudaria. Vivian apenas se antecipara, provocando uma situação que seria resolvida de outra forma pelos desígnios superiores.

***

Theo, após alguns minutos angustiantes, chegava ao hospital mencionado. Procurou imediatamente a recepção para saber onde encontraria Vivian.

Foi informado de que ela estava sendo atendida e que devia aguardar o médico. Sentou-se em uma poltrona na sala de espera e, colocando o rosto entre as mãos, começou a chorar.

De repente, lembrou-se que não avisara a ninguém do ocorrido. Os pais de Vivian estavam em férias no Nordeste e não seria prudente assustá-los sem o parecer médico. Lembrou-se da irmã de Vivian, Fernanda.

Após avisá-la do ocorrido e informar que ele estava no hospital aguardando notícias, sentou-se novamente na sala de espera.

As horas não passavam e Theo sentia que ia enlouquecer. Uma dor aguda no estômago lhe dava uma espécie de náusea e a sensação de fraqueza nas pernas lhe tirava o ânimo de sair em busca de um pouco de ar puro.

Passadas quatro horas de angustiante espera, o médico apareceu na porta da sala. Identificou Theo e dirigiu-se a ele nos seguintes termos:

— Fizemos alguns exames e optamos pela cirurgia..., fizemos o possível para evitar seqüelas... Ela ficou muito tempo na estrada... Lamento, meu jovem, ela está inconsciente e não sabemos por quanto tempo essa situação poderá perdurar...

Theo, extremamente angustiado, olhou para o médico sem entender.

— O que o senhor está querendo dizer? Não entendo...

O médico, um pouco desalentado, completou:

— Isso acontece... O trauma no crânio provocou um derrame cerebral... Ela chegou aqui hipotensa e com problemas respiratórios; estava com grande pressão intracraniana e tentamos eliminar o edema. Acreditamos que, neste caso, a sedação poderá dar bons resultados... ou seja, ela deverá ficar por alguns dias em coma induzido...

Apesar de não ter muito conhecimento do assunto, Theo podia avaliar perfeitamente as condições em que Vivian se encontrava.

A vida trazia, finalmente, sua porção de dor e sofrimento para aquelas almas.

2

Entre dois mundos

Em algumas horas, praticamente a família toda estava reunida. Rodrigo — o irmão mais velho — deixara seus afazeres em Bagé e viera imediatamente; Fernanda, a irmã mais moça, viera com o marido, Álvaro.

Os pais de Vivian ainda se demoravam, pois, como estavam em região distante, dependiam de uma conexão no centro do país para poderem chegar à cidade.

Ante o olhar indisfarçavelmente acusador de Rodrigo, Theo resolveu perguntar:

— Afinal o que está acontecendo, Rodrigo? Não entendo... Desde sua chegada você me olha de forma estranha!

Rodrigo balançou a cabeça e, olhando com dureza para Theo, respondeu:

— Não consigo aceitar que minha irmã tenha se acidentado no meio deste temporal. Foste tu que pediste que ela te apanhasse no aeroporto, não é mesmo?

Theo, surpreso, redargüiu:

— Espere um pouco! Você acha que eu faria Vivian ir me buscar com a estrada nessas condições? Como podes me acusar de uma coisa dessas? Eu jamais faria isso!

Rodrigo deu um passo adiante e falou com a voz alterada:

— Então qual é a explicação para Vivian estar naquele carro?! Todos sabemos que ela jamais dirigiria com um tempo daqueles!

Theo respondeu, nervoso:

— Ora, Rodrigo, você sabe que sua irmã não ouve ninguém quando quer alguma coisa... Tentei demovê-la, mas ela nem sequer me escutou...

Rodrigo aproveitou e comentou com ironia:

— Sim, eu sei que sempre foi ela quem tomou as decisões...

Neste momento, Theo veio em direção a Rodrigo com o intuito de tornar o duelo verbal uma disputa física. Os dois homens se olharam frente a frente e, quando iam tomar uma atitude mais violenta, Fernanda se interpôs e falou, já em lágrimas:

— Mas o que é isso? O que vocês estão fazendo? Enlouqueceram? Enquanto Vivian luta pela vida, vocês querem se matar?

A intercessão da jovem foi oportuna, pois imediatamente os dois homens se recompuseram e voltaram cada um para um canto da sala.

O silêncio se fazia pesado quando, horas mais tarde, o casal Henrique e Marina entrou no ambiente. Fernanda correu em direção aos pais e os abraçou, enquanto tentava, entre soluços, contar o que havia acontecido.

Henrique caminhou na direção de Theo e perguntou em tom grave:

— O que de fato aconteceu, Theo? Por que minha filha estava dirigindo naquela estrada sabidamente perigosa em um dia como este?

Theo tentou mais uma vez explicar:

— Já disse a Rodrigo o que aconteceu... Eu deveria retornar na noite anterior, mas o avião sofreu uma pane e tivemos que parar em Curitiba. Liguei para Vivian, avisando, e achei que ela estava meio tensa, nervosa... Pedi que me esperasse em casa, pois alugaria um carro no dia seguinte, mas ela foi irredutível, disse que iria até o aeroporto...

Desconfiado, Henrique tentava concatenar as idéias:

— É muito estranho tudo isso, pois tu sabes o quanto Vivian é cuidadosa... Apesar de ser um pouco caprichosa. Não sairia, assim, no meio de um temporal...Theo, tu estás me escondendo alguma coisa? Existe algo nesta história que não estamos sabendo?

— Também não entendo o que aconteceu! Tento repassar a conversa que tivemos e não consigo saber por que Vivian tomou essa atitude, se arriscando desnecessariamente...

Neste momento, Marina, que ouvia toda a conversa, perguntou:

— Theo, por favor, diga-me, vocês brigaram?

O rapaz prontamente respondeu:

— Não, senhora! Nunca tive esse tipo de problemas com sua filha. Jamais dei motivos para tal.

Marina concordou e perguntou, com os olhos anuviados:

— Quem sabe a questão do filho? Talvez ela estivesse preocupada em ver mais uma vez frustrada a tentativa de engravidar!

Theo passou a mão pelos cabelos e disse, com a voz embargada:

— Tudo estava indo bem, D. Marina. Vivian estava com muita esperança, confiante...

Compadecida, a mãe de Vivian abraçou carinhosamente o genro e falou com doçura:

— Está bem, meu filho. Perdoa-nos pelas perguntas descabidas que fizemos... Apenas queríamos entender o porquê dessa tragédia. Estávamos procurando uma justificativa para essa dor e acabamos colocando em dúvida a sua palavra. Essas coisas sempre nos pegam de surpresa! Não sabemos lidar com a iminência de perder um ente que amamos de modo tão intenso.

Theo retribuiu o abraço e, sem se preocupar com a força de suas emoções, chorou sentidamente no ombro de Marina.

A boa mulher lembrava muito sua mãe, que residia em São Paulo e que para ele era uma ausência muito marcante.

* * *

Enquanto isso, em um dos leitos do Centro de Terapia Intensiva, Vivian permanecia imóvel e registrando baixa atividade cerebral.

Vários aparelhos monitoravam suas condições orgânicas, mantendo os sinais vitais dentro do recomendado para aquela situação.

Aparentemente, a vida abandonava aquele corpo, e a esperança de sua permanência na Terra era diminuta.

Próximo ao corpo, que jazia inerte, uma jovem sonolenta repousava em profundo tormento moral. Vivian não despertara totalmente na esfera espiritual, pois sentia, mesmo fora do corpo, os efeitos da medicação recebida; repercutiam em sua forma espiritual as informações e sensações do plano físico e também as de nossa esfera.

Algumas lembranças sobrevinham-lhe à mente conturbada. Lembrava de um telefonema... Uma superlativa angústia! Theo! Onde estaria Theo? Tinha que ir buscá-lo! Como pudera esquecer?

De repente, um carro vindo em sua direção... Uma batida forte. Depois um choque e uma dor lancinante na cabeça...

Agora este sono invencível. Onde estava? Queria sair dali, mas não podia, sentia-se ligada àquela forma pálida; quem era aquela mulher ali deitada e inerte?

Precisava sair dali! Queria ver todos: Theo, Rodrigo, seus pais! Onde estavam, que lhe deixavam ficar ali, abandonada, sozinha naquele lugar?

"Oh, Deus! Ajude-me a sair daqui!", suplicou mentalmente em um momento de desespero.

Imediatamente, viu que estava em uma outra sala, ainda dentro do hospital. Olhou ao redor e pôde ver Theo abraçado a sua mãe.

Correu em sua direção e tentou abraçá-los entre lágrimas de desespero. Não conseguiu. Imediatamente, reconheceu o teor do assunto.

Todos questionavam os motivos de sua imprevidência! Queriam saber de Theo se ele fora responsável por aquilo...

Olhou detidamente o marido e se lembrou do telefonema. Aproximou-se e falou perto do rapaz:

— Por favor, me diga, Theo, quem era aquela mulher? Por que ela o estava ameaçando?

Foi naquele momento que Theo chorou, emocionado, no ombro de Marina.

Chorando, também, Vivian pedia uma explicação... Sem entender tudo aquilo, percebia, pelas conversas, que estava à beira da morte...

O desespero foi imenso, fazendo com que ela se voltasse instintivamente em direção ao corpo que jazia no CTI.

Uma parada cardíaca. O som característico da aparelhagem colocou a equipe de prontidão para o atendimento. Iniciava-se a luta pela vida de Vivian.

A massagem cardíaca, a tentativa de ressuscitação cardiopulmonar, mas seu corpo não reagia.

Vivian sentia que se desligava da vida, tristemente ferida por sua imprevidência. Uma angustiante sensação de perda tomou conta de sua alma.

Sem querer, distanciava-se de sua forma física e tomava consciência que estava deixando para trás tudo o que mais amava na vida...

* * *

Vivian sentia que flutuava acima de seu próprio corpo e podia ver os esforços da equipe médica lutando para salvá-la. Após diversas tentativas, um dos enfermeiros que acompanhava os seus sinais vitais declarou, desapontado:

— Ela se foi... Nós a perdemos!

O médico que coordenava o atendimento olhou para o seu auxiliar. Vivian pôde perceber sua expressão angustiada, notou que transpirava muito...

Enquanto isso, Vivian sentia-se atraída para um túnel escuro, que lhe causava uma indescritível sensação de temor.

Após a rápida passagem por essa região, começou a perceber que era envolvida por uma luz muito agradável e — poder-se-ia dizer — acolhedora. Desde o momento do afastamento de seu invólucro carnal, percebera a presença de alguém que não conseguia divisar, mas que sentia estar acompanhando-a durante todo o tempo.

A luz aumentava à medida que Vivian se afastava. Em dado momento, um clarão mais intenso tomou conta de tudo e ela se sentiu inundada por uma luminosidade reconfortante, suave e intensa ao mesmo tempo.

O temor havia passado e Vivian sentia-se tomada por uma felicidade indescritível, não se recordava de haver sentido algo parecido antes...

Podia perceber algumas silhuetas nimbadas de luz, que se aproximavam, sorrindo afetuosamente. Sem se poder conter, ao reconhecer a simpática senhora à sua frente, exclamou:

— Vovó Rosália! Como pode ser? Estou morta?!

A amável entidade se aproximou sorridente e retrucou:

— Minha menina! O momento é muito grave e devemos devolver-te ao corpo, mas antes precisamos conversar um pouco, querida.

Após um efusivo abraço, cheio de ternura, Rosália continuou:

— Minha filha, poderás agora encontrar-te com teu mentor espiritual, o espírito que te acompanha há séculos, e que até agora não pudeste divisar, apesar de lhe sentir a presença...

Vivian olhou ao redor e percebeu que a presença que registrava desde o momento que se separara do corpo era de um ser envolvido em uma aura de esplêndida luz.

O referido espírito lembrava, pela sua vestimenta, um habitante do Antigo Egito; tinha a tez morena e aparentava ser um homem de meia-idade. Da sua testa irradiava um foco de luz azulada que parecia penetrar em tudo no ambiente.

Mesmo sentindo-se constrangida ao perceber a hierarquia espiritual da entidade, ao mesmo tempo também se via tomada por uma sensação de paz e felicidade inenarráveis.

O mentor amigo se aproximou e falou com brandura:

— Minha filha, ainda não é chegada a hora de te unires a nós... Teu procedimento nos últimos dias te levou à vivência dos graves incidentes que culminaram com a peculiar experiência pela qual passas hoje.

— Mas como posso estar aqui, falando com o senhor, se não estou morta e terei que voltar?

À indagação de Vivian, Menmet obtemperou, esclarecendo:

— Neste momento, és dada como morta no plano físico. Muitos são os companheiros encarnados que viveram situações semelhantes a esta. Desperta está tua consciência espiritual, sem que se tenham rompido por completo os laços que te prendem ao invólucro carnal.

Aproveitando a nossa presença para maiores elucidações, o amigo continuou:

— Vives agora fenômenos que usualmente são atribuídos pelos céticos simplesmente à "química cerebral" ou ainda ao chamado "ruído neural" e ao lançamento de endorfinas na corrente sangüínea... Muitas são as explicações encontradas pela medicina materialista para interpretar um fenômeno ainda desconhecido em sua essência e que traz em si excelentes oportunidades de reconhecimento da realidade espiritual que nos cerca. Os próprios ruídos que deves ter registrado no momento em que te afastavas do corpo são atribuídos à falta de oxigênio no cérebro e ao desequilíbrio sináptico no córtex cerebral...

Menmet prosseguiu, sob o olhar atento de todos os presentes:

— Com o devido respeito aos estudiosos do corpo físico, devemos salientar que o que tomam por causa do fenômeno é, em realidade, sua conseqüência... É verdade que o ato do espírito de se afastar de seu invólucro corporal repercute em todo o sistema orgânico e causa sem dúvida alterações bioquímicas no cérebro; entretanto, essas repercussões de caráter desagradável são por certo geradas pela perspectiva que o espírito experimenta de ter de abandonar definitivamente a dádiva do abençoado corpo físico que o Senhor lhe proporcionou.

Prosseguiu:

— Algumas drogas efetivamente proporcionam sensações similares, por atuarem em regiões do cérebro que são acionadas no momento do desenlace definitivo... Muitos companheiros a serviço da mediunidade na Terra passam por experiências semelhantes — com menos intensidade, é verdade —, mas não desconhecem muitas das sensações que acabaste de experimentar...

Vivian ouvia, perplexa, as palavras daquele que dizia ser seu mentor espiritual. Emocionada, sentiu uma grande tristeza ao perguntar:

— O senhor quer dizer que serei obrigada a retornar? Não poderei ficar aqui com a vovó Rosália?

Menmet respondeu com um sorriso:

— Ainda não é o tempo, minha filha. Estás aqui para reavaliar tua caminhada na presente encarnação... Será preciso que retornes à estrada do ponto onde paraste...

Vivian olhou para a avó e falou, angustiada:

— Não quero retornar! Quero ser feliz... E na minha vida só vejo infelicidade!... — disse chorando.

O mentor retornou, com infinita paciência, a sua explanação:

— Vivian, o que tens feito de tua existência até hoje? Desejas regressar, mas, da existência atual, o que trazes em tua bagagem espiritual?

Vivian olhou perplexa para Menmet e, incentivada pela ação magnética de seu mentor, imediatamente vislumbrou diante dos seus olhos, como em um filme, alguns momentos de sua existência. Para sua surpresa, fatos relegados ao esquecimento, que considerava sem importância, voltavam vivos e intensos, como se tivessem ocorrido no dia anterior.

Revia agora a infância vivida sem preocupações, a juventude descuidada, o período de estudos mais intensos e finalmente o seu casamento. Sempre fora relativamente feliz e achava que isso era natural, afinal — pensava —, ela tinha sorte. Deus a tinha aquinhoado com um lar sem problemas, era bonita, tinha sucesso profissional e casara com um homem que amava e pelo qual era também amada. Afinal de contas, tinha tudo, não tinha com o que se preocupar. Até o dia que...

Naquele momento, Menmet interrompeu o curso dos seus pensamentos, dizendo:

— Então, minha filha, o que está faltando? Diante de tudo o que recebeste, não deverias ter dado alguma coisa? Achas que o generoso Theo merecia essa tua falta de tolerância; fato este que te levou quase ao suicídio?

Vivian percebeu que realmente recebera muito e que quase nada devolvera à própria vida. No único momento em que poderia ter demonstrado um pouco de compreensão com o marido, que tudo fazia para vê-la feliz, falhara.

Reconhecia, agora, que, na verdade, o que todos realmente faziam era girar ao seu redor, satisfazendo-lhe os caprichos. Primeiro fora o pai, atencioso e dedicado, depois o irmão, sempre preocupado com seus mínimos desejos... A mãe, a quem amava com todas as forças de sua alma, e que apoiava sempre os seus projetos...

A avó, D. Rosália, enquanto vivera, contava-lhe belas histórias, com o intuito de formar-lhe o caráter e ajudá-la a tornar-se menos egoísta; mas Vivian continuara a viver achando que todos deviam cercar-lhe de atenções. Nunca, contudo, pensara no que ela deveria fazer para que os outros fossem felizes...

Pela primeira vez colocava-se no lugar de todas essas pessoas que tinham passado pela sua vida e sentia um imenso vazio. Todos a amavam, era verdade, mas ela não soubera retribuir-lhes o carinho... Lembrou-se de Theo, abraçado à sua mãe, chorando diante da iminência de sua morte...

Uma tristeza infinita tomou conta de seu coração e Vivian prorrompeu em pranto. Como lamentava ter sido tão egoísta! Recebera, ao longo de sua vida, somente demonstrações de afeto; no entanto, podia sentir a aridez de sua alma, desacostumada à semeadura e cultivo do amor ao seu redor!

Rosália, que se encontrava ao lado da neta, explicou, passando a mão carinhosa nos cabelos de Vivian:

— Querida, tuas lágrimas denotam teu arrependimento. Poucos como tu podem retornar e corrigir o próprio caminho, conscientes dos erros que cometeram. Entendes agora a necessidade de regressar e terminar essa etapa?

Vivian fez um sinal afirmativo com a cabeça e completou:

— Se Deus assim o desejar, retornarei e procurarei modificar os meus atos. Mas será que vou me lembrar de tudo isso?

Menmet olhou a moça com profundo carinho e, com paternal entonação na voz, concluiu:

— Acompanho-te desde o tempo em que foste a filha amada de um homem muito humilde no Antigo Egito... Desde então, jamais te abandonei, minha filha. Estarei a teu lado para lembrares o que for oportuno, mas, neste caso, diferentemente da maioria das pessoas, atuaremos magneticamente para impedi-la de lembrar dos detalhes por ti vividos. Por agora é necessário que esqueças, até que adquiras a fé em Deus e a confiança absoluta em nosso mestre Jesus, pois é chegado o tempo dos resgates redentores; tens uma grande prova pela frente! Existe um grave débito do passado que deverás saldar nesta vida e, para isso, alguns acontecimentos te levarão a te aproximar de uma religião que já conheces e da qual, pelos apelos do mundo, te afastaste, mas cujos princípios, por estarem calcados nas Leis Naturais de nosso Criador, se perdem na imensidade dos tempos...

Neste momento, Vivian sentiu um choque brutal. Para ela, era como se fosse arremessada violentamente contra uma parede. Imediatamente, apesar da inconsciência aos olhos terrenos, registrou com dificuldade vozes distantes e risos e a seguir perdeu a consciência.

Naquele instante, a equipe médica se congratulava com a volta de seus batimentos cardíacos. Retornava à vida, nossa amiga, para cumprir o seu destino.

3

Desvendando o véu

Enquanto Vivian voltava à vida, retomando seus compromissos espirituais sob nova perspectiva, procuramos levantar o véu do abençoado esquecimento que cobria momentaneamente a memória dos nossos irmãos encarnados.

Pela sábia orientação de Menmet, pudemos vislumbrar com clareza, nos recônditos de um passado distante, o drama vivido por aquelas almas.

Sabemos que, para muitos, a teoria reencarnacionista não é totalmente desconhecida, embora nem sempre seja bem compreendida.

Através dos tempos, por algumas expressões religiosas surgidas no planeta, a idéia de que o ser não habita apenas um e definitivo corpo físico, mas que em diversos avatares utiliza diferentes veículos carnais, com a finalidade do próprio aperfeiçoamento, é de conhecimento geral.

Sem buscarmos explicações dentro do terreno místico, mas calcando-nos nas próprias palavras de Jesus, fica evidente ao estudioso interessado em apreender o sentido dos seus incomparáveis ensinamentos que a sua exortação ao doutor da Lei, Nicodemos, de que "ninguém poderá ver o reino de Deus se não nascer de novo", não se restringia apenas a um renascimento moral ou espiritual, mas sim a um renascer em um novo e diferente corpo físico.

Jesus afirmava que "o que é nascido da carne é carne e o que é nascido do Espírito é Espírito", o que significa dizer que a carne gera a carne ou o corpo, e que o Espírito independe desta. Amplia esse ensinamento com as sábias palavras: "O Espírito sopra onde quer; ouve-lhes a voz, mas não sabes de onde ele vem, nem para onde vai", que significam que não sabemos a origem do espírito, assim como o seu destino ou fim, confirmando que o início da vida do espírito não coincide com o início da vida física.

Quase dois mil anos após trazer à Terra esses ensinamentos, diante do completo esquecimento e deturpação de sua mensagem, o amado nazareno nos enviou o prometido Consolador, através da codificação da Doutrina Espírita, onde o verdadeiro sentido de suas palavras foi retomado, ensejando um genuíno renascer do verdadeiro e primitivo cristianismo na Terra.

A função de consolar da nova doutrina ganha corpo e forma por meio de uma compreensão do encadeamento perfeito existente entre nossas encarnações sucessivas. Por nos reconhecermos espíritos em evolução, imperfeitos e passíveis de erros, portanto, verificamos, nas faltas muitas vezes graves que cometemos em anteriores existências, a causa inexorável das amarguras e sofrimentos com os quais tantas e tantas vezes nos defrontamos na vida atual.

Confirmamos o porquê da solidão, do desamor, da violência exacerbada e das provações coletivas às quais nosso planeta está sujeito.

Quantas vezes nos defrontamos com o noticiário e nos perguntamos, perplexos: Por quê? Qual o motivo de tanta miséria e sofrimento? Onde está Deus, que permite tanta dor?

Inconscientemente, começamos a nos questionar acerca da bondade e da justiça divinas...

Os mais resignados e confiantes aceitarão simplesmente os fatos, entendendo que "Deus sabe o que faz"; entretanto, os que buscam uma fé raciocinada se questionarão: "Se Deus é infinitamente justo e bom, como permite estas coisas? Onde está a sua justiça?".

Surge, portanto, a alentadora teoria reencarnacionista, que nos lembrará de quantas atrocidades já foram cometidas na face da Terra ao longo da história da humanidade... Será que ficaram esquecidas pela justiça de Deus?

Se cremos que suas leis se cumprem inexoravelmente, não podemos acreditar que o mal, sob forma de lição bendita, não retorne àquele que o praticou... Apesar de nesse mister a bondade divina assumir papel preponderante, sua justiça é incorruptível!

Estamos na Terra em estágio educativo, onde colhemos os frutos de nossa semeadura passada. As bênçãos que recebemos hoje, é certo, se devem ao nosso bom aproveitamento em existências anteriores; são méritos conquistados; as provações, da mesma maneira, são o fruto da nossa imprevidência e, na maioria das vezes, de nosso egoísmo desmedido.

As vidas sucessivas formam uma cadeia de acontecimentos ligada por elos de uma vida maior, infinita.

Os elos dessas vidas nos unem ao passado e ao futuro, evidenciando que as dificuldades de agora são repercussão do "ontem", e que, de conformidade com nossos atos de hoje, determinaremos nossa felicidade ou desventura de amanhã...

***

Após a saudação fraternal de Menmet, ousamos perguntar:

— Tenho um interesse particular pelo drama vivido por Vivian e Theo, caro amigo, pois percebo aí a possibilidade de transmitir alguns ensinamentos aos nossos irmãos na Terra...

Menmet olhou-me com atenção e respondeu com sua característica voz grave:

— Entendo os teus nobres ideais, meu irmão. Concordo com a transmissão das páginas dessas vidas aos nossos irmãos encarnados... Aprende-se mais facilmente quando transportamos experiências alheias para a nossa realidade... E às vezes essas experiências são tão parecidas com as nossas, não é mesmo?

Fiz um sinal afirmativo e indaguei:

— Certamente o passado de nossos amigos desvendará uma série de acontecimentos que ainda estão por vir...

— Sim, é verdade. Mas não devemos esquecer que possuímos o livre-arbítrio e que, de acordo com as escolhas que fizermos, poderemos modificar nosso destino. Se Vivian, a filha que me é muito cara, não modificar suas deliberações, sofrerá ainda por algum tempo...

Entusiasmado com as perspectivas de aprendizado e trabalho que teria pela frente, busquei confirmar algumas informações:

— Ao que parece, Vivian depara com alguns afetos do passado na pessoa de Theo e do irmão, principalmente...

Menmet fixou o olhar em um ponto distante no infinito e falou:

— É uma longa história... Mas, vejamos, vou te mostrar o que aconteceu a partir dos arquivos mentais da própria Vivian. Poderás tirar as lições necessárias aos teus leitores... Retornaremos a um tempo indelevelmente ligado à atual encarnação de nossos amigos.

Naquela época, a jovem que agora conhecemos por Vivian se chamava Leonor...

4

Voltando no tempo

Minutos mais tarde, adentrávamos a ala da CTI em que Vivian se encontrava. Mesmo exigindo monitoração constante, como o quadro se estabilizara, os médicos decidiram permitir a presença dos familiares por algum tempo.

Theo e a sogra, Marina, se encontravam junto à jovem, sendo visível o abatimento que demonstravam; o primeiro, com a barba por fazer e profundas olheiras, acariciava as mãos inertes da mulher, enquanto Marina deixava grossas lágrimas rolarem por seu rosto. Apesar da idade, mantinha os vestígios da beleza que provavelmente um dia havia possuído.

Marina não era uma mulher vaidosa. Possuía recursos que lhe permitiriam aparentar uma idade que já não possuía — como faziam muitas de suas amigas —, mas resolvera aceitar o processo de amadurecimento como uma etapa natural da vida humana, procurando cultivar os valores ligados à família e à espiritualidade.

O contentamento que trazia em seu coração fazia com que o brilho do seu olhar se mantivesse tão expressivo como o fora em sua mocidade, e a tranqüila aceitação de suas dificuldades propiciava-lhe um verdadeiro antídoto contra os maus-tratos do tempo.

Imediatamente divisamos Rosália — a avó desencarnada — a tocar carinhosamente a testa da enferma. Ao nos notar a presença, aproximou-se, atenciosa. Após as saudações habituais, Menmet perguntou-lhe:

— Ela continua com a mente encarcerada no passado?

Rosália olhou para Vivian e, balançando a cabeça, respondeu:

— Infelizmente, meu irmão, desde que retornou ao corpo ela está revivendo uma a uma as recordações da vida que tão bem conhecemos... Rufino, o infeliz irmão que a acompanha, passou a agir mais efetivamente e aproveitando-se de seu estado orgânico obriga-a a fixar seu pensamento em doloroso e angustiante passado...

Menmet fez um sinal para que o acompanhasse e indicou:

— Poderás ver os fatos que desencadearam algumas das provações que atualmente afligem nossa querida amiga. As imagens estão gravadas em seu perispírito. Como disse nossa irmã Rosália, ela revive, através da lembrança, aqueles dias de lamentáveis enganos...

— Mas — argumentei — isso não seria proveitoso para ela? Não poderia tirar preciosos ensinamentos dessa recapitulação?

Menmet respondeu pacientemente:

— Nesse caso, não. Ocorre justamente o contrário: Vivian se esgota emocionalmente ao lembrar alguns episódios demasiadamente trágicos que viveu em outros tempos, e que causaram um trauma psíquico que agora deveria ser sanado. Faremos o que for necessário para que ela não guarde essas lembranças ao acordar, pois não lhe seriam úteis neste momento...

Menmet tocava em um assunto delicado.

Invariavelmente, quando entramos em contato com a teoria reencarnacionista, o nosso anseio imediato é o de procurar saber quem fomos, onde vivemos etc.

A curiosidade nos leva, muitas vezes, a investigarmos nosso passado, buscando terapias que nos abram as comportas da memória; é quando surge a grande surpresa!

Entramos em contato com uma realidade que deveria permanecer em nosso inconsciente, pois não temos condições espirituais ou estrutura psíquica para encararmos o que fomos e o que fizemos! Se assim não fosse, Deus nos teria permitido acesso irrestrito ao passado.

Poucos encontram energias para reformular o próprio destino diante de erros que nem imaginam pudessem um dia ter cometido.

Recordemos espíritos da envergadura de Paulo de Tarso e Maria Madalena, que, graças à sua coragem e vontade inquebrantáveis, conseguiram, em um curto período, reformular suas jornadas, partindo das trevas para a luz.

Cabe ainda acrescentar que, ao forçarmos uma lembrança desnecessária, atraímos para junto de nós os espíritos ligados àquele passado...

A sabedoria divina nos coloca o esquecimento por inestimável bênção, para recomeçarmos no caminho!

Menmet, após alguns minutos de silêncio, prosseguiu:

— Creio que de tudo isso poderás retirar alguns ensinamentos bastante úteis para os nossos irmãos ainda no corpo físico... Aproxima-te e poderás visualizar melhor o que o tempo não apagou...

Procurei me localizar próximo a Vivian e verifiquei o sofrimento que as recordações lhe traziam. Estava estampado em seu rosto.

Ao observar mais cuidadosamente, pude ver como em um filme imagens que se tornavam reais, no início confusas, mas que, à medida que eu acurava minha capacidade perceptiva, iam-se tornando mais nítidas.

Em poucos segundos, pude assistir ao desenrolar de uma interessantíssima história, que começava sob meu curioso e interessado olhar de escritor...

***

Era um final de tarde. A brisa suave do entardecer balançava docemente as laranjeiras em flor.

O sol, caindo no poente, avisava aos pássaros e aos animais silvestres que era hora de se recolherem.

A parelha de cavalos que conduzia a charrete troteava apressada na estrada de terra que conduziria aquelas duas jovens ao casarão.

As duas moças voltavam apressadas, pois se haviam esquecido da hora de retornar. Uma delas, a mais moça, falou, preocupada:

— Foi por tua causa que nos atrasamos, Leonor! Mamãe vai nos xingar e — pior que isso — com razão!...

Leonor deu uma risada alta e falou:

— Preocupas-te à toa, minha prima. Minha tia jamais me chamou a atenção por qualquer coisa, e tu estás exagerando como sempre. Vê! Ainda chegaremos antes do anoitecer...

Lúcia olhou com seriedade para a prima e fez um gesto de desânimo. Não adiantava falar nada mesmo. Leonor sempre fazia o que queria!

Ao chegarem diante da grande casa da fazenda desceram e se dirigiram imediatamente ao seu interior. Leonor entrou primeiro e logo olhou para a tia que, muito séria, foi reclamando e perguntando às duas:

— Francamente, Leonor! Onde andaste? E tu, Lúcia? Perdeste a cabeça?

Leonor se adiantou e justificou-se:

— Peço desculpas, minha tia. Fui a responsável pelo atraso. Fomos até o caramanchão, que é mais fresco, para nos aliviarmos do calor, e acabei me esquecendo da hora...

D. Francisca olhou com falsa severidade para as moças e retrucou:

— Entendo, minhas filhas, que sintam calor, mas vocês devem lembrar que essas estradas são muito perigosas para duas moças andarem por aí... Têm que ter mais cuidado. Se o teu tio sabe que estavam fora de casa até esta hora... Ai de nós! Agora troquem de roupa e venham jantar. Tenho uma novidade para te contar, Leonor...

A jovem ia insistir com a tia para saber do que se tratava, mas D. Francisca, apenas com o olhar, demonstrou que não adiantava pedir, pois ela não contaria nada antes.

Imediatamente, Leonor e Lúcia foram para dentro, a fim de se aprontarem antes que o intendente Antero Gouvêa retornasse dos seus afazeres diários.

Leonor sabia da rigidez e severidade do tio e jamais ousaria desafiá-lo.

Estava residindo havia seis meses junto dos tios e da prima, uma vez que seu pai tivera que ir à Europa resolver alguns negócios e decidira deixá-la, pois — segundo a opinião paterna — seria uma viagem sem maiores atrativos para uma jovem da sua idade.

"Como se fosse possível alguém se aborrecer na Europa!", pensava Leonor.

De qualquer forma, acabara aceitando o argumento do poderoso fazendeiro José Venâncio Almeida de Gouvêa, porquanto, apesar de não concordar com seus argumentos, amava-o com filial devoção e não queria aborrecê-lo.

Alguns minutos mais tarde, as duas se apresentavam na sala do grande casarão para o jantar.

Antero, sem percebê-las, com ar extremamente preocupado, conversava com a esposa, D. Francisca:

— Não vejo a hora do retorno de meu irmão... As coisas estão se complicando; a insatisfação com o dízimo está levando nossa gente a pensar em uma atitude mais drástica em relação ao governo...

D. Francisca ia responder, quando viu as duas jovens. O tio olhou para elas — por sinal, de quem muito se orgulhava — e perguntou, mudando de assunto ao vê-las ruborizadas:

— O que vocês andaram fazendo com todo este calor? Foram até o arroio?

Lúcia e Leonor se entreolharam e, enquanto pensavam no que iriam dizer, D. Francisca se adiantou e respondeu:

— Antero, elas foram até o caramanchão e voltaram logo... Estava quente demais. Não quiseram demorar... Não é, gurias?

— Exatamente, meu pai. Foi isso que aconteceu... O senhor sabe que Leonor detesta este arroio...

Antero olhou desconfiado para as três mulheres. A seguir, sentaram-se à mesa e foi D. Francisca quem começou o assunto:

— Leonor, minha filha, te havia dito que tinha uma novidade...

Leonor voltou o olhar para a tia, aguardando que ela se manifestasse. Antero resolveu ir direto ao assunto:

— Bem, minha sobrinha. Além de filha de meu irmão, és minha afilhada e sabes que me és muito cara... O caso é o seguinte: o teu pai tinha ido resolver alguns problemas relativos à fazenda na Europa, tu bem o sabes: adquirir algumas máquinas e outras coisas que não interessam. Tu também sabes que desde a morte de tua mãe (e lá se vão quase vinte anos), o meu pobre irmão nunca pensou em outra mulher... Ocorre que, ao passar por Portugal, quis o destino que ele encontrasse uma moça que lhe conquistou o coração... e então... Bem, ele se casou em Lisboa com esta tal jovem.

Leonor não acreditava no que estava ouvindo. Seu pai havia se casado com uma desconhecida, tinha substituído sua mãe por uma mulher que mal conhecera!

Perdera imediatamente o apetite. Tinha vontade apenas de ficar só.

Pediu licença aos tios para se retirar. Antero queria lhe dizer alguma coisa, mas D. Francisca fez um sinal, pedindo-lhe que a deixasse ir.

Leonor se retirou e, ao chegar no quarto, correu a pegar seu porta-jóias, de onde retirou um antigo retrato de sua mãe. Sem poder conter o pranto, chorou longamente pela saudade que sentia daquela que tanto amava, e que Deus não lhe permitira conhecer.

O que fazer agora? Quem seria esta mulher que tomava o lugar daquela por quem ela e o pai sempre haviam experimentado verdadeira veneração?

Um rápido pensamento lhe passou pelo cérebro, dando-lhe calafrios: “e se a *outra* lhe roubasse também o amor de seu pai?”.

Leonor só conseguiu adormecer quando o galo, em cumprimento a sua rotina diária, avisou que um novo alvorecer se iniciava.

5

Caminhos que se cruzam

Como geralmente acontece nesses casos, após a morte da mãe, Leonor cresceu sob os cuidados paternos, mas sempre sentindo a falta de uma mulher que exercesse o papel de mãe.

Havia Eulália — irmã de sua mãe —, que auxiliara na sua criação, mas, mulher amargurada por não haver constituído a própria família, não lhe soubera dar amor, pois, por sua vez, também jamais o recebera.

Vivia em Pelotas, na cidade, ensimesmada pelos cantos da casa, com suas rezas e pressentimentos, isolando-se da vida mundana na tentativa de buscar no céu as alegrias que não tivera na terra.

Ocorre que, nessa fuga interior, Eulália se esquecia que os sofrimentos dos quais supunha padecer eram justamente o caminho que deveria abrir o seu coração para a fraternidade e interesse pelo próximo.

Por ocasião da viagem de José Venâncio, Eulália resolvera "tirar uns dias na capital", conforme dizia, buscando descanso junto a uma velha tia que residia em Porto Alegre, já que Leonor ficaria na casa dos tios.

Dessa forma, Leonor se aproximou naturalmente da família de seu pai, que sempre a acolhera com imenso carinho. A amizade com a prima — Lúcia — a reconfortava e, tendo as duas quase a mesma idade, acabaram por se tornar grandes amigas e confidentes.

Leonardo, o primo, havia muito tinha partido para estudar na Europa e, apesar de lhe ser muito caro, parecia a haver esquecido.

Ansiosa e inquieta, andava pela casa, pensativa. Vez ou outra dava profundos suspiros, que despertaram a atenção de D. Francisca.

A referida senhora, já beirando os quarenta, largou a peça que tecia e, olhando para a sobrinha, indagou:

— O que está acontecendo, minha filha? Estás assim inquieta por causa do casamento de teu pai?

Leonor olhou para a tia e disse, com tristeza:

— Estou apenas surpresa, minha tia! Não entendo como meu pai foi à Europa em busca de máquinas para a fazenda e voltará com uma nova esposa!

D. Francisca balançou a cabeça e falou pacientemente:

— Ora, Leonor! Por que esta surpresa? Por acaso dezessete anos de luto já não foram o bastante? Teu pai jamais deixou de respeitar a memória de tua mãe e, tenho certeza, ainda a ama e amará para sempre! Tua mãe era uma mulher inigualável... Mas o fato é que finalmente José Venâncio voltou a viver e tu deverás aceitar isso...

Leonor olhou, magoada, para a tia e contrapôs:

— Acreditas, então, que meu pai fosse infeliz comigo, sua própria filha? Sempre achei que nossa amizade compensaria a ausência de mamãe... Se fosse necessário, eu até abriria mão de me casar para cuidar de meu pai!

D. Francisca deu uma risada e retornou:

— Isso dizes agora, porque o teu coração ainda não tem dono. No momento em que encontrares alguém especial pensarás de modo diferente. Quanto a teu pai, talvez não o possas entender ainda, pois és muito jovem e sabes muito pouco da vida...

Leonor interrogou a tia com o olhar e ela respondeu:

— Falaremos disso outro dia. Teu tio me disse que José Venâncio deverá chegar na próxima semana. Precisamos deixar tudo em ordem na tua casa; e eu mesma me encarregarei disso. Tua madrasta deverá encontrar tudo limpo e arrumado, para ter uma boa impressão de seu novo lar...

Leonor fitou a tia e resolveu sair para caminhar um pouco. Precisava se acostumar com a idéia de que haveria uma "usurpadora" em sua casa. O local que a vira nascer e que tanto amava agora pertenceria a uma desconhecida!

"Como pôde esta mulher enfeitiçar o meu pai dessa forma? Será ela tão bonita, tão irresistível?"

Certamente deveria ter lá suas qualidades e atrativos, senão não teria levado o austero e carismático José Venâncio a cometer aquele... "desatino", conjecturava Leonor.

***

Na realidade, o próprio José Venâncio não saberia explicar o que acontecera.

Ao chegar em Portugal, após passar pela Inglaterra e Alemanha para tratar de negócios, buscara encontrar velhos afetos que o tempo não o deixara esquecer.

Havia estudado Direito na cidade do Porto e, aproveitando a viagem, que fora recheada de recordações dos tempos idos, resolvera reencontrar antigas amizades, deixadas naquelas paragens.

Foi recebido com grande alegria por Eusébio de Castro, amigo e colega dos tempos de mocidade. Eusébio pouco mudara, assim como o próprio José Venâncio, que, apesar dos cinqüenta anos, apresentava apenas alguns poucos fios prateados em sua farta cabeleira.

Usava, como alguns homens de sua época, o cabelo um tanto desalinhado, o que, além de lhe dar um ar juvenil, revelava um espírito aventureiro, embora sua rigidez e firmeza de caráter.

Após recordarem o passado com inequívoca saudade, Eusébio lamentou sinceramente:

— Recebi tua carta por ocasião da morte de Isadora... Já faz tantos anos, mas sei que ainda lamentas sua perda...

José Venâncio tossiu, tentando dissimular a emoção que a lembrança da mulher ainda lhe causava:

— Sim, é verdade. Os anos passaram e parece que foi ontem. Acho que essas dores são incuráveis, meu amigo.

Eusébio falou em tom confortador:

— Sei que não concordarás comigo, mas não seria aconselhável abrir teu coração novamente para o amor? Sei que tua filha já é uma rapariga em idade de casar. Creio que, mais do que nunca, a presença de uma mulher ao teu lado e da menina seria uma medida aconselhável...

O amigo fitou-o, surpreso, e retrucou:

— Nunca pensei nessa possibilidade, Eusébio. Seria impossível substituir Isadora por outra mulher...

— Concordo contigo, meu amigo, mas hás de convir que em breve estarás sozinho em tuas terras, pois Leonor deverá casar mais dia menos dia, e então lamentarás não ter alguém para te fazer companhia. Além disso, precisarás de uma mulher para te aquecer nas noites frias...

José Venâncio franziu o cenho e arrematou, dizendo:

— Não cogito tal possibilidade, meu caro. Leonor não pensa em casamento; é uma menina, ainda, e eu me sinto bem como estou.

Percebendo que o assunto desagradava o amigo, Eusébio se calou, mas uma idéia lhe sobreveio à mente.

***

Nos dias que seguiram, os passeios e os reencontros com outros companheiros de faculdade fizeram com que José Venâncio não percebesse que o tempo passava.

Já fazia cinco meses que deixara o Brasil e, apesar da correspondência mantida com a filha e o irmão, Antero, que assumira os seus negócios e indicava-lhe que tudo corria bem, sentia que era hora de voltar.

Em uma tarde tépida de final de verão, José Venâncio se aproximou de Eusébio e de sua mulher, Joana, e deu a notícia de sua partida dentro de poucos dias. A surpresa do casal foi grande. Mesmo sob o impacto da novidade, o amigo insistiu:

— Vamos, meu camarada, não nos deixe agora...Teremos uma excelente reunião na semana que vem na casa de grandes amigos que anseiam por te conhecer. Adie apenas por alguns dias a tua partida; é só o que te pedimos...

José Venâncio tentou se desvencilhar do indesejável convite e replicou:

— Reconheço que sua hospitalidade superou em muito a minha expectativa, pois vocês foram incansáveis comigo, mas já é hora de rever minha filha, que sente tanta falta de mim quanto eu dela... Na verdade, é o único laço que me prende à vida... Além disso, Antero, meu irmão, me deixou preocupado com as notícias da província. Ao que parece, está na hora de dizer basta à ganância do governo imperial!

Joana, a mulher de Eusébio, embora impressionada com o que dizia José Venâncio, pediu com delicadeza:

— E fará muita diferença se ficares mais alguns dias? Atende aos teus amigos, que não querem te perder de vista tão cedo!

José Venâncio tentou relutar, mas o carinho demonstrado pelo casal foi tão envolvente que ele acabou cedendo. Apesar de ser alertado por Antero quanto à situação política, não imaginava o que realmente estava ocorrendo, tampouco desconfiara de que seus anfitriões o houvessem convidado para a tal reunião com propósitos premeditadamente casamenteiros.

***

No dia aprazado, o grupo de amigos se dirigiu a Lisboa. Os dois filhos de Eusébio — dois rapazotes — acompanhavam entusiasticamente o passeio.

Sabiam que as reuniões na casa de Maria Alice Góes Coutinho eram muito diferentes dos encontros maçantes que muitas vezes se viam obrigados a compartilhar com os pais. Havia a hora artística, em que jovens escritores mostravam o seu talento, e também o momento musical, que era "estupendo".

Aproximaram-se de encantadora residência cercada por árvores que o vento tocava levemente, movendo delicadamente os galhos frondosos, como um balanço de ninar.

José Venâncio ficou surpreso com a casa e com o bom gosto dos proprietários. Foram recebidos por serviçais, que recolheram os chapéus dos cavalheiros e a delicada sombrinha de Joana.

Ao serem convidados a adentrar o pequeno salão, Eusébio abriu os braços em uma saudação íntima e cordial a um dos anfitriões.

Tratava-se de Afonso Góes Coutinho, irmão da prestigiada anfitriã. Em poucos minutos, sorridente, uma jovem mulher se aproximava do grupo.

Todos se voltaram diante de seu comentário de boas-vindas, e as exclamações se generalizaram frente à beleza de Maria Alice.

Eusébio apresentou José Venâncio como um grande amigo brasileiro, ao qual tomara a liberdade de convidar para participar da reunião.

Maria Alice sorriu e estendeu a delicada mão, na qual José Venâncio, cavalheirescamente, roçou imperceptivelmente os lábios.

Procurando deixar os convidados à vontade, Afonso tratou de apresentá-lo a outro grupo, enquanto Eusébio continuava a falar em José Venâncio para Maria Alice:

— Como lhe disse, este meu amigo tem sofrido muito desde a perda da mulher. Sei que entendes o que digo, pois sei o quanto és solitária...

A anfitriã olhou na direção de José Venâncio e comentou, aparentando desinteresse:

— Realmente, a vida nos prega estas peças... Veja o meu caso: procurei compensar o sofrimento de meu irmão, auxiliando-o na criação de meu sobrinho e, no final das contas, o tempo passou... Já não sou mais tão jovem, não é mesmo? Procuro nos amigos alguma companhia para alentar os meus dias solitários, mas, desculpe-me a franqueza, sinto-me, apesar disso, um pouco abandonada desde que Miguel foi para Paris.

Joana, mulher de Eusébio, interveio:

— Minha querida, uma mulher como tu fica sozinha apenas por seu próprio desejo. Sei que já tiveste inúmeras propostas de casamento desde a mocidade. Tua dedicação a teu sobrinho foi escolha tua...

Maria Alice meneou a cabeça e tornou:

— Sim, recebi muitas propostas, mas nada que me interessasse. Acho que em Portugal não acharei alguém que realmente me conquiste. Penso em viajar, ir a Paris, Londres, quem sabe se não encontro o homem ideal? Talvez esteja escondido em outro país! — disse a moça com ar desanimado.

Todos riram da afirmação. Foi quando Eusébio tocou no ponto desejado:

— Concordo contigo. Talvez o teu príncipe viva além-mar, mas o destino pode tê-lo trazido aqui hoje... — sorriu e olhou na direção de José Venâncio.

Maria Alice observou a fisionomia de José Venâncio. Realmente era um tipo totalmente diferente dos que habitualmente se apresentavam para lhe fazer a corte.

Moreno, alto, cabelos fartos, olhar distante... Parecia que aquele homem havia saído das páginas de algum romance; mais parecia um personagem de folhetim... Sim... Poder-se-ia dizer que ele era realmente belo!

Mas o que mais chamou sua atenção é que ele mal a notou; parecia que ela não existia. De certa forma a ignorava e isso aguçava o seu orgulho feminino, despertava-lhe o desejo de lhe chamar a atenção, de conquistá-lo...

Voltando sua atenção para a conversa que se desenrolava, Maria Alice comentou:

— Disseste que o teu amigo perdeu a esposa... Suponho que deva fazer pouco tempo.

— Não, minha amiga. Isadora morreu há muitos anos e ele nunca mais se interessou por ninguém. Vive no sul do Brasil em uma estância; é um fazendeiro. Tem uma filha que deve estar com uns dezessete anos mais ou menos...

— Ah! Tem uma filha? Deve ser uma menina mimada, sendo o centro de tudo e de todos...

Eusébio deu de ombros e tornou:

— Quanto a isso, nada te posso dizer. Apenas sei que ele realmente adora esta filha e faz tudo por ela; a moça também é louca pelo pai. Ele recebe cartas dela constantemente. Trouxe-o hoje aqui a muito custo, minha cara. Era desejo dele voltar imediatamente, pois está há muito tempo aqui na Europa e não suporta mais de saudade da menina.

Mais interessada, Maria Alice comentou:

— Vejamos o que podemos fazer para tornar a visita deste saudoso pai mais alegre... — dizendo isso, se afastou, indo em direção a José Venâncio.

Forças imperceptíveis atraíram a jovem mulher para aquele homem que nunca vira antes, mas que despertava em seu coração estranhos sentimentos; essas forças infundiam-lhe uma inexplicável e quase irresistível vontade de se aproximar do distraído fazendeiro.

Maria Alice se aproximou e, parando a alguns passos de José Venâncio, deixou cair propositadamente a taça de champanhe que trazia nas mãos.

José Venâncio, que observava descuidadamente o grupo de convidados, voltou-se e se aproximou de forma solícita, procurando verificar se Maria Alice estava bem.

A jovem mulher tratou de tranqüilizá-lo, dizendo com aparente inconformidade:

— Oh! Meus Deus! Como sou desastrada! Como foi acontecer uma coisa dessas? Por favor, senhor, me perdoe se perturbei suas reflexões...

José Venâncio falou com sinceridade:

— Por favor, minha senhora! Sou eu quem lhe peço desculpas por minha desatenção! Ainda não lhe havia elogiado a agradável reunião...

Enquanto alguns criados retiravam os estilhaços da preciosa taça, Maria Alice se recompôs e comentou, afetada:

— Sim, é verdade! O senhor estava em falta comigo! Soube que é brasileiro e reside em uma fazenda...

José Venâncio aproximou-se de uma das janelas da agradável residência e, alongando o olhar pela bonita paisagem européia, respondeu:

— Sim, meus amigos já lhe devem ter dito também que estou de partida. Muito aprecio a Europa, por sua beleza incontestável, mas devo lhe confessar que tenho o coração preso nas coxilhas e campos de minha terra, que — diga-se de passagem, — não deixam nada a desejar em relação a alguns países europeus. Creio que já é hora de partir, rever minha filha, meus negócios...

Maria Alice ouvia com interesse, mas ao mesmo tempo pensava em uma maneira de fazer aquele homem à sua frente mudar de idéia. Ao final de alguns instantes, arriscou:

— Compreendo. Sei o quanto é difícil viver quando trazemos a verdadeira saudade no coração. Eu mesma estava pensando em me aventurar por outros lugares, talvez até o Brasil, quem sabe? Desde a partida de Miguel estou limitada a esta casa, que, apesar de ser muito agradável, me traz lembranças deveras amargas...

José Venâncio respondeu sinceramente impressionado com o comentário de Maria Alice:

— Soube por Eusébio de sua dedicação a seu sobrinho e confesso-lhe que raras mulheres abdicariam de sua própria vida por um familiar. A senhora é uma mulher jovem e muito bela, é natural que busque incentivo e distração para sua alma em locais de grande beleza...

Com o olhar anuviado por lágrimas que não chegavam a cair, Maria Alice lamentou:

— Procuro distrair-me com a presença de alguns amigos muito queridos, mas a verdade é, senhor José Venâncio, que a cada dia sinto mais o peso da solidão! Acho que nunca encontrarei alguém a quem possa realmente amar...

Apesar de sua maturidade e vivência, o pai de Leonor enredava-se em uma teia muito bem confeccionada pela argúcia de Maria Alice. Penalizava-se por ver uma mulher culta, bela e descendente de uma família tradicional sentir-se tão infeliz. Com o intuito de auxiliar de alguma forma, procurou ser gentil:

— Não fale dessa forma, minha senhora. A vida oferece inúmeras oportunidades para sermos felizes, devemos apenas abrir as portas da nossa alma e deixar a felicidade entrar...

Maria Alice aproveitou a ocasião e tocou no assunto que considerava fundamental:

— Mas o senhor é viúvo e jamais pensou em se casar novamente! Pelo que sei, não lamenta a solidão como eu...

José Venâncio falou com franqueza:

— Não me sinto solitário, apesar de os meus amigos desejarem que eu me case novamente; tenho uma filha que é um tesouro na minha vida e dedico os meus dias a ela...

Leve ruga surgiu na testa de sua interlocutora. Aproveitando que o momento favorecia os desabafos sentimentais, a jovem mulher falou com tristeza:

— Apesar de tudo, o senhor é feliz, pois tem uma filha que também muito o deve amar. Eu nem ao menos tive a graça de ser mãe. Praticamente adotei o meu sobrinho, mas nunca tive a sensação de lhe poder oferecer um lar. Eu e meu irmão fizemos o que estava a nosso alcance, mas sei que Miguel nunca se conformou com a morte da mãe...

À medida que Maria Alice falava, José Venâncio ia sentindo uma simpatia extraordinária por aquela mulher. A sua aparência jovial, mas discreta, o perfume, o cabelo castanho-escuro, o olhar melancólico, que lhe transmitia tanta paixão pela vida e ao mesmo tempo tanta tristeza. Ela parecia compor uma imagem que, embora pálida e um tanto distante, lembrava-lhe inquestionavelmente a sua Isadora.

Procurando confortar o coração da nova amiga, José Venâncio contrapôs:

— Ainda terá filhos, senhora. É jovem e tem bom coração. Encontrará, certamente, alguém que lhe traga alegria e reconforto.

— Talvez... mas lamento que tenha que partir logo agora que o encontrei; tenho certeza que o senhor seria um grande amigo e me ajudaria a superar as minhas tristezas...

José Venâncio sentiu-se inexplicavelmente perturbado e respondeu:

— Se for do seu gosto, posso ficar mais alguns dias. Mas me deverá prometer ir-me visitar em minha estância no Brasil...

— Terei o maior prazer em visitá-lo. Faço questão que sua filha... Como é mesmo o nome dela?

— Chama-se Leonor.

— Isso! Faço questão que a jovem Leonor venha passar alguns dias aqui comigo. Sinto como se já a conhecesse e desejaria sinceramente apresentá-la a nossa sociedade aqui em Lisboa. Leonor deve ser uma linda moça, pelo que ouvi falar...

Preso em uma delicada armadilha, desconhecida por seu ingênuo coração, José Venâncio colocava-se completamente à mercê dos encantos de Maria Alice. Discorreu com inquestionável orgulho sobre a filha:

— Sim, Leonor é encantadora. Tem os cabelos castanho-escuros, como os meus, mas herdou da mãe lindos olhos azuis...

Além disso, fala com fluência o francês e toca piano maravilhosamente bem.

— É justo que tenha orgulho de sua bela filha. Pelo que vejo, também é bastante instruída, assim como nossas jovens. Dar-se-ia muito bem aqui na Europa. O senhor poderia mandar buscá-la e, dessa forma, não teria motivos para ir embora tão cedo...

José Venâncio tossiu e obtemperou:

— Aprecio o seu convite, mas preciso voltar a minha terra, a minhas raízes. Só quem nasceu naquela parte do mundo entende isto. Somos muito ligados a nossa casa, nosso chão, como já lhe disse... Inclusive, agora estamos em litígio com o Governo para defender os nossos direitos...

Percebendo que não iria alcançar o seu objetivo, Maria Alice resolveu recuar:

— Acho que posso entendê-lo, senhor Venâncio. O senhor é um homem apaixonado pelas coisas que realmente importam a um homem: o seu país e sua família. Não posso condená-lo de forma alguma, pois o móvel de sua partida atesta o seu caráter. Desejo que fique à vontade em minha casa, a qual, desde já, quero que considere também sua e de sua filha. Quero tê-los como amigos queridos daqui por diante...

José Venâncio agradeceu com um gesto. Estava impressionado com aquela mulher e aceitava a sua amizade com muito gosto.

6

Enlace inexplicável

Após o encontro na casa de Maria Alice, José Venâncio sentiu que alguma coisa se modificara em seu íntimo. Passara todos aqueles anos cultivando a memória da mulher, Isadora, e ao se dedicar a Leonor esquecera de viver sua própria vida.

A viagem à Europa lhe devolvera a liberdade que os negócios e os cuidados com a filha lhe haviam tirado. Não que lamentasse suas escolhas, mas parecia que uma nova perspectiva de vida surgia à sua frente, uma forma de viver que havia perdido desde a morte da esposa. Sentia-se mais jovem, revigorado, quase feliz. Deixara a sisudez e a amargura em que vivia e identificava um novo alento surgindo em sua vida.

Tudo se resumia em Maria Alice. Mais do que a beleza, chamava-lhe a atenção o seu caráter, o seu coração sofrido pelas circunstâncias da vida. Percebia que, apesar do conforto em que vivia, Maria Alice não era feliz, pois lhe faltava uma família; da mesma forma que ele, ela perdera o desejo de viver — segundo lhe parecia

— desde a partida do sobrinho. Demonstrava apenas uma aparência de alegria diante da sociedade.

Insuflado pelos amigos Eusébio e Joana, aceitou o convite para ir ao teatro dali a dois dias. Maria Alice também ficaria hospedada na casa de Eusébio...

Afonso, o irmão de Maria Alice, não pôde acompanhá-la, porque aguardava o filho, Miguel, que deveria chegar de Paris, em férias, naquela noite.

A agradável residência ganhara vida com os novos hóspedes, que procuravam ser gentis e brindar seus anfitriões com divertidos saraus.

Maria Alice, muitas vezes, aproveitava essas oportunidades para mostrar seu talento musical, executando algumas peças conhecidas na época.

No dia do espetáculo, Maria Alice estava encantadora. José Venâncio se ofereceu para acompanhá-la, enquanto Eusébio e Joana seguiam à frente.

A apresentação foi comovente, levando as damas às lágrimas. A peça apresentada no Teatro São João contava uma história de amor, na qual um casal apaixonado lutava contra as diferenças sociais.

A jovem se afasta, sacrificando seu amor... O final, como podem imaginar, é trágico. A jovem morre nos braços do amado...

Maria Alice não resistiu à emoção e prorrompeu em pranto. José Venâncio convidou-a para se retirar, a fim de que pudesse se refazer do abalo emocional.

Ela o acompanhou delicadamente e, ao se verem fora do teatro, José Venâncio comentou:

— A senhora é muito impressionável. É apenas uma história, muito bonita, mas apenas um folhetim...

Maria Alice procurou se recompor e declarou:

— Sim, eu sei. Mas me tocou profundamente e não sei explicar por quê; imaginei a dor da protagonista... Perder ou renunciar a alguém que amamos, seja pela morte ou por outra razão qualquer, como a distância simplesmente... — ao pronunciar essas palavras, olhou para José Venâncio melancolicamente.

Perturbado, ele questionou:

— Ao que me consta, a senhora não tem esse tipo de preocupação, não é mesmo? Ainda há alguns dias me falava da sua solidão...

Maria Alice empertigou a bela cabeça e obtemperou:

— Sim, realmente, sou muito solitária. Mas não posso evitar que os sentimentos brotem em meu coração... Devo conviver com eles e esperar que arrefeçam; ou talvez eu morra de tristeza, tal qual a jovem da história...

José Venâncio, confuso, tentou se desculpar:

— Perdoe-me, por favor. Apenas queria mostrar-lhe que somente se tratava de uma ficção. A vida real é bem mais confusa e as coisas não são tão simples. As feridas que carregamos na alma demoram a ser curadas, e às vezes nem o tempo as cura...

Maria Alice se aproximou de José Venâncio e disse, sussurrante:

— O senhor acredita mesmo que jamais haverá cura? E quanto ao que me disse naquele dia em minha casa, que devemos abrir a porta de nosso coração para deixar a felicidade entrar?

Enquanto falava, José Venâncio sentia o perfume daquela mulher insinuante e o calor proveniente de seus lábios. Inebriado, aproximou-se e, fixando seus olhos, comentou de forma quase inaudível:

— Talvez eu estivesse delirando... ou então estou sonhando agora...

José Venâncio beijou Maria Alice sem realmente entender o que estava acontecendo.

Reatavam-se os profundos laços de duas almas que novamente se colocavam frente a frente para novas e inadiáveis experiências.

***

Os dias que seguiram foram realmente envolvidos em um clima especial para José Venâncio e Maria Alice.

Retomavam um antigo sentimento que, a despeito do profundo amor que o maduro e amargurado fazendeiro sentira pela primeira mulher, reacendia agora na forma de uma paixão arrebatadora.

Satisfeita com os resultados de sua investida, Maria Alice procurava de todas as formas envolver José Venâncio; queria fazer-se indispensável em sua vida.

Atenta a todos os seus interesses e caprichos, esforçava-se em atendê-lo nas ínfimas coisas, dispensando criados, fazendo-se querida e necessária para o ingênuo e inexperiente fazendeiro.

Após uma semana de risos e alegrias, José Venâncio começou a demonstrar preocupação e uma leve nuvem surgiu em seu semblante.

Intrigada, mas ao mesmo tempo sabendo do que se tratava, Maria Alice perguntou, demonstrando tristeza:

— Posso saber qual o motivo deste olhar distante e desta "ruguinha" em sua testa? — disse ela, deslizando o dedo indicador sobre o vinco em seu rosto.

O pai de Leonor sorriu melancolicamente e respondeu:

— Tens sido um raio de sol que entrou em minha vida, Maria Alice, mas não consigo me esquecer de minha filha. Já deveria ter retornado há muito tempo, e o fato de conhecê-la fez com que eu renegasse esse dever sagrado junto à minha menina. Sinto que ela precisa de mim, devo regressar... Além disso, a situação da província exige a minha presença!

O coração de Maria Alice bateu mais forte. A "outra" tinha mais poder do que ela imaginava. Acreditara que os cuidados com que cercara José Venâncio haveriam de fazê-lo esquecer temporariamente da filha e talvez nem regressasse ao Brasil.

Mas se enganara. Ele estava prestes a deixá-la e isso a enlouquecia. O que fazer?

Surgiu-lhe na mente, então, uma idéia arriscada. Seria uma cartada de tudo ou nada: poderia ter José Venâncio para sempre ou o perderia de vez.

Gostava de desafios. Iria arriscar.

Com os olhos cheios de lágrimas, falou com a voz trêmula:

— Então... vais me deixar? Quer dizer que estes dias maravilhosos que vivemos juntos não significaram nada para ti?

José Venâncio se surpreendeu com aquela atitude magoada e tratou de esclarecer:

— Claro que foram importantes para mim. Apreciei cada minuto ao teu lado, mas, veja bem, tenho responsabilidades com o que restou de minha família. Não imaginei que tivesses se enamorado de mim a este ponto...

Maria Alice ergueu a bela cabeça e falou, aparentemente ofendida:

— Foste ou és, não sei ao certo, o único homem que amei em minha vida. Coloquei toda a minha confiança em teu coração e em teu caráter. Também não poderia imaginar que apenas me consideravas uma aventura... — ao dizer isso, caiu em pranto convulsivo.

José Venâncio, preocupado em desfazer a péssima imagem que produzira, apressou-se a falar:

— Por favor, Maria Alice! Jamais te considerei uma aventura ou um divertimento... És para mim, também, a primeira mulher com a qual me envolvo desde a morte de Isadora. Mas não sei como poderemos resolver isso agora... Não gostarias de me acompanhar até o Brasil? — disse José Venâncio, consternado.

A jovem mulher olhou-o com surpresa e tornou:

— Queres me levar ao Brasil em que condição? Irei como o teu passatempo, para que tua filha me despreze? Ou na qualidade de tua companheira pela vida afora, com a bênção de Deus?

Perplexo com os rumos que os acontecimentos haviam tomado, ele respondeu:

— Estás falando em casamento? Aceitarias viver no Brasil, em uma fazenda, no meio de pessoas rudes, sem o conforto que possuis aqui em teu país? Sabes o que significa isso?

Maria Alice, mais senhora de si por ver o rumo que tomava a conversa, ponderou:

— Sei exatamente o que estou falando; mas como tua mulher iria para qualquer lugar. E tu, já pensaste em transferir-te para Portugal? Tua filha poderia freqüentar a melhor sociedade...

— Acho que já te falei que nós, gaúchos, temos um amor irrestrito por nossa terra. Sinto falta de trotear pelo campo com meu cavalo, comer a carne da minha fazenda, enfim, coisas da minha terra...

— Ainda por cima a tua fazenda deve estar cheia de negros...

— Realmente possuo muitos escravos. Não posso negar que em muitos lugares eles já estão libertos, mas eu ainda os mantenho sob meu domínio...

Maria Alice ficou extremamente pálida. Que homem era aquele que vivia como um cavalheiro entre a mais alta sociedade portuguesa e, ao mesmo tempo, amava aquelas coisas grosseiras, terra, cavalos... tinha até negros! Tudo aquilo não fazia sentido para aquela delicada mulher.

Porém, mostrar repúdio a todas aquelas coisas significaria a perda de José Venâncio para sempre... Fazendo um supremo esforço, Maria Alice sorriu e prosseguiu docemente:

— Não desejaria ter outra vida, meu amado! Tê-lo junto das coisas que mais amas, de tua filha, e vê-lo feliz é a única condição que desejo para a minha felicidade. Se me quiseres, poderás me levar e estarei perfeitamente realizada se me considerares tanto quanto tudo isso que aprecias... Além disso, realizaria o meu velho sonho de ter uma filha; e quem sabe se não poderei ainda gerar um herdeiro para a tua descendência...

Maria Alice atingira o ponto crucial. Apesar de adorar a filha, ele às vezes lamentava não ter tido outros filhos, especialmente um herdeiro varão. Envolveu Maria Alice em um terno olhar e, como tinha uma alma nobre e incapaz de pensar nas armadilhas e artimanhas que uma mulher como Maria Alice poderia engendrar, indagou:

— Tens certeza? Aceitarias tudo isso e ainda continuarias me amando? Não estás agindo sob o impacto de minha partida?

Ela esboçou um belo sorriso e falou baixinho:

— Absoluta. Estou aqui para ficar ao teu lado, José Venâncio. Nunca mais estarás sozinho...

Inebriado pela promessa de felicidade que se esboçava a sua frente, o arrojado gaúcho capitulou.

Aceitou o "pedido" que Maria Alice lhe fizera para deixar Portugal "sob as bênçãos de Deus".

A cerimônia, muito simples, foi realizada na casa de Eusébio e Joana, que se sentiram honrados e muito felizes por terem conseguido realizar seus intuitos.

Quando José Venâncio percebeu, já estava no navio de retorno para casa, com uma bela portuguesa ao seu lado.

7

A chegada

A viagem transcorrera sem maiores incidentes. Envolvidos na aura de felicidade pela qual os casamentos inicialmente se vêem cercados, José Venâncio e Maria Alice viviam sua verdadeira lua--de-mel, com todo o encantamento a que tinham direito.

Vieram de navio até o porto de Rio Grande e depois seguiram de carruagem até a fazenda.

O fazendeiro percebia um movimento anormal na região desde que aportara no cais. Realmente, algo de muito sério devia estar acontecendo.

O verão ainda castigava, com temperaturas insuportáveis; apesar de ser ao sul, aquela era uma região muito úmida, o que fez com que Maria Alice se sentisse mal várias vezes durante o trajeto. A jovem portuguesa já começava a reavaliar a "insanidade" que cometera.

Deixara um país que, se não oferecia o melhor — se comparado à França ou à Inglaterra — ao menos era um lugar civilizado.

O Brasil, desde sua chegada, parecia-lhe uma imensidão de terra despovoada, sem palácios, pessoas elegantes, bonitas.

Tinha visto alguns negros e ficara arrepiada pela forma com que eles a olharam. Eram repugnantes e ela não fazia questão de esconder a sua ojeriza por tal gente.

Atravessou a área central da vila, a fim de se dirigir à grande vastidão de terra da qual seu marido era proprietário. Impressionada, pensava o quanto valeria tudo aquilo... Decerto vários contos de réis...

Tinha o firme propósito de levar o marido de volta a Portugal e tudo faria para que isso acontecesse. Tivera que ceder, a princípio, pois não podia impedi-lo de rever a filha, mas com o tempo haveria de lograr êxito em seu objetivo.

A filha... Este era um grande empecilho, pois José Venâncio nunca seria somente seu enquanto esta menina estivesse por perto. Além disso, a jovem tinha muita semelhança com Isadora e isso agravava ainda mais as coisas. A ex-mulher de José Venâncio estaria sempre presente entre eles enquanto Leonor não se afastasse definitivamente de seu novo lar.

Mas para isso tinha o tempo a seu favor. Influenciaria o marido para que arranjasse um casamento o quanto antes para Leonor. Depois, trataria da venda daquelas terras e posteriormente retornaria a Portugal com os baús abarrotados de ouro e dinheiro.

Seus olhos brilhavam enquanto arquitetava o seu futuro. Mal sabia ela que os desígnios divinos não estão subordinados à nossa vontade, mas que nossos destinos são orientados por leis maiores, que sustentam o equilíbrio do Universo.

Apesar do livre-arbítrio com que agimos, existem decisões em nossas vidas que são influenciadas pela providência divina para que os fatos essenciais relativos à experiência pela qual temos que passar ocorram normalmente em nossas existências. Por outro lado, temos também limitadas as atitudes e escolhas pelo passado, que se manifesta inexoravelmente a cada retorno à Terra.

Na realidade, enquanto estamos no plano espiritual, de posse da verdade a respeito da vida e de nossa real situação cármica, tendemos a imaginar ser possível, por nos sentirmos fortalecidos espiritualmente, o resgate imediato de erros graves que cometemos. Somos, em essência, os juízes de nossa própria consciência e muitas vezes deliberamos com muita pressa, no afã de conquistar a felicidade. Surge então a misericórdia divina, que equilibra os exagerados ímpetos reformistas e nos coloca na condição de apenas levarmos para a Terra física um fardo de acordo com as nossas forças. Pelo exercício pleno da possibilidade de escolher e decidir, criamos, muitas vezes, situações não previstas, mas que se transformam em causas de futuro sofrimento para nós mesmos.

Maria Alice por certo não vinha predestinada a ser o pivô das dificuldades que acabaria por gerar a seu redor; nem as dificuldades daqueles espíritos eram impossíveis de ser superadas. Os laços que uniam aquelas almas deveriam se transformar pela convivência positiva em novas e construtivas ligações para o porvir. Entretanto, imantada a um egoísmo destruidor, ela lançaria na terra as sementes de uma grande colheita de lágrimas e sofrimentos.

Em breve, mais um elo se encadearia na grande corrente da vida...

***

Tão logo a carruagem parou diante da grande e imponente moradia de José Venâncio, Leonor não se conteve e correu em direção ao pai, que acabava de descer do veículo.

Abraçaram-se comovidamente, tentando reaver em alguns minutos o tempo que haviam estado separados. Impaciente, Maria Alice aguardava que aquela demonstração de carinho mútuo entre pai e filha arrefecesse. José Venâncio, percebendo a inquietação da mulher, que tossira disfarçadamente, afastou com delicadeza os braços da filha que o envolviam e, segurando a mão de Leonor, aproximou-se de Maria Alice.

Emocionado diante das duas mulheres que mais amava no mundo, segurou a mão de Maria Alice e, aproximando-as, afirmou:

— Quero que os laços que me unem a cada uma de vocês se estendam e se fortaleçam entre as duas a partir de agora. Vocês são o meu tesouro e desejo que sejam amigas, para que a minha felicidade seja completa...

Maria Alice deu um passo e, abraçando sua enteada, beijou o seu rosto de modo amável. Leonor, sem poder demonstrar qualquer atitude de desaprovação pela escolha do pai, correspondeu ao afeto demonstrado por sua madrasta.

Feliz, José Venâncio foi entrando em sua casa, saudando a todos, abraçando Antero, seu irmão, e D. Francisca, sua estimada cunhada.

Fiel à sua origem de homem do campo, a qual, apesar da primorosa formação que tivera na cidade do Porto, não havia deixado para trás, procurou, com gestos e fala simples, se inteirar dos fatos com os peões da fazenda.

Maria Alice, um pouco deslocada, não via a hora de poder ficar sozinha, tirar o vestido desalinhado pela viagem e descansar um pouco.

D. Francisca, percebendo que a moça não se sentia à vontade, se adiantou e, pedindo licença, convidou Maria Alice para se retirar um pouco.

José Venâncio estava perplexo com as notícias trazidas por Antero. O dízimo criado em 1831, com a taxação sobre diversos produtos da província, havia exacerbado os ânimos. O isolamento do Estado, aliado a um sistema de favorecimento das regiões centrais do país, tinha fomentado um clima definitiva e abertamente pré-revolucionário.

A conversa o absorvera por completo e, ao reportar-se às máquinas que adquirira na Inglaterra, não percebeu a ausência da sua jovem mulher. Leonor ouvia o relato do pai, embevecida, sem ligar para a questão política, pensando que ele acertara ao fazer a viagem, pois conseguira realizar bons negócios e isso significava melhores condições de vida para todos.

Realmente, a situação dos escravos da fazenda de seu pai era algo que ela não aceitava, assim como sua mãe no passado, mas não via uma maneira de convencer o pai a libertá-los ou quiçá assalariá-los.

Tivera longas discussões com ele, quando ele acabava sempre por dizer que as mulheres não haviam nascido para pensar nessas coisas. Segundo ele, "o cérebro feminino foi feito para tratar das lidas da casa e dos filhos...".

Dizia que ela era muito jovem e idealista e que, tal como Isadora, possuía um coração muito bom e por isso nunca poderia administrar a fazenda, porque acabaria por entregá-la à caridade...

Nessas circunstâncias, Leonor silenciava, mas, sempre que podia, procurava atenuar o cansaço dos escravos, levando-lhes algum conforto.

As escravas domésticas, que serviam a casa, tinham alguns privilégios, tais como melhor alimentação, cama para dormir na própria casa-grande e roupas para os dias frios.

D. Francisca costumeiramente tecia ou costurava algumas peças de roupa para os escravos; sempre que podia, ela também realizava essa tarefa.

D. Francisca chamou Leonor e sua prima Lúcia para auxiliarem nos preparativos do almoço.

Januária, uma escrava que praticamente criara Leonor, tomava conta dos quitutes. Em meio aos quefazeres da cozinha, Januária comentou:

— Sei não, mas acho que seu Zé Venâncio se *deixô amarrá* muito depressa...

D. Francisca voltou-se para Januária e retrucou com energia:

— Não te intrometas em assuntos do teu senhor, Januária! Cabe a ele escolher a mulher que bem entender...

A escrava balançou a cabeça e tornou, birrenta:

— Falo sim *sinhora*! Conheço o seu Zé desde menino e tenho o direito de falar! Cuidei da menina Leonor desde pequenininha e amo essa família também! Digo e repito: ele se amarrou depressa demais! Ah, que se *amarrô*, se *amarrô*...

Leonor se aproximou e disse:

— Achas que ela não merece o amor de meu pai, Januária?

— Minha filha, ele é um homem muito bom e se impressionou com a *belezura* dela, mas acho que ele ainda não a conhece bem.

Preocupada, Leonor ia perguntar mais alguma coisa, mas D. Francisca interrompeu, dizendo:

— Chega de conversa vocês duas. Vamos servir o almoço, pois eles devem estar morrendo de fome...

Enquanto na cozinha a azáfama era grande, no quarto de José Venâncio, Maria Alice havia trocado o vestido, colocando um mais leve, e repousava sobre alvos lençóis de linho branco.

Imersa em seus pensamentos, olhava para o teto, as paredes e a mobília do aposento.

"Apesar de ser um tanto rústico, não posso negar que é de bom gosto!", analisava. "Por certo, Isadora deve ter escolhido cada um desses móveis, desses arranjos... Eis que esta será a minha primeira tarefa: trocar tudo em que Isadora tenha colocado a mão... Preciso tirar desta casa tudo o que lembre a primeira mulher de José Venâncio!"

Naquele momento, a imagem de Leonor veio à mente da ciumenta mulher. "A moça realmente é muito bela, mas um pouco sem trato. Deve ser muito ingênua; parece uma menina, no entanto já tem idade para casar..."

Maria Alice pensava e articulava projetos para o futuro, que no seu egoísmo doentio não contemplava a ninguém mais a não ser a ela e a José Venâncio.

Neste momento, bateram delicadamente na porta. D. Francisca chamava a jovem para a refeição.

8

Mudanças imprevistas

Após o almoço, extremamente barulhento, com comentários espontâneos da parte de Antero e José Venâncio, Maria Alice pediu para conhecer os arredores da estância.

José Venâncio sorriu e contrapôs:

— Minha querida, isso não será possível, pois vais te fatigar demais. Primeiro deves conhecer nossa casa, as instalações dos hóspedes, depois te levarei para ver o resto...

Leonor, desacostumada a ver o pai falar com tanta ternura com uma mulher, não escondeu seu desagrado. Achava que sua mãe deveria ter sido a única a ser tratada com tamanha dedicação e essas demonstrações de afeto a chocavam profundamente.

D. Francisca, percebendo o que acontecia, aproximou-se e disse:

— Leonor, estás estranhando os carinhos do teu pai para com a nova esposa? Sei o que se passa em tua cabeça, menina, mas deves te acostumar, pois Maria Alice, ao que parece, conquistou o coração do meu cunhado...

Leonor olhou para a tia com os olhos marejados, reclamando, chorosa:

— Não esperava que ele demonstrasse todo esse amor por outra mulher. O que significou, então, minha mãe? Esqueceu totalmente o imenso amor que tinha por ela? Sempre achei que o verdadeiro amor fosse único...

D. Francisca passou a mão sobre os cabelos da sobrinha e explicou com doçura:

— Minha filha, tens muito que aprender sobre a vida. Isadora realmente foi uma mulher ímpar por sua beleza, alegria, bondade... Sempre a admirei muito e tinha uma grande amizade por tua mãe. Mas o tempo cura as feridas, ou melhor, alivia a dor. Teu pai ainda é um homem jovem; não podes exigir que ele cultive essa mágoa para o resto da vida... És jovem e vais também encontrar alguém que te faça feliz... Deixarias teu pai sozinho se esta fosse a vontade de teu marido?

Leonor respondeu prontamente, convicta:

— Jamais seguiria um homem, abandonando o meu pai...

D. Francisca riu e respondeu:

— Tens muito que aprender... Se realmente amares este homem, deixarás tudo, inclusive o teu pai. Não deves dar ouvidos ao que Januária anda falando e, se queres mesmo a felicidade de José Venâncio, procura aceitar Maria Alice.

Leonor ficou em silêncio.

Não seria fácil conviver com aquela mulher, toda empoada, cheia de fricotes, olhando a cada minuto para José Venâncio, esperando que ele lhe atendesse os mínimos caprichos.

Sua mãe devia ter sido tão diferente...

Realmente, assim o era; meiga, sem ser afetada, Isadora cercava a todos com carinho, tendo sempre, para cada um, a palavra certa...

Uma lágrima correu dos olhos de Leonor. "Como tudo seria perfeito se minha mãe estivesse aqui!", pensou a jovem.

***

Em outra esfera da vida imortal, Isadora jazia pensativa. Não percebera que Rosália, sua mãe, se havia aproximado.

A entidade amiga colocou a mão no ombro da filha e perguntou:

— O que está acontecendo, minha filha? Relutas diante do enlace de teu esposo na Terra?

Isadora olhou para a mãe e abriu o coração:

— Não tenho ciúmes de José Venâncio porque sei que, apesar da passageira ilusão em que está envolvido, o seu coração me pertence. Temo principalmente pela sorte de minha filha...

Rosália, demonstrando alguma preocupação, afirmou:

— Tens razão em te preocupar, minha Isadora. Já percebeste que os elos de uma corrente estão se formando e que, um a um, personagens de outros tempos se reencontram... Sim, minha querida, resgates redentores aguardam os que amamos, mas precisamos ter fé, confiança e serenidade, principalmente porque tua filha pensa incessantemente em ti...

— Ouço seus apelos e lamentos por eu não estar mais ao seu lado... Ela não pode ainda compreender que os desígnios divinos visam ao nosso bem e ao nosso aperfeiçoamento... Leonor precisava trilhar essa etapa sem mim...

— No íntimo, teu ex-marido na Terra ainda sente profundos remorsos pelos malefícios a ti causados no passado e por isso impôs a si mesmo uma espécie de reclusão. Mas o passado sempre retorna através das experiências do presente... Eis que agora ele se une em matrimônio àquela que um dia te tomou o lar...

— Ele precisava resgatar essa falta com a pobre Maria Alice, que ficou muito desequilibrada após ser seduzida e abandonada. Creio que ela merecia essa oportunidade de ser feliz, apenas lamento o ciúme que ainda sente por mim e que acabará trazendo a dor e a infelicidade para José Venâncio e minha filha...

— Minha querida, confiemos na Providência Divina! Nossos queridos estão sujeitos a passar por aquilo que eles mesmos plantaram um dia... Vamos oferecer nosso auxílio por meio de nossas preces e bons pensamentos, desejando que eles escolham sempre os caminhos retos, do bem e da fraternidade... Além disso, sabemos que nem sempre saímos da Terra como vencedores aos olhos do mundo, mas ainda assim podemos trazer o laurel mais importante, que é o da nossa retidão de conduta...

— Tens razão, minha mãe. Trabalharei para que Leonor aceite Maria Alice com mais espontaneidade. Quem sabe se assim velhas mágoas do passado não serão sepultadas definitivamente? Aqui, deste lado da vida, é que podemos avaliar todos os laços que nos unem uns aos outros e quão insignificantes são os nossos caprichos diante da grande realidade da vida...

As duas entidades se abraçaram e se dirigiram para a colônia espiritual a que pertenciam, a fim de orar e buscar instruções para efetuar o auxílio espiritual que julgavam necessário aos seus familiares queridos.

* * *

Naquela noite, Leonor teve um sono agitado. Encontrava-se em região desconhecida e, amedrontada, chamava pelo pai, que não lhe respondia. Após andar por um tempo que não podia precisar quanto seria, exausta, recolheu-se em estranha moradia, que, aparentemente, jazia deserta.

Leonor observava assustada a decoração antiga e em estado precário daquele local. Sabia conhecer aquela casa, andava por ela como se fosse sua, mas sentia um receio que ia sufocando seu peito angustiado.

Subiu uma escadaria que a levava ao andar superior e dirigiu-se a determinado aposento. Parou diante da porta e, sentindo seu medo aumentar, abriu-a vagarosamente, como se soubesse o que a esperava.

Entrou e observou que se tratava de um quarto de casal ricamente decorado, apesar do desgaste do tempo. Ao voltar-se, no entanto, divisou sobre uma pequena mesa um retrato que lhe chamou a atenção. Aproximou-se e, segurando-o entre as mãos, viu, surpresa, que se tratava de um retrato de Maria Alice.

A jovem mulher trajava roupas estranhas, desconhecidas para ela; muito antigas, talvez de algum lugar distante da Europa, mas notava que ela se destacava pela beleza.

Ao observá-la, Leonor sentiu um calafrio. No mesmo instante, ouviu uma voz que vinha do interior do quarto e lhe dizia:

— Vieste ver tua obra, Leonor?

Leonor voltou-se imediatamente e, surpresa, divisou a figura de Maria Alice. Ela a fixava com um olhar sinistro e, de toda sua figura, emanava uma substância escura. Assustada, Leonor não compreendia a cor violácea de Maria Alice, as olheiras profundas. Sem entender a pergunta feita, respondeu:

— Desculpe-me, senhora. Não sei como vim parar nesta casa... Procurava meu pai.

Maria Alice deu uma risada estridente e exclamou:

— Sempre o teu pai, não é mesmo? Ele foi o motivo de tudo e continuamos a buscá-lo... Aliás, eu já o reencontrei e, esteja certa, acertarei minhas contas contigo... Não me escaparás!

Leonor, sentindo que as pernas fraquejavam, respondeu:

— Não entendo sobre o que falas! Não a conheço. Por que me acusas dessa forma?

Maria Alice se aproximou, rancorosa, e acusou:

— Esqueceste? Como pudeste? Ainda carrego as marcas do teu crime! — dizendo isso, a jovem retirou uma echarpe que carregava no pescoço e, mostrando-a, perguntou:

— Sabes o que são estas marcas? Lembras da mão assassina que ludibriaste para me impingires esta provação?

Temerosa, Leonor olhou para o pescoço de Maria Alice e observou, horrorizada, as manchas violáceas que haviam deixado os sinais de uma cruel agressão.

Desesperada, tentou falar alguma coisa, mas Maria Alice a interrompeu, dizendo:

— Cala-te! Não te perdoarei jamais! A minha sede de vingança me trouxe de volta ao teu convívio e quero que saibas que as coisas mudaram. Estou aqui para cobrar até o último cobre que me deves! Não tiraste de mim apenas o homem que eu amava, tiraste a minha própria vida com as tuas intrigas. Vim reaver o que é meu!

Naquele momento, sentindo que desfalecia, Leonor tentou desesperadamente gritar, mas somente um gemido doloroso saiu de sua garganta. Movendo-se bruscamente, finalmente acordou.

O suor porejava sua fronte e uma secura asfixiante na boca lhe impedia de falar. Sentou-se na cama e, após tomar um copo d'água, ainda sentindo o corpo tremer, tentou relembrar os detalhes do sonho que tivera.

Um medo indefinível a envolveu. Ensimesmada, procurava entender o estranho pesadelo.

Como Maria Alice lhe podia cobrar algo que não fizera? A segunda esposa de seu pai a acusava de um crime, mas como? Fazia apenas um dia que a conhecera... Além disso, jamais faria mal a quem quer que fosse, por mais detestável pudesse considerar essa pessoa!

Apesar de não entender o sonho que tivera, Leonor não conseguia esquecê-lo. Sentia-se presa a ele; as imagens não lhe saíam da mente.

Finalmente, quando o dia já ia amanhecendo, conseguiu conciliar o sono.

Já era manhã alta quando Januária entrou em seus aposentos, abrindo as janelas e chamando-a de preguiçosa.

9

Convivência difícil

Leonor acordou mal-humorada. Ao ver as cortinas serem abertas, cobriu a cabeça com os alvos lençóis e procurou continuar dormindo.

Januária sentou-se junto ao leito e falou com voz mansa:

— *Vamo*, sinhazinha, acorda. O sol *tá* alto e a menina precisa *tomá* café...

Leonor respondeu com voz preguiçosa:

— Diga ao meu pai que eu já estou indo...

A boa mulher balançou a cabeça:

— O teu pai já foi é há muitas *hora mostrá* a fazenda pra nova patroa... *Esperô* a menina, mas como tu *continuava* dormindo, ele se foi...

Naquele momento, desapontada, Leonor abriu os olhos, fixando Januária. Como aquilo poderia ter acontecido? Seu pai ficara quase um ano fora e, ao retornar, no dia imediato, saíra sem esperá-la para fazerem juntos o desjejum?

Januária, percebendo o que se passava, falou com a experiência que revelavam os seus cabelos brancos:

— Calma, sinhá. *Vamo precisá* nos *acostumá*... Agora é ela quem manda... — exclamou a boa negra, baixando os olhos.

Leonor aproveitou e comentou:

— Januária, tive um pesadelo horrível esta noite. Perdi o sono de tão impressionada que fiquei. Imagina que sonhei com Maria Alice...

Januária arregalou os olhos, curiosa, e perguntou:

— O que a menina sonhou?

— Sonhei que estava em uma casa muito bonita, mas velha, caindo aos pedaços... Entrei em um quarto e vi um retrato de Maria Alice com umas roupas estranhas...

— Sim, e daí?

— Bem, quando peguei o retrato para vê-lo melhor, eis que surge a própria Maria Alice, falando coisas incompreensíveis...

— O que ela dizia? Fala, menina!

— Ela dizia que finalmente eu pagaria pelo meu crime... Mostrou-me uma marca no pescoço e me acusava como se eu tivesse alguma coisa a ver com aquilo...

Januária passou rapidamente as mãos nos braços, como se quisesse se livrar de um arrepio. Fez o sinal-da-cruz e observou:

— Pois a menina não conte este sonho pra ninguém. Pode *impressioná* o teu pai e a moça...

— Mas o que tu achaste disso tudo? Sei que entendes de coisas que eu não compreendo bem, que acreditas em fantasmas e outras coisas...

A escrava olhou firmemente para Leonor e afirmou:

— Acredite a sinhá ou não, eles existem. A vida, minha filha, é muito mais rica e infinita em suas possibilidades do que tu imaginas... Nada é por acaso. Deves ter muita paciência e boa vontade com a tua madrasta. Procura compreendê-la acima de tudo...

Leonor estava impressionada com Januária. Além de não imaginá-la capaz de emitir conceitos tão profundos, notava que a escrava falava de maneira diferente, com correção...

A jovem não percebia a presença de Isadora ao lado da velha escrava, a tocar-lhe levemente a fronte.

Sua mãe estava ali, a seu lado, tentando atenuar os reflexos de um passado já gravado nos arquivos do infinito, mas que, com o perdão e o justo proceder, poderia ser modificado, graças à bondade divina.

* * *

Ao retornarem do passeio, José Venâncio e Maria Alice vinham afogueados e felizes.

O fazendeiro lhe mostrara a propriedade e como funcionava a produção da mercadoria mais cobiçada na época: o charque.

Conhecido também como carne-seca, o charque foi introduzido na província de São Pedro do Rio Grande do Sul por volta de 1777. Pelotas foi uma das primeiras cidades a produzi-lo nos galpões das grandes fazendas, criando uma classe próspera de fazendeiros.

Apesar disso, o relacionamento com o governo imperial era difícil. O excesso de receita dos cofres federais, conquistado com altas taxações aos produtos gaúchos, contudo, não redundava em benefícios à província, que via o fruto dos seus esforços serem canalizados para necessidades de outras regiões.

Junto com o charque, houve um incremento na mão-de-obra escrava, que era o baluarte do sistema implantado. Apesar das divergências sobre o trabalho ser assalariado em muitas estâncias, o fato é que foi o braço escravo que sustentou a riqueza daqueles senhores de terras.

Maria Alice observara alguns negros que carregavam tachos de gordura, acondicionando-os em formas de madeira, enquanto outros colocavam o couro ao sol para secá-lo. As mantas, como eram chamados os cortes de carne, secavam ora nos galpões, ora nos arredores das fazendas.

José Venâncio, tendo em vista o mercado competitivo, pois os saladeiros do Prata possuíam incentivos que a Coroa portuguesa negava aos gaúchos, procurou trazer da Europa algum incremento mecânico à produção, mas, efetivamente, a mão-de-obra escrava ainda era o pilar desse tipo de atividade.

Sem poder esconder a repugnância que tudo aquilo lhe causava, Maria Alice pediu para ao marido que se retirassem. José Venâncio, orgulhoso, desconhecia a razão para tal atitude, mas, cordato, resolveu voltar.

Ao chegar, encontraram Leonor em uma rede de balanço, junto a frondosas árvores. A moça refletia com um livro sobre o colo a respeito dos últimos acontecimentos da sua vida.

Sentia-se só e, pela primeira vez, pensou que talvez o casamento pudesse lhe trazer a felicidade que perdera. Quem sabe se tivesse filhos poderia dedicar-se a eles e esquecer a solidão que passara a morar em seu coração?

Não acreditava no amor. Desde que soubera do matrimônio do seu pai, passara a desacreditar nesse sentimento.

“Se o amor existe ele deve ser único, infinito, para sempre...”, pensava.

José Venâncio, ao vê-la deitada na rede, comentou:

— Onde andava a minha princesa dorminhoca?

Leonor sorriu com a brincadeira do pai e desculpou-se:

— Lamento, papai, por não acompanhá-lo no desjejum. Tive uma noite péssima e perdi a hora de acordar...

Maria Alice se aproximou, dizendo:

— Devemos entrar, querida... Aqui está muito quente e isso prejudica a nossa pele...

Leonor ia responder alguma coisa, mas, ao se lembrar dos conselhos de Januária, calou-se. Sorrindo, levantou-se e, demonstrando obediência e humildade, resolveu entrar junto com o casal.

Maria Alice solicitou uns refrescos a Januária, enquanto comentava, impressionada:

— Juro que jamais vi negros tão descompostos; sempre os via pelas ruas de Lisboa razoavelmente vestidos...

José Venâncio sorriu da ingenuidade da mulher e explicou:

— Minha cara, estamos no Brasil. E tu estás em uma charqueada! Estes negros começam o trabalho antes de amanhecer e só vão dormir quando o sol já se pôs. Não são escravos de casa de madame...

Maria Alice replicou:

— Acho que precisas de homens mais fortes. Estes são muito magros, não devem trabalhar o suficiente...

Naquele instante, Leonor, que se mantivera calada todo o tempo, retrucou:

— Achas, pois, insuficiente o trabalho de sol a sol?

José Venâncio olhou surpreso para a filha, enquanto Maria Alice respondia com ironia:

— Acho que os escravos nunca dão o retorno do investimento do qual são objeto. Teu pai, ao adquiri-los, lhes ofereceu casa e comida, talvez até para suas famílias. Com raras exceções, os negros são sempre indolentes.

— Penso que deverias conhecer melhor estes coitados. Apesar de meu pai ser muito tolerante, devo reconhecer, a verdade é que eles trabalham como animais...

Maria Alice sorriu e, olhando para José Venâncio, respondeu:

— Não me disseste que abrigavas uma abolicionista em teu ninho...

O fazendeiro redargüiu:

— Não deves dar importância às fantasias de uma menina sonhadora... Isso são esses livros que enchem a cabeça dela de bobagens. A vida é como é... Se não existisse hierarquia entre os homens, seria tudo uma desordem total.

Leonor ousou perguntar:

— Acreditas, meu pai, que essa hierarquia se sustente pela cor da pele?

José Venâncio olhou com seriedade para a filha, dando a entender que o assunto estava encerrado:

— A hierarquia se dá pelo uso de um nome honrado e pelas posses de um homem. Os negros ainda não nos podem oferecer nenhum dos dois.

O assunto estava terminado. Leonor alegou cansaço e se recolheu.

Novamente ela e o pai divergiam sobre um assunto que normalmente evitavam que viesse à baila.

***

No dia seguinte, Leonor acordou ao ouvir as batidas de Januária à sua porta. Imediatamente, a escrava entrou com sua costumeira alaúza; enquanto ela abria as cortinas, a jovem perguntou:

— Eles já saíram para a "madame" conhecer os estábulos da fazenda?

Januária olhou, surpresa, para a menina que destilava em suas palavras ironia e amargura. Balançando a cabeça, retrucou:

— Isso não *tá* certo, menina. Tu *vai tê* que *aceitá* a nova patroa, senão...

— Senão... senão o quê, Januária? Achas que meu pai irá me mandar embora ou fazer alguma coisa comigo?!!

A boa mulher sentou junto ao leito de Leonor e falou com ternura:

— Leonor, onde é que tá a minha menina que vivia a *tagarelá* e *corrê* por esses *campo*, aprontando *travessura* pra mim e *pros* outros *escravo* o dia todo? *Tô* sentindo falta das tuas *folgança*, e Simão tem reclamado que nunca mais te viu lá *pros lado* dos *estábulo*... O que aconteceu?

Leonor ergueu-se e, sentando, respondeu com tristeza:

— Eu era feliz, Januária, mas perdi o maior afeto que tinha na vida, tu sabes... meu pai...

— Pois a sinhá devia saber que um dia ele poderia *casá* de novo. Isso não é tão estranho assim...

— Não estou infeliz pelo fato de o meu pai ter-se casado de novo. Certamente, no início, tive dificuldade em aceitar outra mulher no lugar de minha mãe, mas entendo que ele precisava de uma companheira, uma mulher... O que não aceito é que ele se tenha precipitado e se envolvido com a primeira que lhe surgiu à frente...

— Tu nem *sabe* o que se *passô*... — disse Januária, tentando acalmar Leonor.

— Por favor, Januária, não tentes defendê-la, pois sei que também tens ressalvas contra Maria Alice. Vi como ela te tratou ontem e sei que não estás acostumada com isso...

— Mas também sei que a vida é assim. Não passo de uma escrava *véia* e tenho que *aceitá* as *coisa* como são. Acho que todos vão *tê* que *convivê* com as *coisa* que ainda vêm por aí...

Leonor olhou curiosa para Januária e perguntou, aflita:

— Estás prevendo alguma coisa? O que vai acontecer?

Januária se levantou e, enquanto arrumava o avental sobre o vestido, se dirigiu à porta, dizendo:

— *Num* sei de nada, menina. Mas ouça o que te digo: tu não *deve incomodá* a patroa...

Leonor se exasperou e, levantando, intimou Januária a se explicar melhor:

— Por favor, diga-me o que se passa em tua cabeça, pelo amor de Deus!

Fixando o olhar lúcido em Leonor, a escrava falou:

— Esta mulher ama o teu pai com paixão, desespero... Tu ainda não *sabe* o que uma paixão sem controle é capaz de *fazê*... Ela jamais dividirá teu pai contigo, menina.

Enquanto Januária saía, Leonor ficou ensimesmada, pensando.

Não se afastaria do pai por causa das manias de sua madrasta. Se Maria Alice tinha ciúmes da sua relação com o pai, pior para ela.

Leonor cristalizava fortemente em seu pensamento a idéia de não se afastar de seu genitor, mesmo que isso custasse a felicidade de todos.

10

Estranha aquisição

Leonor decidiu que não perderia seu lugar no coração do pai para satisfazer os caprichos de Maria Alice.

Vestiu-se e, quando se dirigia à mesa para tomar café, encontrou o casal a sua espera.

— Minha querida, que bom tê-la conosco para o café! Seu pai me disse que sempre fizeram as refeições juntos...

Leonor respondeu, desinteressada:

— Éramos só nós... Fazíamos companhia um ao outro...

Maria Alice, tentando mostrar gentileza à menina diante do marido, contrapôs:

— Espero não estragar essa maravilhosa relação entre pai e filha com a minha presença... São poucos os pais que assumem os cuidados de uma filha como o teu pai fez, principalmente se tratando de uma moça,...

Leonor dirigiu o olhar para Maria Alice e respondeu:

— Sou a primeira a distingui-lo entre os que velaram por mim, pois sei que sua dedicação foi absoluta. Reconheço que chegou o momento de ele viver sua própria vida e, por isso, a senhora não interfere em nada...

Sentaram-se à mesa e a conversa girou sobre banalidades. Em meio à refeição, ouviu-se o ruído característico do trotear de cavalos se aproximando.

Depois de alguns minutos, viram que Antero chegava acompanhado de Lúcia, prima de Leonor.

Após os cumprimentos de praxe, as jovens saíram para um passeio. José Venâncio e Antero se dirigiram para uma sala que servia de gabinete e Maria Alice se retirou para o seu quarto em busca de algum livro que pudesse espantar o tédio incipiente.

Lúcia, curiosa, perguntou à prima:

— Então, como estás te saindo? Como é a tua madrasta?

Leonor deu um suspiro e concluiu:

— Acho que vou ter que me casar... Não vou agüentar muito tempo nesta casa, com os chiliques desta portuguesa...

Lúcia riu e falou:

— Mas ela não é uma mulher fina, elegante e que sabe viver em sociedade? Quem sabe tu não aprendes alguma coisa com ela...

Leonor fuzilou com o olhar a prima e retrucou:

— Lúcia, tu sabes muito bem que não estamos aquém destas mulheres da corte! Temos conforto, e os saraus na vila não deixam nada a desejar aos da capital do Império! Os nossos vestidos vêm de Paris e, se meu pai quisesse, poderia me ter mandado estudar lá.

— Sim, é verdade. Perto de outros lugares não estamos tão mal assim. Mas, diga-me, o que não te agradou nela?

Leonor pensou um pouco e respondeu:

— Não sei ao certo, mas acho que é o seu jeito afetado, querendo sempre agradar a meu pai, procurando ser exageradamente gentil comigo... Diz coisas tolas, preocupa-se com bobagens; além disso, tive um sonho muito ruim com Maria Alice e isso fez piorar os meus sentimentos em relação a ela.

Lúcia ficou pensativa:

— Imagino como te sentes, prima. Não quis vir aqui antes para ver como as coisas iam até que te acostumasses com a nova situação... Meus pais estão preocupados. Minha mãe também sentiu qualquer coisa nessa moça e teme pela tua situação...

— Ainda não pude conversar com o meu pai, ele passa o dia junto a ela... Desde sua chegada, ainda não retornou a suas lides e, se o meu tio não tivesse vindo aqui hoje, continuaria sem tratar de negócios... Acho que essa lua-de-mel vai ser eterna!

— Se assim fosse, o tio José Venâncio estaria feliz. O problema vai ser quando terminar a lua-de-mel...

— O que queres dizer?

— Ora, Leonor, quando ela começar a freqüentar a sociedade, irá se tornar mais exigente e não sei como o tio vai reagir. Tu sabes, ele é um homem discreto, avesso a festas e saraus...

Preocupada, Leonor resolveu voltar. Infelizmente, uma surpresa desagradável a esperava.

Após se recolher ao quarto, Maria Alice tentou iniciar uma leitura que a ajudasse a se distrair. Ao passar pelo gabinete de José Venâncio, ouviu que Antero lhe falava algo sobre alguns fazendeiros que apoiavam um tal de Bento Gonçalves, militar que havia perdido seu posto de comandante da Guarda Nacional.

José Venâncio respondera que já ouvira falar dele e que sabia ser um liberal, que defendia as idéias farroupilhas; e, que se dependesse dele, teria, o tal general, todo o apoio possível.

A princípio, não deu importância ao fato, mas, logo ao iniciar sua leitura, sobreveio-lhe uma idéia que considerara magnífica.

Achara os escravos ali indolentes e magros e imaginara que, se a fazenda tivesse braços fortes nas tarefas diárias, poderia aumentar a riqueza do marido. Odiava conversas abolicionistas e isso era mais um ponto de conflito entre Leonor e ela.

Sabia que se adquirissem mais escravos a filha de José Venâncio se aborreceria, mas, ao mesmo tempo, ela estaria demonstrando sua preocupação com os negócios da família.

Com seu pensamento a vagar pelos caminhos receptivos da intuição negativa, teve uma idéia que considerou muito melhor. Levantou-se e, pedindo licença, entrou no gabinete onde José Venâncio se encontrava.

O assunto ainda pairava sobre a situação política e a possibilidade de uma revolução.

Surpreso, pois não estava acostumado com interrupções, José Venâncio questionou:

— Aconteceu alguma coisa, Maria Alice? Estou tratando de um assunto por demais importante...

Maria Alice deslizou como uma serpente e enroscando-se no pescoço do marido sussurrou languidamente:

— Estou a sentir tua falta, querido. Vim ver se ainda me amas...

Jose Venâncio, desconcertado, segurou as mãos da mulher e falou baixinho, enquanto seu irmão sorria, meio vexado:

— Por favor, Maria Alice, estou tratando de coisas sérias...

Falsamente ofendida, a jovem esposa falou, queixosa:

— Gostaria de participar da vida do meu marido, afinal de contas, faço parte da família ou não?

— Sim, claro, mas é que...

— Qual é o problema, querido? Não posso ajudar com uma opinião feminina? Estive a pensar que seria uma boa idéia se comprássemos alguns escravos...

Jose Venâncio olhou para Antero, que deu de ombros e respondeu:

— É verdade. Estão leiloando alguns escravos na cidade e Antero veio saber minha opinião. Não é um bom momento para se adquirir escravos, com estes boatos abolicionistas... Além do mais, estamos à beira de uma revolta sem precedentes...

Os olhos de Maria Alice brilharam e ela continuou, interessada:

— Isso são boatos. Por que relutas em comprá-los, se os que possuis não te servem à altura?

— Não tenho queixas destes homens. Trabalham o mais que podem, não posso exigir mais...

— Mas se tivesses escravos mais jovens e fortes... Além disso, gostaria de ter um escravo doméstico para que eu pudesse ensiná-lo como se faz na corte...

Antero olhou para o irmão que, antes que José Venâncio respondesse, explicou:

— D. Maria Alice, minha cunhada, sei que estás acostumada com estes requintes, mas aqui no Rio Grande não é comum se comprar um escravo adulto somente para atender às senhoras... Os nossos negros são grosseiros, acostumados ao trabalho pesado, e nossas mulheres preferem as negras para o trabalho doméstico... A não ser que seja gurizote...

Maria Alice olhou para o cunhado e comentou:

— Talvez tenha chegado a hora de as coisas mudarem... Não é, senhor Antero? Quem sabe se seu não casei com o teu irmão para trazer um pouco de civilização para esta terra?

José Venâncio interveio:

— Sei que tens as melhores intenções, minha querida, mas preciso pensar neste assunto...

Maria Alice olhou com firmeza para o marido e arriscou:

— Tens medo da reação de Leonor? Temes incomodá-la com a compra dos negros?

— Não tenho medo de ninguém. Se pudesse, evitaria qualquer desgosto para minha filha, mas se realmente houver necessidade, comprarei os escravos...

Maria Alice sorriu aliviada:

— Eu sabia, meu querido, que não me decepcionaria. És um bravo, um homem de visão, muito diferente dos teus conterrâneos...

Antero tossiu e, aproveitando a ocasião, se despediu, indo à procura de Lúcia.

Ao chegar em casa narrou o ocorrido a D. Francisca; penalizada, ela não pôde deixar de exclamar:

— Meu Deus! As coisas estão piores do que eu imaginava... Pobre Leonor! Que Deus a proteja!

* * *

Quando Leonor e Lúcia retornaram do passeio encontraram a casa em alvoroço. José Venâncio, cedendo às instâncias da mulher, tinha ido até a cidade, em princípio para observar o leilão de escravos. Maria Alice acompanhara o marido na "divertida" empreitada.

Januária, preocupada, aguardava a chegada de sua jovem patroa. Logo ao entrar na casa, Leonor pressentiu que algo não corria bem. Olhou para Januária e, lendo seus pensamentos, perguntou:

— O que está acontecendo, Januária? Onde estão todos?

— O patrão saiu com D. Maria Alice... Foram até a cidade...

—... À cidade? Fazer o quê? — perguntou a jovem, aflita.

— Sei não, sinhazinha, mas acho que foram *comprá* mais *escravo* pra fazenda...

Lúcia interrompeu:

— E o meu pai? Foi junto com eles?

Januária explicou que Antero a procurara e, não a encontrando, voltara mais cedo, dizendo que mandaria alguém buscá-la mais tarde.

Leonor não podia entender. Por que aquela súbita necessidade de comprar escravos? Os que possuíam estavam atendendo às necessidades da fazenda. Por que aumentar o número desses homens sofridos, que só nutriam sentimentos de revolta e dor em seus corações?

Intimamente, sentia que os pensamentos oriundos da opressão e da falta de respeito à dignidade daquelas almas sofredoras enevoavam, de certa maneira, o brilhante caráter de seu pai.

Aprendera com a mãe a respeitar o ser humano, independentemente de sua raça ou credo. Dotada de um espírito propenso ao bem, apesar de suas inúmeras dificuldades, Leonor tinha aversão à escravatura.

Sabia que o Brasil, infelizmente, ainda insistia em manter esta mancha em suas terras, mas confiava que um dia isso teria um fim, já que esta era uma tendência mundial.

O fato de Maria Alice apoiar a utilização de escravos, os quais, apesar de seus protestos, seu pai mantinha por ser o meio de sustentar a economia da época, tinha acirrado ainda mais a aversão que sentia por todo aquele horror.

"Só pode ser idéia dela...", pensava a moça. "Certamente convenceu meu pai a comprar mais alguns escravos para os galpões...", continuava em suas divagações.

A tarde já ia a meio quando José Venâncio e Maria Alice retornaram. Tinham almoçado na cidade, e a jovem esposa de José Venâncio aproveitara para fazer algumas compras.

Realmente adquiriram algumas "peças" humanas para o trabalho na fazenda. O que Leonor não imaginava é que havia um que se destinaria aos serviços domésticos.

Maria Alice pretendia transformá-lo em uma espécie de mordomo, para poder mostrar a todos a sua capacidade em transformar aquele ser quase bruto em um excelente serviçal, digno das casas européias. Essa era a forma que a caprichosa mulher havia descoberto para ocupar os seus dias inequivocamente vazios.

José Venâncio contou a Leonor, hesitante, o resultado de sua ida à cidade. Maria Alice não deixou por menos:

— Pena que não estavas aqui, querida! Fizemos um passeio encantador pela cidade. Além disso, teu pai adquiriu alguns negros por um preço muitíssimo razoável...

Leonor fitou o pai e perguntou:

— Tinhas mesmo necessidade de comprá-los? Os que possuímos não eram suficientes?

José Venâncio procurou ser enfático quando respondeu:

— Sim, havia necessidade. Apesar de estarmos produzindo bem, preciso incrementar a nossa produção, pois a concorrência é grande, minha filha. Além disso, Maria Alice teve uma excelente idéia...

A jovem esposa de José Venâncio interrompeu, sem esconder a alegria que a notícia que iria dar lhe causava:

— Não imaginas o que teremos a partir de agora, cara Leonor: um escravo que irá aprender todas as boas maneiras que conhecemos, será tal qual os escravos da nobreza do Rio de Janeiro... Poder-se-á comparar até com alguns de minha terra...

Leonor não entendia a utilidade daquela aquisição. Januária e as demais escravas da casa não estavam dando conta?

— Por que trazer mais um serviçal? — perguntou.

Lúcia, que permanecera calada até aquele momento, recomendou em voz baixa:

— Calma, Leonor. Estes assuntos não nos dizem respeito. Deixa que o teu pai e a tua madrasta decidam o que é melhor.

Leonor não lhe deu ouvidos e continuou:

— O senhor poderia me dizer, meu pai, o que está havendo?

José Venâncio respirou fundo e comentou, procurando não magoar a filha:

— Minha querida, estamos procurando melhorar a nossa vida aqui na fazenda. Maria Alice apenas pensou em tornar mais prazerosas as nossas existências, tendo o cuidado de adquirir um serviçal que nos sirva à altura... Dar-se-á ao trabalho de educar um ser bruto, quase desumano, para nos agradar...

Leonor teve ímpetos de responder ao pai que ele estava enganado, que Maria Alice só queria encontrar uma maneira de afastar o tédio, que ela detestava aquela vida na fazenda. Mas teve um lapso de lucidez e respondeu em tom irônico, que passou despercebido apenas a José Venâncio:

— Tens razão, meu pai... Não havia percebido a grandiosidade deste gesto. Procurarei não esquecer, de agora em diante, que a senhora Maria Alice pensa apenas no nosso bem...

Maria Alice sentiu um arrepio percorrer-lhe as costas. Notara a intenção velada das palavras de Leonor e, determinada por uma vontade férrea, pensou, enquanto dirigia um olhar de terna compreensão para a moça: "Ainda estarás em minhas mãos, querida! Estás a te interpôr entre mim e teu pai, mas, deixa estar, minha cara, que eu te poderei causar mais danos do que imaginas!".

E foi isso o que efetivamente aconteceu.

***

No dia seguinte, Leonor levantou cedo e se dirigiu para a cozinha, para falar com Januária.

Antecipara-se à escrava e queria conversar com ela antes que os demais se levantassem.

Ao entrar no amplo recinto, composto por enorme fogão de campanha e uma mesa comprida de madeira rústica, Leonor se aproximou e sentou à mesa.

Januária observou o rosto pálido da moça e falou:

— Sinhá não *durmiu* bem... tá cansada, os *olho vermelho*... — disse, balançando a cabeça.

Leonor voltou-se para a boa escrava e se lamentou:

— Januária! Viste o que *ela* acabou de fazer? Incitou meu pai a comprar mais escravos, só para o seu deleite... Quer mostrar que tem poder, ascendência sobre ele...

Januária deu uma risadinha e comentou:

— E tem mesmo!... Ah, que tem, tem!

Leonor respondeu imediatamente:

— Ora, Januária! Tenha modos! Estou falando sério... Ela está tentando me desafiar, pois sabe que eu não queria que ele comprasse mais escravos...

Januária tornou-se séria e falou:

— Sei do que a sinhazinha *Leonô tá* falando. *Tá* preocupada com essas *mudança*... O sinhô José Venâncio é um homem bom, tem um bom coração, apesar dos *nego* que mantém aqui. Não gosta de *maltratá* os *escravo* e não *farta* uma cama e um bom prato de comida aos seus *nego*... Agora, com a nova patroa parece que as *coisa* vão *mudá purque* ela não gosta da nossa cor, não é?

Leonor fez um sinal afirmativo com a cabeça e prosseguiu:

— Exatamente. Ela não me inspira bons sentimentos e acho que também não os tem. Sinto um perigo constante quando estou perto dela, parece que Maria Alice me deseja o mal permanentemente...

Januária, preocupada, procurou acalmá-la:

— Minha menina, não se apoquente. Tenha paciência, tu *é* uma flor delicada, acostumada a *sê* mimada... É só isso. A Dona Maria Alice está enciumada, *qué separá* um pouco o patrão José Venâncio de ti... A menina deve *di tê* paciência...

Leonor deu um suspiro e se dirigiu à enorme varanda, onde faziam as refeições.

Alguns minutos depois, Januária chegava com apetitoso desjejum. Trazia leite e pães que acabara de fazer, pois era costume na fazenda fazer o pão diariamente, mantendo-os sempre frescos.

Januária acordava ainda noite e providenciava os quitutes para a primeira refeição dos patrões.

Com a chegada de Maria Alice, procurava se desdobrar, porque a nova patroa gostava de pratos requintados e bolos com receitas portuguesas, o que Januária fazia com perfeição. Acostumada às lides culinárias e devido à influência colonizadora da região, de origem portuguesa, a boa mulher tinha lá os seus dons, que acabaram conquistando até o paladar exigente de Maria Alice.

Dessa forma, o desjejum se transformara em uma lauta refeição, que era muito apreciada tanto por José Venâncio como por sua caprichosa esposa.

Leonor, entretanto, mal provava os quitutes de Januária, deixando a escrava muito desgostosa, não apenas por ver os seus pratos rejeitados por sua "sinhazinha", mas porque se preocupava com a sua saúde.

Após a insistência de sua ama-de-leite, pois Januária havia amamentado Leonor quando ela nascera, a moça tomou alguns goles de leite e ingeriu uma porção de bolo de fubá.

A seguir, retirou-se, dirigindo-se para fora, a fim de sorver um pouco do ar puro da manhã. Caminhava lentamente, procurando concatenar as idéias e tentar descobrir um modo de não ficar à mercê do gênio difícil de Maria Alice.

Prendera o cabelo de tom escuro em uma trança lateral e tocava delicadamente os fios, presos por uma fita cor-de-rosa.

O casaquinho que acompanhava a saia, de cor suave, denunciava simplicidade e ao mesmo tempo feminilidade.

Distraída, não percebeu que era observada. De uma das inúmeras janelas da grande casa, alguém a observava, fascinado.

Rufino jamais havia visto algo sequer parecido. É verdade, já observara outras moças brancas, mas aquela, com aquela pele clara, com aquele cabelo escuro, vestida de rosa... Era diferente das outras...

Mais alguns minutos e Leonor resolveu entrar; ia pedir permissão a seu pai para ir até a casa de seus tios, Antero e D. Francisca.

Entrou pela porta principal e verificou que José Venâncio e Maria Alice já haviam tomado o café da manhã. Ia se dirigindo para o interior da casa, quando, inesperadamente, surgiu à sua frente o escravo Rufino.

Assustada com o imprevisto, Leonor deu um grito e, trêmula e irada, exclamou, alterada:

— Quem és e o que fazes em minha casa?

Imediatamente, José Venâncio acorreu e, acalmando-a, falou em tom conciliador:

— Minha querida, este é o novo escravo que adquirimos ontem à tarde... Maria Alice vai iniciá-lo nas lides domésticas; ele irá auxiliar Januária, que já está muito velha e precisa de mais repouso... Além disso, estará sempre à disposição de vocês duas para qualquer coisa que precisarem...

Leonor retrucou, magoada, enquanto abraçava o pai:

— Mas, meu pai, tens certeza que isso era necessário? Por que não escolheste uma das mulheres dos outros escravos para ficar em nossa casa? Não achas estranho termos um homem desconhecido dentro de nosso lar?

José Venâncio obtemperou:

— Ora, Leonor, é apenas um negro que servirá ao que for mandado. Não irá perturbar a nossa vida, está aqui para nos ajudar...

Leonor fixou o olhar no homem que recuara e se encontrava a um canto, cabisbaixo. Sentiu uma aversão inexplicável por aquela criatura e, pedindo licença, dirigiu-se a seu quarto.

Maria Alice não pôde deixar de aproveitar a ocasião para lançar as suas sementes:

— Meu querido marido, não vês o que está acontecendo?

José Venâncio olhou para a mulher sem compreendê-la. E ela continuou:

— Ora, já está na hora de casar esta menina! Esses chiliques, essas idéias abolicionistas acabarão logo, logo se ela tiver um marido para cuidar e algumas crianças para entretê-la... — disse, rindo.

José Venâncio fixou-a, surpreso, e perguntou:

— Achas mesmo que Leonor está preparada para o casamento? Acho que ela é tão jovem, me parece uma menina ainda...

Maria Alice tornou, incisiva:

— Estás enganado, querido. Tua filha é uma rapariga e está absolutamente pronta para casar. Está se sentindo solitária após o nosso enlace e, visto não poder mais ficar tanto tempo ao teu lado, necessita de alguém que partilhe a vida com ela.

— Pode ser, mas quem? Leonor raramente freqüenta a sociedade, pois estas coisas a desagradam. É como a mãe, que sempre preferiu uma vida mais tranqüila, sem muitos festejos... Não sei quem haveria de se interessar por ela aqui...

Maria Alice franziu a testa como se fizesse um grande esforço mental e respondeu:

— Não sei, querido, se vais aprovar, mas quantos anos ela tem?

— Dezessete, no mês que vem.

A jovem mulher sorriu e afirmou com convicção:

— Conheço um partido excepcional, que acredito te agradará muito...

— De quem se trata?

— Saberás quando chegar a hora. Devo expedir uma correspondência para Portugal o quanto antes...

Dessa forma, Maria Alice tecia a sua teia de forma lenta e calculada, enredando vidas, agindo, mais uma vez, deliberadamente, fora dos princípios da fraternidade.

II

Arranjos matrimoniais

A despeito do descontentamento de Leonor com a situação criada por Maria Alice, a vida prosseguiu em seu inexorável curso, preparando, como sempre faz, as lições próprias a cada um de nós.

Os cuidados haviam sido redobrados nas fazendas, diante da iminência de uma revolta contra o governo imperial.

Quando os homens saíam de casa, cabia às mulheres guardá-las, procurando defendê-las de qualquer intruso.

Maria Alice, no entanto, não percebia a situação, pois estava ocupada em ensinar boas maneiras ao escravo recém-adquirido; Leonor, mais atenta, se inteirava dos acontecimentos junto ao pai, embora desse pouca importância ao fato.

Seguidamente, Lúcia, sua prima, vinha visitá-la; ocasiões em que realizavam passeios pela fazenda ou arredores; às vezes iam à vila, acompanhadas de D. Francisca ou da própria Maria Alice, sempre seguidas de perto por dois escravos.

Em uma dessas ocasiões, enquanto se dirigiam à residência de conhecida família, Lúcia falou, sorridente:

— Sabias, Leonor, que Leonardo estará retornando de Lisboa no próximo mês?

Leonor olhou rapidamente para a prima e para a tia, e respondeu:

— Como me puderam esconder esta notícia? Então meu primo e amigo, Leonardo, retorna para casa e não fico sabendo?

D. Francisca sorriu, satisfeita, enquanto se acomodava melhor na charrete, e desculpou-se diante da sobrinha:

— Perdoe-me, querida. Ando atarefada com a reorganização do quarto de Leonardo. Felizmente, esses longos anos de saudades terminaram e meu filho está de volta!

Lúcia falou maliciosamente, enquanto observava a reação de Leonor:

— Diga-me, Leonor, meu irmão mantinha uma correspondência constante contigo, não é mesmo?

Leonor fixou a prima e respondeu, tentando parecer natural:

— Sim, é verdade. Sabes que éramos como irmãos, crescemos juntos e também senti muito sua partida...

Lúcia insistiu:

— Creio que da parte de Leonardo sempre foste mais do que uma irmã, minha prima...

Leonor sentiu que enrubescia, enquanto explicava:

— Por favor, Lúcia! Éramos crianças e não sabíamos o que falávamos... — naquele momento, Leonor olhou para D. Francisca e comentou em tom sério:

— Não a leve a sério, tia Francisca. Sempre tive em Leonardo o irmão que não possuí...

— Leonor, tu sabes que és com se fosse minha filha. Se Leonardo a escolhesse para mulher seria uma grata alegria para mim e Antero. Sei que o meu filho sempre teve por ti uma dedicação especial... Acredito que José Venâncio não se oporia a uma união entre vocês...

Leonor resolveu encerrar aquele assunto que tanto a perturbava:

— Acho que estamos nos precipitando. Leonardo está há algum tempo longe de nós e talvez não pense como antes... Há muito não responde as minhas cartas. De qualquer maneira, sempre apreciarei o meu primo, pela amizade que me dedicou...

D. Francisca aproveitou que o assunto se encerrava e perguntou:

— Diga-me, Leonor, como estão as coisas na tua casa?

Leonor olhou com tristeza para a tia e comentou:

— Acho intolerável a permanência naquele lugar... Tenho detestado cada dia mais a vida na fazenda...

Lúcia, surpresa, questionou:

— Não estou te entendendo, Leonor. Sempre adoraste a vida no campo, os teus passeios, teus afazeres...

— Isso era antes de ela chegar. Maria Alice não apenas me afastou de meu pai, como trouxe um escravo para os trabalhos domésticos — coisa que eu detesto —, tornando a minha vida insuportável!

Preocupada, D. Francisca procurou inteirar-se dos fatos:

— O que este escravo fez para que o execrasses assim? Sempre tiveste benevolência no trato com os negros...

Leonor deu um suspiro e esclareceu:

— É verdade. Sempre abominei as maldades e castigos infligidos a eles, mas este Rufino é definitivamente abominável. Está sempre me espreitando; mal posso andar pela casa, pois não pára de me seguir com o olhar... Se saio para tomar um pouco de ar, lá está ele na janela! É um suplício!

D. Francisca franziu o cenho e comentou:

— Talvez seja impressão tua, minha filha. Estes escravos são pessoas muito grosseiras, talvez esteja deslumbrado com a tua delicadeza, teus modos...

Lúcia interrompeu, apoiando a prima:

— Não, minha mãe. Quando estive na casa do tio José Venâncio na semana passada, estávamos passeando pelo campo, quando, inesperadamente, deparamos com este negro. Ele nos havia seguido e, diante da indignação de Leonor, simplesmente perguntou se ela não precisava de alguma coisa! Veja se é possível isso!...

D. Francisca pensou por um momento e concluiu:

— Acho que teu tio deve ter uma conversa com o teu pai. Vou falar com ele. Estes escravos dentro de casa sempre trazem incomodação. A propósito, Maria Alice sabe disso?

Leonor respondeu, dando de ombros:

— Foi ela quem o comprou com o propósito de ensiná-lo nas tarefas domésticas. Nos últimos dias, anda muito misteriosa, enviando cartas e aguardando as respostas com muita ansiedade. Não sei do que se trata, mas deve ser algo muito importante, pois parece que esqueceu um pouco de mim. Ainda ontem pude passear com meu pai pela fazenda como fazia antigamente.

D. Francisca, conciliadora, falou com suavidade:

— É preciso dar tempo ao tempo, minha querida. Tenho certeza de que tudo voltará ao normal e todos poderão ser felizes naquela casa novamente...

Leonor concordou para agradar a tia, mas intimamente sentia que a paz que perdera jamais seria resgatada enquanto Maria Alice estivesse por perto.

Espiritualmente, experimentava a presença de uma grande inimiga do passado, que vinha ao seu encontro para uma cobrança sem adiamento.

***

Da mesma maneira, a presença de Rufino era detestada por Leonor, por se tratar ele de alguém de seu passado, que suscitava em seu inconsciente a lembrança de uma vida infeliz, na qual muito sofrera em suas mãos e acabara por traí-lo.

Assim como nos sentimos felizes quando nos aproximamos de almas ou espíritos afins, sentimos sensações desagradáveis junto àqueles que nos despertam antipatia; aqueles são os laços de amor ou afeto, que se renovam na estrada evolutiva, enquanto estes, os reflexos dos nossos débitos do passado, que nos buscam com o intuito de nos cobrar antigas dívidas. Uns refletem afinidade, outros as diferenças de teor vibratório.

Os mecanismos que determinam essas reações do espírito encarnado dizem respeito à variação vibratória, própria de cada pessoa e, muito especialmente, às características dos fluidos emitidos por cada um, condizentes com seu nível evolutivo.

É fato bastante normal que diante da presença de pessoas de reconhecida hierarquia espiritual sintamos um indescritível bem-estar, assim como, quando ocorre o contrário, frente a pessoas iradas, revoltadas e negativas, também experimentemos a mesma intensidade de sensações, mas, nesse caso, negativas.

Quem, após uma conversa desagradável, em que o interlocutor apenas se queixe e manifeste impressões deprimentes, relatando doenças ou maldizendo a terceiros, não sente indescritível mal-estar ou se afasta, com uma inexplicável dor de cabeça ou outra conseqüência negativa?

Às vezes, os efeitos de um encontro desse teor podem durar por horas ou dias... São as emissões fluídicas de nosso infeliz irmão ou irmã, que são captadas, em nível perispiritual, por quem recebe tais choques vibratórios.

Surge aí precioso instrumento para retemperarmos nossas energias: a oração ainda é o melhor alvitre.

Como sabemos, não são todos que cultivam o hábito da prece, embora a maioria se diga religiosa... Dessa forma, acabamos por aumentar nossas dificuldades com pequenos dissabores, que, somados às inevitáveis contrariedades que fazem parte do programa de aprendizado na Terra, tornam a existência bastante mais amarga. Agregamos à nossa existência provas não previstas... Por aí se explica o alarmante aumento das depressões e desequilíbrios da alma na Terra.

Se aliarmos a tudo isso o componente espiritual, ou seja, os nossos desafetos do passado que nos cobram antigas dívidas, temos uma poderosa e perniciosa combinação que acaba por minar a saúde espiritual, levando à diminuição da ação de certos mecanismos cerebrais responsáveis pelo equilíbrio de nossas reações e mesmo do nosso humor.

Bem, mais adiante tornaremos a este assunto...

***

Naquela noite, para espanto de todos, Maria Alice surgiu, sorridente, diante da mesa do jantar. Intrigado com o olhar alegre da mulher, José Venâncio perguntou, na forma característica dos habitantes da região:

— O que se passa contigo, Maria Alice? Parece que escondes algo de nós...

A jovem esposa do fazendeiro respondeu:

— Sim, querido. Até ontem, mantive em segredo, mas agora acho que posso partilhar contigo e tua filha... Tomei a liberdade de convidar o meu irmão, Afonso, para passar uns tempos aqui conosco... Creio que não te importarás, não é mesmo?

José Venâncio sorriu e falou, acariciando a delicada mão da mulher:

— Tive muita simpatia por Afonso. A nossa casa está aberta para o teu irmão. Terei grande prazer em recebê-lo entre nós e creio que ele apreciará a vida nestas terras! — arrematou com orgulho.

Naquele momento, Maria Alice voltou-se para Leonor e indagou, com amabilidade calculada:

— E tu, minha querida, o que dizes? Terás uma companhia para os teus passeios e poderás trocar opiniões sobre os livros que tanto gostas... Aliás, pedi ao meu irmão que traga em sua bagagem alguns exemplares de livros novos...

Leonor olhou para Maria Alice e respondeu, sem dar muita importância ao acontecimento:

— O senhor Afonso, como disse o meu pai, estará em sua própria casa. Quanto aos livros, tenho inúmeros exemplares para ler por enquanto...

Jose Venâncio, percebendo a frieza da filha, censurou-a delicadamente:

— Estás muito arredia, minha filha! O que está acontecendo? Onde está a minha guria alegre e risonha? Afonso é um homem sofrido, que teve uma experiência muito trágica com a morte da esposa...

Maria Alice continuou:

— É verdade. A minha cunhada morreu muito jovem, me deixando o encargo de criar o menino de meu irmão. Como não tive filhos, tentei auxiliá-lo no que foi possível... Aliás, como madrinha e tia de Miguel, não poderia agir de outra forma...

Leonor procurou amenizar o tom de suas palavras:

— Peço que me desculpem, não sabia dessa história. O seu sobrinho parece-me ter tido a mesma sorte que eu... Viver sem a presença da mãe...

Maria Alice suspirou e acrescentou:

— Por mais que eu tenha procurado suavizar essa ausência, é tudo muito difícil. Além disso, aos catorze anos ele foi para o internato... e depois para Paris...

José Venâncio interveio:

— Ele virá com Afonso?

— Creio que não, pois está envolvido com a instalação de seu consultório em Lisboa. Miguel está se formando em Medicina e penso que fará uma carreira brilhante. Talvez venha nos visitar em suas férias.

— Faça o que for necessário para que o meu cunhado se sinta bem. A hospitalidade é uma característica da minha gente e eu ficaria envergonhado se algo não agradasse a Afonso. Lamento apenas que estejamos vivendo dias tão inseguros...

Maria Alice riu, enquanto enlaçava os braços bem torneados no pescoço de José Venâncio:

— Não te preocupes, meu querido. Está tudo certo. Duvido que estes imperiais cheguem até nossas fazendas... Não terão brios para tanto! Quanto à hospedagem, Rufino tem me ajudado bastante. Apenas desejo que Afonso não encontre rostinhos tristes quando chegar... — ao assim se pronunciar, Maria Alice voltou-se para Leonor.

Jose Venâncio acompanhou seu olhar e comentou:

— Leonor já está a par das desventuras de Afonso e, como possui bom coração, será uma companhia agradável, tenho certeza. Não é mesmo, minha filha?

Leonor concordou e, pedindo licença, se retirou. O dia estava lindo e a moça tinha decidido dar um passeio a cavalo. Quando se dirigia para a estrebaria, deparou com Rufino, parado na entrada do galpão.

Evitando olhar o escravo nos olhos, continuou caminhando como se ele não existisse. Imprudentemente, Rufino, percebendo a indiferença proposital da moça, tomado de despeito, deu um passo para o lado, obstruindo a passagem de Leonor.

Leonor ergueu o olhar e, profundamente irritada, ordenou:

— Como ousas, escravo? Sai da minha frente!

O escravo permaneceu impassível, como se não a tivesse ouvido. Leonor tentou novamente passar e uma vez mais foi interrompida.

Exasperada, gritou histérica:

— Sai da minha frente, escravo inútil!

Pela primeira vez, Rufino sorriu e disse:

— Peça pra patroa me *mandá*, sinhá... É ela quem manda em Rufino...

Leonor sentiu o rubor cobrir-lhe as faces e, tremendo de raiva, respondeu:

— Jamais tive qualquer preconceito contra tua raça, mas também jamais vi um escravo tão orgulhoso e insolente! Falarei com meu pai para que ele te obrigue a obedecer as minhas ordens.

Rufino dirigiu-lhe um olhar que assustou a Leonor; a seguir, foi encilhar um cavalo para a jovem. Incomodada com o acontecido, Leonor retornou para casa.

Perdera a vontade de passear. Maria Alice trouxera não apenas um escravo, mas um aliado para dentro de casa.

Precisava descansar e ordenar suas idéias. Não demoraria muitos dias para que o tal de Afonso chegasse, e sabe-se lá o que ainda teria que enfrentar.

Chamaria Lúcia para lhe fazer companhia e ajudá-la a ser educada e gentil com o irmão de Maria Alice.

Leonor sentia vontade de chorar. A cada dia sua vida tornava-se mais e mais detestável, e até as coisas que antes lhe causavam prazer agora parecia que serviam apenas para preencher o tempo de sua insossa existência.

Como mudara! Até o pai percebera... Sim, deixara de ser uma moça feliz, apesar de suas sempre existentes tristezas íntimas, e se tornara uma pessoa amarga, envelhecida precocemente.

Como gostaria que tudo mudasse... Quem sabe se com a chegada de Leonardo as coisas não se modificariam?

Tentando se animar com a perspectiva de reencontrar o primo, Leonor voltou para casa e, sem dizer nada ao pai, se recolheu ao quarto.

Na hora do almoço, alegou estar com dor de cabeça e não veio para almoçar. Januária levou-lhe algum alimento, pois não podia ver sua "guria" ficar sem comer nada.

Leonor recusou. Preocupada, a velha escrava quis saber o que ocorria. A moça não quis falar sobre o assunto e Januária apenas balançou a cabeça encanecida.

"As *coisa* não vão bem...", pensou Januária.

12

Planos decifrados

Alguns meses mais tarde, próximo à hora do almoço de um dia muito especial para Maria Alice, ouviu-se o tropel dos cavalos se aproximando da entrada do casarão.

Ansiosa, ela parou diante da janela e, abrindo com cuidado as cortinas, sorriu, satisfeita, ao ver que o hóspede por quem tanto esperara finalmente tinha chegado são e salvo!

Tudo estava preparado: desde os aposentos até a farta mesa, composta por doces variados, especialmente os portugueses, que, diga-se de passagem, até hoje são uma tradição, as carnes assadas, as tripas à moda do Porto que Maria Alice adorava e uma variedade de quitutes próprios da região, que faziam jus ao hábito do interior do Rio Grande em bem receber os visitantes.

Imediatamente, Maria Alice mandou chamar José Venâncio, que se encontrava em seu gabinete de trabalho. Ao ver o irmão chegar, com alegria incontida, segurou o braço do marido, levando-o para fora, a fim de aguardar a chegada do irmão.

Curiosa, Leonor a tudo assistia da varanda, imaginando como seria o tal irmão de Maria Alice. Por certo deveria ser ao menos um homem educado, visto que, apesar de tudo, não podia deixar de reconhecer as maneiras finas da madrasta.

Quando a carruagem estacou, pôde ver o homem, que, vestido com refinado bom gosto, abraçava Maria Alice.

Após a troca de carinhos entre os dois irmãos, José Venâncio cumprimentou o cunhado, mandando em seguida um escravo levar sua bagagem. O grupo se deslocou em direção ao interior da casa e, aparentando estar totalmente alheia à situação, Leonor pegou rapidamente um livro, fingindo demonstrar o máximo interesse pela leitura.

Adentraram o recinto, animados, ouvindo Afonso discorrer sobre os contratempos da viagem e sobre acontecimentos pitorescos que havia presenciado durante o percurso.

Era a sua primeira viagem ao Brasil e não cansava de elogiar a beleza das paisagens que havia visto, especialmente no litoral carioca.

Ia comentar mais alguma coisa, quando divisou Leonor sentada a um canto, próxima à janela. A claridade matinal invadia o ambiente e os raios de sol, que incidiam sobre a moça, criavam um efeito etéreo, quase diáfano.

O vestido claro, revestido de tule, que Leonor vestia adquirira um aspecto imaterial e a sua tez clara, contrastando com seu cabelo quase negro, criara uma imagem de grande beleza.

Maria Alice, atenta à magia daquele primeiro encontro de seu irmão com a enteada, mais uma vez sorriu, como sempre fazia quando as coisas saíam da maneira como ela queria. Adiantou-se e, tomando a mão de Afonso, se aproximou de Leonor, dizendo:

— Minha querida enteada, este é o meu irmão, Afonso. Espero que possam se tornar bons amigos...

Afonso, ainda sob o impacto da impressão inicial que tivera de Leonor, cumprimentou-a, tocando levemente com os lábios sua delicada mão.

Leonor tentou sorrir, dizendo algumas palavras de boas--vindas.

A seguir, Maria Alice conduziu o irmão a seus aposentos, para que pudesse descansar um pouco antes da refeição.

Ao entrar no quarto que seria, dali em diante, de Afonso, olhou nos olhos do irmão e indagou:

— Então? O que achaste de minha enteada?

Afonso fitou a irmã, surpreso, e tornou:

— Por que esta pergunta? Esta viagem, por acaso, tem algum objetivo que eu desconheço?

Maria Alice sorriu e acariciou o rosto de Afonso, dizendo:

— Não, meu querido. Apenas queria saber sua impressão sobre a moça... Ela é muito solitária, ainda não me aceitou, acha que sou um tipo de usurpadora, uma intrusa...

Afonso fitou a irmã com seriedade e salientou:

— Tu sabias disso quando quiseste casar... Foste avisada de que José Venâncio era muito ligado à filha...

Maria Alice se afastou delicadamente e disse:

— Sim, eu sabia, mas não imaginava que essa rapariga fosse atrapalhar a minha felicidade! Contudo, esse não é o momento de falarmos essas coisas... Quero que te sintas bem aqui conosco... Ficarás quanto tempo?

— Creio que poderei permanecer por uns dois meses mais ou menos... Miguel tem planos de te visitar e então partiremos juntos para Portugal.

— Acho que ficarás mais tempo do que imaginas...

Afonso balançou a cabeça e fingiu estar aborrecido, enquanto falava:

— Maria Alice, proíbo-te de tramares qualquer coisa, ouviste? Não sei o que tens em mente, mas não quero fazer parte dos teus planos...

A moça sorriu e insistiu:

— Está bem, eu respeito tua opinião. Mas quero saber qual tua impressão sobre Leonor... — disse, sorrindo, com uma pitada de malícia.

Afonso se deu por vencido e falou, enquanto um leve brilho perpassava em seu olhar:

— Devo estar louco em responder-te tal despropósito, pois a moça é um pouco mais moça que o meu filho... Mas, tens razão, fiquei impressionado. Há muito não via uma jovem tão bela, mesmo na Europa, onde as vemos em profusão...

— Então, diga-me, por que não voltaste a casar?!

— Simplesmente porque prometi a mim mesmo jamais voltar a sofrer por amor! Sabes o desespero que senti com a doença de Antonia e a forma trágica como terminou...

Maria Alice concordou e se retirou, recomendando que descansasse um pouco, pois o almoço seria servido em uma hora.

Já se considerava feliz e bem-sucedida com a idéia que tivera. Era apenas uma questão de tempo...

***

Durante o almoço, Maria Alice deu vazão à sua curiosidade sobre os últimos acontecimentos em Lisboa. Indagava sobre amigos e parentes, fazendo comentários exaltados sobre uns e outros.

José Venâncio achou natural que sua esposa quisesse se inteirar sobre a vida dos que deixara em sua pátria, para acompanhá-lo. Estava feliz por ver que ela estava ditosa com a presença do irmão e se perguntava por que ele mesmo não tivera a idéia de trazê-lo, fazendo-lhe uma surpresa. Certamente ela teria apreciado muito.

Os últimos acontecimentos, no entanto, absorveram toda a sua atenção. Bento Gonçalves conseguira que Fernandes Braga fosse eleito presidente da província, mas já era do conhecimento de todos que a situação não duraria muito tempo.

Estigmatizado como defensor de idéias separatistas, Bento não abria mão de defender os interesses gaúchos.

Falava-se, à boca pequena, que iam adiantados os planos para a revolução, e que esta se daria em setembro...

O almoço transcorria normalmente; apenas Leonor, incomodada com o olhar de Afonso e de Rufino, não via a hora de poder sair dali. Respondia com monossílabos as perguntas a ela dirigidas, apenas observando as regras da boa educação.

Rufino servia à mesa com calculada diligência e um moleque de uns dez anos espantava as moscas que insistiam em pousar sobre a comida e os comensais. Afonso, bastante admirado, ao dirigirem-se para a sala de estar, comentou:

— Quero parabenizar-te, minha irmã, por este almoço, que em nada fica a dever às mesas de Lisboa... Vejo que ensinaste este escravo a servir seus senhores com o requinte de um mordomo...

Maria Alice sorriu, enquanto se sentava em um pequeno sofá. José Venâncio a acompanhou e completou:

— Minha esposa vem realizando um grande trabalho, especialmente com os escravos. Educou este que acabaste de ver e tem colocado na linha os guris, filhos das escravas... Essas crianças agora sabem onde é o seu lugar!

Leonor, incomodada com o assunto, iniciara um bordado, procurando se concentrar no trabalho para não ter que, de alguma forma, participar da conversa.

Afonso, porém, desejava saber sua opinião e não hesitou em perguntar:

— E a senhorita Leonor, o que acha destas mudanças? Concorda com elas?

Leonor, pega de surpresa, voltou-se para o seu interlocutor. Ia falar alguma coisa, mas José Venâncio se adiantou, temendo que a filha fizesse algum comentário deselegante:

— Minha filha tem auxiliado a Maria Alice, Afonso. Tem alguma relutância em relação a este escravo que nos serviu, mas creio que não passa de um capricho...

Afonso não se deu por satisfeito e indagou novamente:

— É verdade, senhorita? À primeira impressão, não a imaginava escravagista!

Leonor tornou-se rubra e contrapôs:

— Pois fique com sua primeira impressão, senhor Afonso. Não concordo com a escravidão e, dentro do possível, procuro atenuar a sina desta gente. Apenas não tolero pessoas arrogantes — escravos ou não.

Maria Alice acrescentou:

— Realmente, minha enteada defende os negros com muita convicção. Estranho o seu comportamento com relação a Rufino, já que ele é o mais educado de todos; José Venâncio o adquiriu por insistência minha e, até agora, não deu motivos para nenhum aborrecimento.

As últimas palavras de Maria Alice soaram como uma sutil provocação aos ouvidos de Leonor. A jovem respirou profundamente, demonstrando estar entediada com a conversa, e Afonso, percebendo o que ocorria, resolveu mudar de assunto:

— Esta manhã, quando cheguei, percebi que estavas a ler uma obra de conhecido autor francês...

Leonor, surpresa, confirmou com a cabeça — ao que Afonso continuou:

— Não seria por acaso uma leitura inadequada a uma jovem como a senhorita?

— Inadequada?

Afonso tossiu e comentou:

— Stendhal é um escritor que não aconselho a moças e senhoras de família. Considero o seu relato sobre a sociedade francesa deveras chocante...

— Não concordo com o senhor. Admiro a compreensão que este autor revela sobre o coração humano. A hipocrisia, senhor Afonso... A tendência à dissimulação e à falsidade... E essas atitudes encontramos em qualquer lugar do mundo, não é mesmo, senhor Afonso? Além disso, meu pai conhece minhas preferências literárias e nelas não interfere...

José Venâncio levantou-se e falou com franqueza:

— Meu amigo, apesar de Leonor ser ainda muito jovem, tem um senso admirável sobre as coisas, tal como a sua mãe... Não acredito que este tipo de leitura lhe possa trazer algum prejuízo; é apenas ficção.

Afonso não se deu por vencido:

— Compreendo. Certamente não deves ignorar que este autor trata de maneira diferente o amor e as relações na sociedade... É muito crítico e realista.

José Venâncio encerrou o assunto, dizendo que examinaria a obra com mais atenção em ocasião propícia.

Afonso disse que não queria causar transtornos e que apenas se surpreendera ao ver uma jovem como Leonor lendo uma obra daquele teor.

Aborrecida, Leonor aproveitou o ensejo e pediu licença para se retirar. Os demais se dirigiram para o costumeiro repouso da tarde.

Maria Alice mordia o lábio, pensando no desastre que fora a conversa de Leonor e seu irmão.

"Que diabos!", pensava. "Por que ele tinha que implicar com o livro dela? Se o próprio pai permitira, por que ele tinha que insistir no assunto?"

Teria uma conversa com Afonso. Era preciso esclarecer algumas coisas com seu irmão.

13

O primo regressa

Alguns dias mais tarde, Leonor recebeu uma correspondência trazida por uma escrava da estância de seus tios.

Leonardo havia chegado!

Sentada, ainda com a carta nas mãos, pensava como o tempo passara!

Seu primo tinha ido estudar em Lisboa e, apesar das saudades que sentira logo após a sua partida, com o passar dos anos quase o esquecera por completo!

Na verdade, Leonardo se tornara uma lembrança distante, de um tempo que sabia que não voltaria mais.

Como ele estaria agora? Lembraria ele das promessas que lhe fizera?

Leonor sorriu com tristeza. Ele também devia tê-la esquecido.

Naquele momento, José Venâncio, ao lado de Afonso, saía de sua sala particular e, vendo que a filha vinha em sua direção, quis saber:

— Trazes alguma notícia de teu tio?

Leonor fez um sinal positivo e contou ao pai com um largo sorriso:

— Tia Francisca mandou me avisar que Leonardo chegou hoje pela manhã. Está nos convidando para irmos até lá após a sesta.

José Venâncio, entusiasmado, mandou um "moleque" chamar Maria Alice, que estava dando ordens às escravas na cozinha. Ao se reunir ao grupo, curiosa, perguntou:

— O que está acontecendo?

José Venâncio deu a notícia:

— Saiba, minha cara, que meu sobrinho Leonardo voltou da Europa, onde foi estudar. Temos mais um médico nesta cidade a partir de hoje!

Maria Alice sorriu, um tanto contrafeita, e comentou:

— Então, não me disseste que o teu sobrinho estava de regresso! Veja que coincidência... Chegar quase na mesma época que Afonso!

Jose Venâncio se desculpou, dizendo:

— Perdoa-me, querida. Foi uma falta minha, realmente. Ando às voltas com outros problemas... Mas podemos consertar isso, pois hoje à tarde iremos todos à estância de meu irmão. Antero matará um boi para comemorar a volta do filho.

Enquanto Leonor ia para o quarto, a fim de se arrumar, José Venâncio foi dar algumas ordens ao capataz da fazenda. Maria Alice aproveitou o ensejo e, chamando o irmão para um passeio, lhe falou:

— Já entendeste o motivo de meu convite para vires ao Brasil?

Afonso passou a mão pelos cabelos e respondeu:

— Não quero acreditar, mas parece-me que estás a me querer ver casado com a bela Leonor. Resta-me saber o porquê desta escolha...

Maria Alice respondeu de forma direta:

— Seria muito conveniente para todos nós. Não gosto desta moça, acho que já percebeste. Ela não me é simpática e, além disso, é como se fosse uma sombra da mãe. Meu marido pensa sempre primeiro nela...

Afonso olhou para a irmã e perguntou, espantado:

— Não me digas que estás a sentir ciúme da filha de teu marido?

Maria Alice deu de ombros e retorquiu:

— Que me importa o que pensas? Sinto que esta rapariga representa perigo para mim e a quero bem longe daqui. Além disso, não podemos ignorar a questão financeira...

Afonso contemplou a grande extensão de terras pertencentes a José Venâncio e questionou:

— Sabes que não gosto da vida no campo. Não suportaria morar aqui para sempre...

Maria Alice deu uma gargalhada:

— Quem te disse que morarias aqui? Irias para Lisboa e em seguida eu te seguiria, após convencer meu marido a seguir a filha... Ademais, com essas idéias separatistas, José Venâncio corre o risco de perder tudo o que possui, caso haja uma revolução... Certamente o governo imperial o punirá pela adesão ao movimento revolucionário...

Afonso ficou pensativo. Deveria ter imaginado que o convite de Maria Alice tinha outros objetivos, além de saudades fraternais. Jamais poderia supor, no entanto, que ela fosse tão longe e pretendesse casá-lo com a filha de José Venâncio — a jovem Leonor.

***

Por volta das quinze horas, José Venâncio deu ordens para arrumarem as charretes e partirem. Os dois casais seguiram em silêncio, enquanto percorriam as duas ou três léguas que separavam as duas estâncias.

Afonso admirava a natureza do local, muito diferente da de seu país. A beleza quase selvagem da região e o tipo humano que ali se desenvolvera, voltado a terra e à sua defesa, despertavam sua admiração.

Não que ele pensasse em deixar a civilização para adotar aquele tipo de vida, mas já conhecera muitos lugares, muitos países e ali, naquela região inóspita, reconhecia ter sentido uma emoção desconhecida.

Quando chegaram à Fazenda Santa Ana, José Venâncio desceu do carro e, devidamente pilchado, em homenagem ao sobrinho, foi logo saudando os presentes:

— Mas que tal! Onde está o tal moço que acabou de chegar? Quero ver se ainda tem cara de gaúcho!...

Jose Venâncio se referia à refinada educação que os jovens brasileiros recebiam na Europa e que contrastava com os modos até rudes daquela região. Ele mesmo perdera muito do aspecto tosco que os fazendeiros dali apresentavam, mas procurara sempre manter alguns costumes que considerava fazerem parte de sua própria alma e sangue; no entanto, acima de tudo, valorizava a sua terra, o seu pago, como costumava dizer.

Antero e D. Francisca se voltaram, orgulhosos, ao verem caminhar ao encontro dos convidados seu belo rapaz ao lado de Lúcia.

Leonardo deu alguns passos e, vendo o rosto moreno do tio, sorrindo, deu-lhe um amplo abraço.

José Venâncio fixou o seu semblante e exclamou, emocionado:

— Pois não é que este *rapazelho* me saiu forte como o pai... E principalmente como o tio!

Todos riram da comparação. Naquele momento, Maria Alice se adiantou. José Venâncio, segurando sua mão, apresentou-a com indisfarçável orgulho:

— Meu caro, esta é a senhora Maria Alice Góes de Gouveia, sua tia de agora em diante...

O jovem a cumprimentou educadamente e, quando seu olhar percorreu a paisagem à procura de alguém, José Venâncio se adiantou, dizendo:

— Tu te lembras da tua prima? Veja, é uma moça feita!

Leonardo demorou a perceber a silhueta de Leonor, que se havia colocado entre Afonso e Lúcia. Caminhou alguns passos e, ao deparar com a moça, não disfarçou sua surpresa:

— Minha prima! Leonor, te transformaste em uma bela prenda! Como o tempo passou!

Leonor, levemente ruborizada, respondeu:

— Também cresceste, meu primo. Estou feliz por estares de volta...

O rapaz sorriu e, beijando a mão delicada da prima, declarou, sorrindo:

— Não mais do que eu, Leonor. Tenho saudades de nossa amizade.

Leonor fitou demoradamente o jovem. Maria Alice, percebendo a delicadeza do momento no que dizia respeito à execução de seus planos, interrompeu:

— Meu jovem sobrinho, quero lhe apresentar meu irmão, Afonso Góes Coutinho, que está em visita a nossa casa...

Afonso, que antipatizara imediatamente com Leonardo, estendeu-lhe a mão maquinalmente. Após os cumprimentos, todos se dirigiram ao galpão, onde se dariam as comemorações pela chegada do rapaz.

Várias famílias da vizinhança haviam sido convidadas e D. Francisca não se cansava de dar ordens às escravas para que todos fossem bem servidos de churrasco, muito vinho e de charque no espeto com pirão. Como era de esperar, a festa adentrou a noite e terminou em um fandango, com danças tradicionais da região.

Afonso, sentindo-se totalmente deslocado e estranhando os costumes da região, procurou se aproximar de Lúcia, que se divertia com a situação. Leonardo viu-se na obrigação de dar alguma atenção aos convidados, embora o seu interesse se fixasse em Leonor.

Maria Alice não escondia sua insatisfação com o desenrolar dos acontecimentos. Repentinamente, parecia que as coisas tomavam um rumo que ela não esperava, deixando seus sonhos e ambições em um plano de difícil realização.

Leonardo chegara para dar curso à programação espiritual daquelas almas; situações necessárias ao prosseguimento do processo evolutivo do grupo.

Que misteriosos elos uniam vidas tão diferentes na terra onde sopra o "Minuano"?

14

Entre afetos e desafetos

A festa comemorativa à chegada de Leonardo se estendeu até tarde. No retorno, Leonor trazia um brilho diferente no olhar, absolutamente indisfarçável. Afonso a observava de soslaio e Maria Alice, contrariada, não via a hora de retornar à fazenda e dar por encerrado aquele péssimo dia.

No dia seguinte, o céu se apresentava cinzento, prenunciando frio e chuva. Naquela região, os habitantes conhecem as variações climáticas apenas pela mudança na direção do vento.

Januária, com sua larga experiência, olhou para o céu da soleira da cozinha e exclamou, contrariada:

— Vem mau tempo pela frente, meu *sinhô*. *Vamu tê* muita chuva no lombo essa semana...

Afonso acordara cedo. Levantou-se e viu que José Venâncio se adiantara e já se encontrava nas lides da fazenda, junto com seu capataz e alguns escravos.

Dirigiu-se à cozinha para solicitar uma xícara de café, que ainda não fora servido. Encontrou Januária olhando o céu, preocupada:

— Como lhe disse, moço, a chuva não tarda...

Afonso olhou o céu e viu apenas algumas nuvens a esconderem o sol. Duvidou intimamente da previsão da velha escrava. Dando vazão à sua curiosidade, perguntou:

— Diga-me, Januária, o senhor José Venâncio teve outra namorada antes de se casar com a minha irmã?

Januária sorriu e respondeu:

— Não diga isso, *sinhô*! Ele amava a senhora e jamais pensou em ter outra mulher...

— Mas acabou se casando de novo... Achas que ele era mais feliz antes?

A velha escrava percebia que Afonso desejava saber mais sobre o passado do cunhado com algum intuito. Mas qual seria?

Januária terminou de colocar a mesa do café para o rapaz. Antes de se retirar, falou, conselheira:

— O sinhô é bom, seu Afonso. Sei que sua *mulhé* morreu há muito tempo e que entende dessas coisas... Um amor, quando é verdadeiro, não se acaba...

Afonso aproveitou e perguntou o que lhe interessava:

— Aquele moço, Leonardo, foi namorado de Leonor?

Januária riu e falou:

— Aquele menino endiabrado? Não que eu saiba... Nunca ouvi *falá* nada...

Ensimesmado, Afonso terminou sua refeição. Rufino, postado próximo à mesa, aguardava alguma solicitação.

Afonso, apesar do aviso de Januária sobre a chuva, saiu para dar uma volta. Algum tempo depois, Maria Alice e Leonor se apresentavam para fazerem o desjejum.

Ignorando a ausência de Afonso, Leonor aprontou-se com esmero e saiu com uma pequena caixa na mão.

Andou alguns passos, dirigindo-se a pequeno caramanchão existente na fazenda. Sentou-se e, abrindo a caixa com cuidado, retirou alguns papéis amarelados pelo tempo.

Começou a lê-los, sorrindo, às vezes emocionada. "Como pudera esquecer das cartas que Leonardo lhe mandara durante tanto tempo?"

Nos primeiros tempos após a sua partida, o primo lhe escrevia com muita freqüência, o que fizera com que mantivesse acesa em seu coração a chama que nutrira na adolescência.

Com o passar dos meses, as cartas começaram a rarear e Leonor, percebendo que grande parte de suas missivas ficavam sem resposta, acabou por desistir.

Mas agora... Era diferente. Leonardo retornara da Europa um homem feito. Deixara de ser aquele jovenzinho franzino e desengonçado, transformando-se em um jovem bastante atraente.

Ela relembrava as promessas que ele lhe fizera... Teriam algum valor para ele?

Quanto a ela... Desde a noite anterior, quando o reencontrara, sentia-se diferente, desejando revê-lo. Percebera o olhar de Leonardo à sua procura, na chegada à fazenda e depois, quando dançaram; gostara de sentir suas mãos fortes a lhe conduzir pelo galpão...

De repente, voltou bruscamente à realidade. Afonso entrara afoitamente, buscando refúgio, pois a chuva já começara.

Ao perceber que Leonor se encontrava naquele local, sorriu e perguntou:

— Vejo que também buscaste refúgio aqui... Não levei a sério as palavras de Januária e agora eis-me aqui, ensopado!

Leonor olhou para o português e começou a rir. Pela primeira vez — tinha que admitir— ele a divertia.

Afonso deu um meio sorriso e afirmou:

— Bem, pelo menos consegui diverti-la um pouco... Sei que não simpatizas comigo, talvez por me julgares muito velho para ser teu amigo...

Leonor parou de rir. Enquanto guardava as cartas que jaziam abertas sobre uma mesa improvisada, comentou sem preocupação:

— Não tenho nada contra o senhor. Parece-me apenas que o senhor é muito diferente de mim...

— Creio que tu pensas assim porque imaginas que eu seja parecido com minha irmã. Estás enganada, senhorita Leonor. Para dizer a verdade, temos mais coisas em comum do que imaginas...

Leonor volveu um olhar inquiridor para Afonso, enquanto ele continuava:

— Gostas de boas leituras e boa música, como eu; aprecias os passeios pela fazenda, amas a natureza, tens um coração tranqüilo, sem os arroubos corriqueiros da juventude...

Leonor ficou pensativa alguns minutos e obtemperou:

— Mas o senhor tem idéias preconceituosas sobre as minhas leituras. Não admite que eu me distraia com os livros de meu gosto...

Afonso deu alguns passos e tornou:

— Por favor, perdoa-me aquela intromissão em teus assuntos. Desejava apenas alertar-te sobre a inconveniência de algumas obras, para o teu próprio bem. Afinal de contas, és tão jovem, ingênua, vives longe da civilização...

Leonor retrucou em tom firme:

— Achas que sou ingênua por ter nascido neste local perdido do mundo e não na tua Europa, na corte? Acreditas que eu seja uma tola só porque sou filha de fazendeiro? Já deves ter percebido que por aqui temos tudo o que precisamos e levamos uma vida muito agradável!

Afonso se apressou em esclarecer:

— Não quis dizer isso, senhorita Leonor! Para minha surpresa, vejo que se trata de um belíssimo lugar... Esta vila será uma pérola incrustada nesta região. Verifico, apenas, que és uma rapariga por demais solitária, não tens contato com outras pessoas. Não sabes do que o ser humano é capaz...

Leonor deu um longo suspiro e arrematou:

— Talvez, senhor Afonso, mas devo dizer-lhe que, apesar de não ter muita experiência no mundo, posso lhe afirmar que já percebi o quanto as pessoas podem ser cruéis, invejosas e enganadoras. Não foi preciso ir muito além das paredes de minha casa...

— Estás amargurada, senhorita. Não deves deixar a mágoa e o rancor permanecerem em teu coração. Elas deixam marcas indeléveis e minam a nossa existência.

Leonor caminhou até a porta do caramanchão e encerrou o assunto:

— É melhor voltarmos logo. A chuva deu uma estiada.

Os dois retornaram à fazenda trocando poucas palavras. Afonso não conseguia se aproximar do coração de Leonor. Existia uma barreira e ele não sabia explicar o que era.

Enquanto o casal entrava na residência, do lado de fora, num canto da casa, Rufino observava, em silêncio.

Detestava o tal Afonso desde que o vira pela primeira vez. Preferiria morrer de açoite a ver a sinhá Leonor junto daquele português emproado.

Fixara em sua mente obscura uma idéia que jamais abandonaria: se a sinhá Leonor não fosse dele, não seria de mais ninguém.

***

Leonor irritava-se com a presença de Afonso. Não sabia por que, mas sentia que aquele homem, que tinha idade para ser seu pai, lhe era muito desagradável.

Reconhecia os esforços que ele envidava para lhe conquistar a simpatia, mas cada vez mais recrudescia sua antipatia pelo português.

Evitava-o e, sempre que podia, procurava locais que ele desconhecia, para fugir da sua presença. Fora exatamente isso o que acontecera naquele dia no caramanchão. Agora, ele já conhecia aquele local e ela teria que procurar outro refúgio.

Por isso, naquele dia, quando vira que a charrete de D. Francisca se aproximava, mal pôde se conter de alegria. Havia dias que esperava por aquela visita.

Desde a chegada de Leonardo, mudara alguns dos seus hábitos. Vestia-se com mais apuro e até colocava um pouco do pó-de-arroz, que o pai lhe trouxera da Europa. Prendia os cabelos com cuidado, formando um penteado igual ao que vira em uma revista de moda.

Não queria que o primo a considerasse uma interiorana desaculturada. Queria mostrar sua beleza e ver se ainda restava algum sentimento em seu coração.

Quando Leonardo e Lúcia desceram da charrete, seu pai já os aguardava na entrada do casarão.

Após os cumprimentos, entraram e Leonor veio em sua direção. Deu as boas-vindas aos primos, indicando um lugar para se sentarem.

Todos se reuniram em uma animada conversa, quando Leonardo comentou:

— Estive ainda ontem na vila e fiquei admirado. Está em franco progresso e desse jeito brevemente será alçada à categoria de cidade... Devo dizer que me orgulho de ter nascido nesta terra.

Afonso não perdeu a oportunidade:

— Tuas palavras me causam estranheza, meu caro. Recém-chegado de Portugal e admirador desta...

As palavras não saíam, pois Afonso percebera que iria ofender inclusive os seus anfitriões. Maria Alice veio em seu socorro:

— Deste local, que ainda não é, mas um dia será, como nossa Lisboa, não é mesmo, Afonso?

Afonso fez um sinal afirmativo.

Leonor, desconhecendo a indelicadeza de Afonso, não deixou de realçar sua admiração pelo primo:

— Fico feliz em saber que voltas da "civilização" sem perder o amor a tua terra!

José Venâncio exaltou com orgulho:

— És um filho do Rio Grande, não tenho dúvidas! És um homem de caráter, e aqueles engomadinhos não te fizeram perder o orgulho de ser gaúcho!

Leonardo riu e convidou Lúcia, Leonor e Afonso para um passeio até a catedral da matriz.

Desejava rever os lugares de sua infância, relembrar os fatos, reviver um tempo passado. O grupo saiu animado com a expectativa de um belo passeio.

15

Sonhos e desencanto

Em conformidade com as Leis Divinas, aos poucos os personagens de nossa história se iam reencontrando.

Era necessário que, um a um, fossem chegando, despertando os sentimentos que o tempo atenuara, para que a lei fosse cumprida.

Aos poucos, a cena se completava. Mas ainda faltava uma peça neste tabuleiro... que chegaria mais tarde...

A tarde correra célere, entre risos e olhares dissimulados.

Afonso não escondia o mal-estar pela ternura que Leonardo dispensava a Leonor. Considerava o jovem médico arrogante e um tanto exagerado em sua tentativa de chamar a atenção das moças.

Mais velho, Afonso julgava com a lente dos que, apaixonados, desconhecem os próprios sentimentos. Sentindo-se menosprezado pelas atenções dedicadas ao potencial rival, não cabia em si de despeito.

Lúcia, que deveria ser sua companhia pela força das circunstâncias, observava a situação e, procurando atenuar os sentimentos reinantes, comentou:

— Senhor Afonso, o que achou de nossa pequena vila? Ainda pensa que somos muito rústicos?

Afonso, pego de surpresa pela sinceridade da moça, respondeu prontamente:

— Peço desculpas, senhorita, pela má impressão que lhe vim a causar... Devo garantir-lhe que estou deveras surpreso. É como se esta pequena localidade reunisse algumas jóias ignoradas pela maioria das pessoas. Refiro-me essencialmente à arquitetura dos casarões, que reflete o bom gosto dos pelotenses...

Lúcia, que se divertia com a situação criada, tornou:

— Certamente o senhor tem direito de expressar sua opinião, mas realmente nos orgulhamos da nossa praça, nosso teatro, e saiba que alguns casarões foram construídos com materiais que vieram diretamente da França...

Afonso tossiu, tentando disfarçar a indelicadeza que cometera ao menosprezar a deliciosa vila. Vendo que teria que ceder para evitar um constrangimento maior, desistiu:

— Senhorita Lúcia, eu me rendo! Cometi um equívoco que espero poder corrigir...

Leonardo, comentando sobre um passeio que fizera com Leonor na cidade, afirmou oportunamente:

— Podem não acreditar, mas senti muita falta da nossa Pelotas lá na Europa. Parece-me que está mais bonita, bem cuidada. Leonor me falou que o teatro continua a reunir a alta sociedade com peças interessantes...

Lúcia se apressou em anotar:

— Sabemos que é um ótimo local, mas, como sabes, nem nosso pai nem o tio José Venâncio nos dão muitas oportunidades para sairmos, principalmente com a situação política. Acham que somos muito jovens e preferem que permaneçamos em segurança, na fazenda...

Afonso se interessou e perguntou:

— Achas que haveria algum problema se fôssemos todos a um espetáculo teatral? Não acredito que colocariam obstáculos, uma vez que estivéssemos juntos...

Leonor, que se mantivera calada até aquele momento, redargüiu:

— Meu pai é muito conservador e, apesar de ser um divertimento sadio, não creio que concorde. Ele tem andado preocupado com os rumores sobre a revolução... Várias vezes tenho ouvido os apelos de minha madrasta para que lhe propicie algum tipo de diversão...mas ele afirma que não é o momento para folguedos.

Afonso continuou:

— Realmente, minha irmã deve sentir falta de entretenimento. Afinal de contas, era uma mulher da sociedade, cercada de amigos.

— Mas ela não sabia que o meu tio era um fazendeiro, um homem ligado à terra e a suas tradições? — indagou Leonardo.

Afonso respondeu, um tanto contrariado:

— Sim, na realidade sabia. Mas acreditava que, tendo ele uma formação européia, haveria de sentir falta de convívio social...

Leonardo arrematou:

— Acho que estás enganado, senhor Afonso. Nós apreciamos deveras a convivência com os nossos compadres e amigos; nos sentimos felizes em conviver com todos os que se aproximam de nós... Não é à toa que nossa hospitalidade é tão propalada. Mas também sabemos escolher os ambientes que nos convêm mais... Por certo, meu tio deve ter os seus motivos ao resguardar minha prima...

Leonor resolveu encerrar a conversa:

— Acho que devemos voltar... Se não quem vai ter que se explicar com o meu pai será tu mesmo...

Todos riram e se prepararam para voltar à fazenda.

***

As visitas de Leonardo e Lúcia se tornaram mais freqüentes. Maria Alice não via com bons olhos a aproximação do primo de Leonor. Já percebera o ar aborrecido e contrafeito de Afonso e presumia que o irmão devia ter se apaixonado pela moça e sentia--se menosprezado com a presença de Leonardo.

Criava-se um impasse, sobre o que ela pouco poderia fazer. Resolveu sondar as intenções de Leonardo, para saber qual seu interesse pela prima.

Quando surgiu, certo dia, a oportunidade de comentar o assunto, ela não perdeu tempo:

— Vejo que já estás bem ambientado aqui na fazenda, meu jovem... Pensas em exercer a Medicina por aqui mesmo?

Leonardo, que estava sentado em uma cadeira de couro martelado, levantou-se prontamente e respondeu, solícito:

— Sempre gostei deste lugar, senhora. Pretendo trabalhar aqui e nas cidades vizinhas.

— Pois bem, meu rapaz, vejo que já estás decidido! Com certeza pretendes casar, formar família, não é assim?

O rapaz respondeu com honestidade:

— Sim, o meu retorno não teve outra intenção. Pretendo constituir família em breve tempo, aliás.

Maria Alice tentou parecer natural, expressando um sorriso inequivocamente forçado:

— Desejo então que faças uma boa escolha e sejas feliz...

Leonardo respondeu:

— Ah! Sim! A escolha já está feita, senhora. Não tenho dúvidas de que serei muito feliz...

Naquele momento, Leonor entrou na sala. Trajava um vestido vaporoso, com um estampado floral e os cabelos presos por uma larga fita de seda. O conjunto, muito simples, tornava a moça realmente encantadora.

Leonardo ofereceu o braço e eles saíram para conversar sobre tudo o que acontecera em suas vidas desde o dia em que se haviam separado.

Maria Alice permaneceu na varanda da casa, pensando o que poderia fazer para que aquele casamento não se realizasse.

Surgiu-lhe então uma idéia. Mandou chamar Rufino, que estava próximo à porta do aposento, do lado de fora.

O escravo postou-se diante da sua patroa e fez um sinal com a cabeça de que estava às suas ordens:

— Rufino, quero que sigas a minha enteada e o primo dela. Não os perca um minuto de vista! Depois conte-me o que aconteceu... Agora vá, depressa!

O escravo, que não desejava outra incumbência na vida, saiu às pressas em busca do casal. Estava duplamente feliz, pois, além de ter o aval de sua patroa para espionar Leonor, ainda encontrara uma aliada para acabar com o romance dos dois.

Infelizmente, todos estavam enganados quanto aos verdadeiros sentimentos que uniam Leonardo a Leonor.

* * *

A charrete que conduzia os jovens seguia lentamente para um riacho nas proximidades da fazenda, quando Leonor solicitou:

— Perdoa-me, Leonardo, mas gostaria de passear em outro local... Não gosto deste lugar...

Leonardo fez um sinal como se lembrasse de algo e falou:

— É verdade, prima! Tinha me esquecido de que não querias brincar na lagoa, quando éramos pequenos... Sempre tiveste medo da água!

Leonor tentou sorrir e continuou:

— Sei que é uma bobagem, mas tenho medo mesmo. Fico angustiada quando me aproximo de lugares que tenham grande quantidade de água... Não sei explicar o que é, mas tenho uma sensação estranha, um mal-estar, uma espécie de pressentimento.

Leonardo pensou um pouco e perguntou:

— Nunca pensastes no porquê desta sensação? Não me lembro de ter havido nenhum acidente em nossa infância que te pudesse ter marcado tanto...

Leonor respondeu, constrangida:

— Realmente não sei o que me acontece... Mas devo confessar que tenho muito medo de morrer afogada...

Leonardo riu e exclamou, galhofeiro:

— Ora, mas que idéia absurda! Por que haverias de morrer de tal forma? Ainda mais que tens pavor da água, como te poderias afogar?

Enrubescida, Leonor respondeu:

— Estás caçoando de mim... Não te deveria ter contado!

Leonardo tornou-se sério e amenizou:

— Não me leves a mal, prima. Queria apenas te mostrar o quanto é infundada essa tua idéia. Deve ser alguma bobagem dita por Januária quando tu eras pequena, que ficou gravada em tua memória.

Leonor pensou alguns instantes e comentou:

— Pode ser, mas a verdade é que tenho essa impressão dentro de mim. Não consigo lutar contra este medo...

Leonardo convidou Leonor a descer da charrete e andar pela relva verde.

Começaram a caminhar e o rapaz reiniciou a conversação:

— Diga-me, Leonor, neste tempo em que estive fora, nunca te interessaste por nenhum rapaz?

Leonor, surpreendida com a pergunta, gaguejou na resposta:

— Não... nunca. Deves saber que sempre fui muito ligada a meu pai e ele me considera ainda uma criança. Não permite que eu vá a bailes e outros locais que as moças da minha idade freqüentam...

Leonardo comentou, malicioso:

— Já não és uma menina... E, para dizer a verdade, ficaste uma bela guria! Não poderia imaginar que a minha priminha magrela pudesse se transformar em tão bela prenda!

Espicaçada em seu orgulho, Leonor respondeu:

— Sim, mas bem que fazias promessas para a prima magrela, não é mesmo?

Leonardo sorriu e, segurando a mão de Leonor, asseverou com carinho:

— Realmente, foste o meu primeiro amor. Jamais vou esquecer a felicidade de ter vivido todos aqueles anos ao teu lado. Por intermédio de ti, Leonor, criei o meu ideal de mulher, que felizmente tornou-se real para mim...

Leonor olhou para Leonardo sem compreender. O rapaz continuou:

— Sei que naquela época te havia prometido retornar para nos casarmos... Mas o tempo e a nova vida que passei a viver na Europa modificaram os meus planos...

Leonor, tentando ser forte e pressentindo que o primo tentava lhe revelar, com dificuldade, algo que poderia magoá-la, resolveu ajudá-lo:

— Leonardo, por que hesitas em me falar da tua felicidade? Percebi há muito que as tuas promessas de tempos atrás não se confirmariam. Não devemos estragar o sentimento fraterno que nos une por uma ilusão de crianças...

O rapaz, aliviado, terminou por abrir o seu coração:

— É verdade, Leonor! Sempre me conheceste profundamente! Sabes o que eu penso e sinto! Como pude esquecer? Sim, existe outra pessoa em minha vida, que amo com todas as forças de minha alma!

Leonor sentiu faltarem-lhe as pernas. Num repente, todas as ilusões que a presença do primo reavivara em seu coração desmoronavam como uma avalanche.

Procurando aparentar naturalidade, perguntou:

— Por que fizeste segredo do teu amor, Leonardo? Deverias ter compartilhado com tua família a felicidade que encontraste distante daqui...

Leonardo concordou com a cabeça e prosseguiu:

— Sei que deveria ter agido dessa forma, seria o mais correto. Mas existem alguns empecilhos que preciso vencer antes de trazer Cândida para junto de nós...

"Cândida! Então era este o nome da moça por quem Leonardo se apaixonara", pensava Leonor, enquanto o rapaz prosseguia:

— Ela é adorável, ainda hás de ver! O que me preocupa é que os pais dela estão falidos, perderam tudo o que possuíam... Sei que não será fácil trazê-la para nossa família.

— Onde a conheceste? Ela é brasileira?

— Encontrei-a durante um passeio em casa de amigos. Disse-me que resolvera partir do Brasil quando a situação do pai piorou. Foi trabalhar como dama de companhia de uma nobre portuguesa...

Leonor, instintivamente, franziu a testa. Resolveu perguntar ainda:

— Há quanto tempo a conheces? Sabes que o meu tio é muito severo nestas questões...

Leonardo se aproximou e, com o olhar iluminado pela esperança, afirmou:

— Conheci-a há uns três anos mais ou menos, mas sei que é a mulher da minha vida. É por isso que preciso da tua ajuda, prima!

Leonor indagou, surpresa:

— Eu? Como poderei ajudá-lo, Leonardo?! Sabes o que estás me pedindo?

O rapaz segurou as mãos da prima e declarou:

— Sei que estou pedindo um favor a alguém que quer a minha felicidade...

Leonor, com o coração despedaçado, concordou:

— Está bem, Leonardo. Farei o que for possível...

O retorno se deu entre observações sobre a paisagem, que na verdade não mudara muito.

Leonor apenas concordava com monossílabos, às vezes fazendo um sinal maquinalmente com a cabeça.

Era evidente que Leonardo se apaixonara pela tal moça! Não ligava nem para sua condição social...

Seria muito difícil para o tio Antero concordar com aquele casamento; a não ser que alguém intercedesse em favor da jovem, desse alguma referência...

A verdade era que aquele passeio servira para arruinar as poucas esperanças que Leonor tinha de ser amada.

Por algum tempo, sentira uma alegria desconhecida no coração, com a idéia de que ele voltara para cumprir as promessas do início da juventude. Sentira-se importante, querida para alguém, pois ele vinha retomar o compromisso. Fora tudo em vão, pois ele a esquecera na primeira oportunidade.

Estava cansada de ser só. Queria alguém com quem compartilhar as tristezas, as esperanças, os desejos, a vida...

Sabia que ainda era jovem, mas já se sentia exausta de lutar contra a solidão. Queria viver, conhecer o mundo!

Não se poderia aventurar sozinha, pois seu pai não permitiria... Ele a tinha como uma jóia valiosa, que deveria ficar guardada no estojo, escondida de olhares alheios.

No íntimo, Leonor sabia que algo deveria mudar em sua vida. Teria que tomar alguma atitude para encontrar forças a fim de suportar a grande desilusão que sofrera naquele dia.

Enquanto Leonardo conduzia a prima até a soleira da casa, despedindo-se com um suave beijo em sua testa, Rufino entrava pela porta dos fundos com o cenho carregado.

Tinha que falar para a sinhá Maria Alice que o primo tocara Leonor várias vezes e, em um dado momento, parecia até implorar alguma coisa...

Na distância em que se encontrava, Rufino vira apenas a aproximação de Leonardo em direção a Leonor e, sem compreender as palavras que eram ditas, interpretava a situação de acordo com os sentimentos dele. O ciúme tratara de lhe apresentar uma cena que não existira, mas que ele jurava ter visto.

Quando Leonardo se retirou, um olhar de ódio profundo foi desferido em sua direção.

16

A TRISTE REALIDADE

Leonor entrou em casa e foi imediatamente para o seu quarto.

Precisava entender o que estava acontecendo. Lágrimas teimosas insistiam em rolar de seus olhos. Que lamentável engano cometera! Imaginara que os olhares insistentes de Leonardo estivessem a demonstrar seu interesse por ela, mas era apenas o carinho do primo que retornava.

Entretanto, aquele era, em verdade, o olhar de um homem apaixonado, que via nela a derradeira esperança de realizar seu sonho de felicidade... Só que essa paixão tinha outra direção...

"Que tonta sou eu!", pensava. Leonardo a esquecera tão logo se afastara da cidade; e ela, por muito tempo ainda, alimentara a ilusão de que ele voltaria para fazê-la feliz! Como pudera ser tão ingênua?

Sem mais poder suportar a angústia que a esmagava de dor, Leonor deitou-se em seu leito e começou a chorar sentidamente.

Sua vida se resumira a perdas, tristezas, pessoas que partiam e a deixavam irremediavelmente só, com suas desilusões e fantasias.

Naquele instante, batidas na porta a despertaram de seus tristes pensamentos.

Intuída por Isadora — sua mãe desencarnada —, Januária pedia licença para entrar. A escrava aproximou-se humildemente e, acompanhada pela entidade, que permanecia a seu lado, questionou:

— O que *tá* acontecendo, filha? Por que este desespero?

Leonor olhou para a escrava que lhe servira de mãe e respondeu:

— Ah, Januária! Sou tão infeliz... Por mim, morreria agora!

— Cruz-credo, sinhazinha! Perdeu o juízo, é? Onde já se viu falar em *morrê,* uma moça bonita e que tem tudo na vida?!

Leonor enxugou as lágrimas e, sentando-se na cama, reclamou:

— Nada do que me dizes é verdade. Não sou bonita e nunca tive nada do que realmente queria... Perdi minha mãe e, apesar do carinho que sempre tiveste comigo, Januária, sempre senti muita falta dela... — e lágrimas voltaram a cair em profusão.

Isadora, próxima à filha, abraçava-a com ternura. Com o olhar límpido e exteriorizando um amor imenso por Leonor, segredou no ouvido de Januária:

— Diga-lhe, minha boa amiga, que a morte não existe e que jamais a abandonei...

Januária imediatamente captou o pensamento de Isadora e, com uma nova luminosidade no olhar, exclamou:

— A minha sinhazinha *tá* esquecendo *duma* coisa: sua mãe continua viva como alma... Era uma alma muito boa, há de *continuá* te ajudando. Não ia *abandoná* a sinhá...

Leonor, percebendo inconscientemente a presença da mãe, retrucou:

— Mas não é a mesma coisa, Januária. Sinto-me só e neste momento necessitaria ouvir os conselhos dela, pois estou arrasada e não sei o que fazer...

Januária, novamente guiada pela precisa intuição de Isadora, perguntou:

— O *poblema* é o sinhozinho Leonardo, né?

Leonor baixou o olhar e confirmou:

— É verdade, Januária. Quando ele partiu, prometeu-me retornar para ficarmos juntos; a princípio, nos correspondíamos com freqüência, mas com o passar do tempo as cartas foram rareando, até ele não mais me escrever. Agora, com o seu retorno, senti renascer o antigo afeto por ele, que por sua vez levou-me a acreditar que manteria a promessa... Mas a verdade é que apenas desejava o meu auxílio para se casar com uma jovem de condição inferior...

Januária respirou fundo ao receber o influxo de idéias de Isadora e, servindo como instrumento mediúnico entre a mãe desencarnada e a filha sofredora, obtemperou com energia:

— Os caminhos do coração são tortuosos, minha menina. Muitas vezes, as lágrimas de hoje serão abençoadas mais além. Tens que buscar forças e lutar contra esses pensamentos de destruição. Deves lutar, Leonor! Reaja, minha filha!

Mais uma vez, Leonor voltou-se para Januária, estranhando sua maneira polida de falar.

— Não sei se terei forças para ajudar Leonardo! Isso vai me custar muito!

— Vais ter forças sim! Mas, cuidado, não te deixes levar por maus conselhos...

Leonor ficou pensativa. Como poderiam aconselhá-la sobre aquele caso, se ninguém sabia o que estava ocorrendo?

Vendo que a moça permanecia com uma expressão de sofrimento no rosto, Januária saiu em busca de uma xícara de chá de erva-cidreira. Assim ela se acalmaria e poderia descansar um pouco.

***

Enquanto isso, Maria Alice caminhava de um lado para o outro em seu quarto.

Rufino viera lhe dizer que Leonardo tentara uma aproximação maior com a prima, e isso era justamente o que ela mais temia.

Imaginava o que poderia fazer para que seu irmão Afonso pudesse se interpor entre os dois.

Ela não percebia o que realmente estava acontecendo e, baseando-se nas observações de Rufino, agia contra seus próprios interesses.

Por fim, sem conseguir concatenar as idéias, nervosa, dirigiu-se à cozinha, a fim de dar algumas ordens.

Ao chegar, percebeu que Januária estava cabisbaixa, preparando a comida, mas com o pensamento visivelmente distante. Achando estranha a atitude da escrava, sempre tão alegre, indagou:

— Que diabos te mordeu, mulher? Pareces que estás num velório! Cuidado com estas batatas, vai queimá-las todas!

Januária assustou-se e deixou cair algumas delas no chão, pelo que teve sua atenção chamada por Maria Alice:

— Estás muito descuidada! Acho que estás muito velha para este serviço!... Preciso arranjar outra cozinheira.

Januária falou com humildade:

— Sempre fiz toda a comida dos *patrão* sozinha. Só *tô* um pouco cansada e preocupada com a sinhazinha...

Maria Alice arqueou as sobrancelhas e, interessada, se aproximou:

— Com Leonor? O que houve com ela?

Januária percebeu que falara demais e respondeu:

— Bobagem duma escrava *véia*. Acho a menina muito só.

Maria Alice retrucou:

— Não creio! Sozinha ela não está, pois tem o primo... Diga-me, Januária, eles foram namorados antes de ele ir estudar na Europa?

A escrava se fez de desentendida:

— Não. Nunca vi nada. Eles são primos...

— Disso eu sei, mulher! Quero saber se tinham algum tipo de compromisso antes de ele partir!

Januária resolveu saber onde Maria Alice queria chegar:

— Não sei... Mas acho uma pena eles não se casarem. A sinhá Leonor vai *acabá* ficando *sorteira*, linda desse jeito...

Maria Alice pensou um minuto e tratou de mudar o rumo da conversa:

— Esse assunto não te diz respeito, Januária. Vou ver se acho alguém para trabalhar contigo na cozinha... Já não dás mais conta do serviço.

Januária pediu, com submissão:

— Minha sinhá, eu tenho uma sobrinha que vive na fazendo do seu Antero... Posso *pedi* para ela vir me *ajudá*...

— Está bem! — disse Maria Alice. — Manda um guri na fazenda de meu cunhado e peça em meu nome que a mandem o quanto antes.

No dia seguinte, Teresa, uma jovem e bela escrava de uns dezoito anos, chegava à fazenda do Rosário para compor mais um personagem de nossa história.

***

Alegre e extrovertida, Teresa era cheia de vida. Sempre fora bem tratada na casa de Antero e de D. Francisca, por isso desenvolvera certo gosto por coisas que normalmente as escravas não possuíam.

Protegida por Lúcia e a mãe, recebia roupas e guloseimas às quais os outros escravos não tinham acesso. Diferentemente de seus pares, dormia na casa-grande, em uma cama — e com cobertas suficientes para fazer frente aos rigores do inverno.

Enquanto limpava as janelas da casa, ia cantarolando uma das canções da região. Às vezes o seu entusiasmo era tanto que D. Francisca precisava lhe chamar a atenção.

Quando soube de sua nova situação, ficou preocupada a princípio, mas a seguir deu de ombros, colocou o seu saco de roupas nas costas e se dirigiu à fazenda onde estava sua tia.

D. Francisca e Lúcia falaram muito para que tivesse juízo e deixasse de ser "avoada", pois sua nova patroa, Maria Alice, era moça fina e não toleraria maluquices.

— Ainda hei de me dar bem com a portuguesa! — havia dito, com um sorriso enigmático.

Ao chegar, foi imediatamente recepcionada por Januária, que também lhe encheu de conselhos.

Mandou que prendesse os cabelos espevitados e colocasse um avental, pois este era o costume da casa.

Estranhando o ambiente, que considerava muito mais "chique" que o de seus padrinhos, Teresa começou a se interessar pelos moradores da casa. Ajudou Januária a servir o jantar, visto que Rufino saíra para atender a alguns caprichos de Maria Alice e ainda não voltara.

Olhava sem a menor cerimônia para todos, especialmente Leonor. Conhecia a prima de sinhá Lúcia, pois sempre a via na fazenda, mas nunca se aproximara dela. Permanecia distante quando Leonor visitava a prima.

Era mais bonita que Lúcia, mas muito mais triste também.

"Nunca vou *entendê* essa gente!", pensava ela. "Branca, bonita, rica e infeliz! Tem dó, meu *sinhô*, que nesse mundo só tem doido!"

Não resistindo à curiosidade, resolveu perguntar para Januária, enquanto lavava os pratos:

— Tia Januária, por que sinhá Leonor é tão triste? O que pode *fartá* pra alguém como ela?

Januária, percebendo a curiosidade da sobrinha, disse em tom de reprimenda:

— Isso não é assunto nosso. Já te disse, "neguinha", fica no teu lugar... Não te mete nesses *assunto*.

— Só queria saber, ora. Não entendo essa gente!

— Pois *num* é pra *entendê*, viu, mocinha? Deixa essa coisa toda pra lá...

Dando um grande suspiro, Teresa retomou suas tarefas.

Inconformada, pensava como haveria de ser feliz se tivesse tudo o que Leonor possuía.

Para o seu espírito ainda inexperiente, valiam apenas os aspectos exteriores da vida.

Não conseguia entender ainda que as grandes dores e sofrimentos, costumeiramente, se escondem no recôndito dos corações.

* * *

No dia seguinte, após a refeição matinal, Maria Alice mandou chamar Teresa na sala de estar.

Curiosa, a jovem se aproximou e se colocou ao dispor de sua nova ama. Maria Alice examinou a escrava e uma leve ruga surgiu em sua testa.

Não imaginara que a sobrinha de Januária fosse tão bela. O tale esbelto, os traços regulares e o tom de pele mais claro, próprio das mulatas, evidenciavam uma moça muito atraente, até para os parâmetros de Maria Alice.

Com o intuito de examinar-lhe os dentes, Maria Alice pediu-lhe que lhe dissesse o nome, ao que, sem o menor constrangimento, a nova escrava respondeu:

— Meu nome é Teresa, senhora; às suas ordens!

Enquanto falava, destacava-se a dentadura alva e uniforme de sua boca.

Mordendo os lábios, Maria Alice continuou:

— Terás que ajudar tua tia nos afazeres da cozinha, pois está velha e cansada. Se fores aprovada, meu marido te poderá trazer definitivamente para cá...

— Gostei muito daqui, sinhá... É tudo muito bonito!

Maria Alice sorriu, interessada:

— Por que dizes isso? Não te agradavas da casa de meu cunhado?

Teresa apressou-se em dizer:

— Não é isso, sinhá, é que a senhora é muito fidalga e *arrumô* a casa do seu jeito. Gosto daqui e quero *continuá* nesta casa — atreveu-se a dizer.

Maria Alice deu alguns passos e propôs, enquanto se aproximava da escrava:

— Posso te garantir que poderás ter uma vida bem agradável aqui... Se colaborares em algumas coisas.

A jovem, sem compreender o alcance das palavras de Maria Alice, respondeu prontamente:

— Faço todo o serviço com muito gosto. Sei *cuidá* muito bem da cozinha e da casa.

Novamente, Maria Alice procurou chegar no ponto que lhe interessava:

— Entendo... mas acho que poderás ser mais útil. Agora volta aos teus afazeres, continuaremos nossa conversa em outra hora.

Teresa curvou a cabeça em um cumprimento e se dirigiu para a cozinha.

Maria Alice pensava. Se soubesse que Teresa era tão bonita, não teria permitido sua presença ali.

Conhecia a retidão de caráter de seu marido, José Venâncio, mas sabia o quanto eram comuns os romances dos patrões com as escravas, especialmente tratando-se de uma jovem bela como Teresa.

Contudo estaria por perto e manteria a vigilância necessária. Algo lhe dizia que a presença de Teresa poderia lhe trazer vantagens futuramente. Precisava dar tempo ao tempo.

Não descuidaria da jovem e bela escrava e, se por algum motivo surgisse qualquer suspeita, saberia cuidar do assunto...

* * *

O abatimento de Leonor nos dias que seguiram chamou a atenção de todos.

Preocupado, José Venâncio indagava da filha o motivo de sua palidez e tristeza. Ela respondia dizendo que o calor excessivo daqueles dias a tinha deixado assim, prostrada. Consternado, o pai mandou um guri até a fazenda do irmão, a fim de pedir auxílio a Lúcia e Leonardo.

Os primos vieram sem delongas e, apesar de não pouparem esforços para que o abatimento de Leonor fosse superado, ela se mantinha deprimida.

Na realidade, Leonor, com os seus repetidos pensamentos sombrios, cultivados desde a primeira juventude, se aliara a espíritos sofredores ligados a ela por laços de um passado distante, que se aproveitavam de sua sintonia em desequilíbrio.

Trazia, em seu inconsciente, lembranças menos felizes de seus atos, os quais rompiam as barreiras do esquecimento bendito, manifestando-se em sua vida diária sob a forma de culpas, sensações de baixa auto-estima e uma tendência ao pessimismo que passaram a lhe solapar as esperanças para o futuro.

Este sentimento era tão forte em seu espírito que um século mais tarde, vivendo novamente na Terra como Vivian, ainda ecoaria em sua nova existência, fazendo-a sofrer.

Imaginando que se tratava de um capricho, Maria Alice apenas via com preocupação a presença de Leonardo junto a ela.

O primo, com o intuito de alegrar a jovem, resolvera declamar alguns poemas, do modo que as moças da região apreciavam, colocando o sentimento e a força de expressão característicos do povo gaúcho.

Entediada com aquelas — a seu ver, pobres —manifestações culturais, Maria Alice convidou Afonso para terem uma conversa em particular. Dirigiram-se para o gabinete de José Venâncio, pois ali poderiam falar à vontade.

Logo ao entrarem, ela foi reclamando:

— Estas tais de tertúlias me enfadam! Quisera poder voltar aos meus saraus! Ah! Que saudade de nossa boa terra!

— Não te entendo, Maria Alice. Não amas José Venâncio? Pensei que superarias esse tipo de dificuldade em função do amor que dedicas ao teu marido...

Maria Alice olhou para o irmão e tornou:

— Realmente não me entendes. Achavas que por amar José Venâncio acabaria amando esta terra de toscos e de semicivilizados?

Afonso balançou a cabeça e retrucou:

— Pois não penso dessa forma. Admiro os hábitos dessas pessoas, embora identifique muitos traços castelhanos. Pensei que a nossa cultura sobrepujasse a qualquer outra no Brasil, mas vejo que não é assim...

Maria Alice deu de ombros e deu fim aos comentários:

— Bem, isso não importa. Estou a me preocupar é com o teu casamento com minha enteada. Parece que tudo cairá por terra se o primo não se afastar e se tu também não agires logo...

Afonso tornou-se sério e disse:

— Não te quero ver falar dessa forma. Tenho um carinho especial por Leonor, sabes disso, mas não quero forçá-la a nada. Vejo que está apaixonada pelo primo, que é jovem e com ela já tinha um compromisso...

Maria Alice adiantou-se e, colocando as mãos na cintura, falou, irritada:

— Queres dizer que vais deixar ela se casar com o primo porque estavam prometidos? Ora, faça-me o favor, meu irmão! Vais deixar o caminho livre só porque ele é mais jovem e garboso?

Afonso fez um sinal negativo com a cabeça, enquanto dizia:

— Não é nada disso, minha irmã. Apenas não quero forçar uma situação que me deixaria constrangido; além disso, desejo a felicidade de Leonor acima de qualquer coisa...

— Ah! Queres dizer que a ama? Então nem tudo está perdido... Haverei de dar um jeito...

Enquanto os dois irmãos conversavam, Teresa tirava, com extremo cuidado, o pó de alguns bibelôs que enfeitavam o corredor de acesso à sala onde os dois se encontravam.

Vagarosamente e com extremo cuidado, a jovem escrava exercia suas funções, enquanto um leve sorriso pairava em seus lábios.

Já tinha decidido que ficaria naquela casa, principalmente depois que conhecera alguém que lhe chamara a atenção. Mas, para isso, teria que conquistar a confiança de sua ama, Maria Alice.

Ao que tudo indicava, isso seria muito fácil...

17

Uma antiga comparsa

Maria Alice sentia estar com os nervos à flor da pele. Precisava ver gente, movimento.

Sabia que por não estar mais em sua agradável cidade, dificilmente encontraria ali algo à altura da vida que deixara em Portugal.

Relembrava os saraus, os passeios, o teatro... Tudo era civilização. Agora, no entanto, sentia-se fenecer pouco a pouco, deixando para trás uma vida cheia de quefazeres agradáveis, rodeada de pessoas inteligentes e apreciadoras da cultura e dos costumes elegantes.

Com o intuito de arejar as idéias, resolveu ir até a vila fazer algumas compras. Para tanto, ordenou que Teresa a acompanhasse, pois precisaria de alguém para carregar os pacotes.

Pelotas viveria o apogeu de uma época alguns anos mais tarde, sendo considerada uma das mais belas cidades brasileiras. Possuiria tudo o que o dinheiro podia comprar. O que não estava ao alcance do poder dos "barões" — como era chamada a classe dominante — era mandado buscar além-mar.

O admirável conjunto arquitetônico que ainda hoje forma suas edificações reflete a história de um povo bravo e atuante na construção de seu próprio destino.

Durante o período das charqueadas, Pelotas viu seu tempo de glória ser ofuscado, primeiro pela abolição da escravatura, que era a pedra basilar onde se apoiava aquela estrutura; e, a seguir, pela Primeira Guerra, com o desenvolvimento dos frigoríficos, quando sua base econômica foi completamente aniquilada.

Naquele momento, contudo, a preocupação com os rumos que a revolução tomaria deixava todos apreensivos e distantes das coisas mundanas.

Este não era o caso de Maria Alice, que apenas pensava em compensar o seu desgosto, gastando somas consideráveis em caprichosas futilidades.

A vila, pois só passaria à cidade um ano mais tarde, possuía, na época, um teatro — orgulho dos seus habitantes — e, posteriormente, clubes, onde a alta sociedade se reuniria. Maria Alice resolveu que passaria a freqüentar o teatro e as casas de alguns ricos charqueadores amigos de José Venâncio; para isso, deveria estar vestida à altura.

Encomendou vestidos à modista e comprou diversos chapéus, ordenando que Teresa os carregasse.

Já iam retornando, quando Teresa, sempre fiel a sua insopitável curiosidade, comentou, com um brilho estranho no olhar:

— A sinhá tem muito bom gosto! Nunca pensei que alguém pudesse *comprá* tanta coisa...

Maria Alice riu da observação da moça e replicou:

— Vejo que és bem enxerida, rapariga! Posso comprar estes e muito mais...

Teresa pensou alguns instantes e continuou:

— É por que a senhora é uma boa pessoa e sabe *aproveitá* o que tem. Veja a sinhazinha Leonor, por exemplo. Vive suspirando pelos *canto* e não se interessa por coisa bonita como vestido, perfume... A senhora acha que ela vai *mudá* depois de *casá*?

Maria Alice observava a moça enquanto ela falava. A seguir tornou:

— Leonor não sabe aproveitar as oportunidades que tem. Não acredito que melhore o seu temperamento depois do matrimônio...

Teresa estava feliz. Conduzira o assunto exatamente para onde queria. Resolveu arriscar:

— Mas primeiro ela vai *tê* que *achá* um noivo, não é mesmo? Aqui na estância não vai *sê* fácil *consegui* um...

Maria Alice, com sua afiada perspicácia, olhou para a jovem e indagou:

— Onde queres chegar, menina? O que sabes sobre a vida de Leonor?

Teresa engoliu em seco e disse:

— Nada, nada, *patroinha*. Só falei por *falá*... é que a sinhazinha Leonor é tão jovem e bonita... Quisera eu *sê* como ela!

— Minha enteada é uma tonta e me desgosta muito que se case com o primo. Preferia vê-la casada com o meu irmão, que certamente a levaria embora... E quem sabe se eu não poderia segui-los com José Venâncio...

Teresa deu um sorriso matreiro e falou:

— A sinhazinha nunca vai *casá* com o sinhô Leonardo! Ele já tem uma noiva!

Maria Alice fixou o olhar na escrava e exclamou, surpresa:

— O que dizes? Ele tem uma noiva? Como pode isso ser verdade se eles andam juntos, cheios de segredos, fazendo confissões...

Teresa respondeu enfaticamente:

— *Tô* falando a verdade. Ouvi ele e a irmã falarem sobre o assunto! Ele disse que ia *pedi* ajuda pra sinhazinha Leonor pra *podê apresentá* a moça pro pai dele.

Maria Alice, sem perceber que deixava vir à tona fatos reveladores, não escondia sua agitação:

— Diga-me, desde quando sabes disso? Ele não a quer por esposa, então?

— Não, senhora. Ele *qué casá* com uma moça pobre que *encontrô nas* Europa...

Maria Alice torcia as mãos, enquanto ouvia a escrava falar. De repente, um sorriso se abriu em seu rosto e, aliviada, viu que seus planos não estavam totalmente arruinados; pelo contrário, estava tudo muito bem encaminhado.

Subiu na carruagem e mandou o escravo se dirigir para a fazenda o mais rápido possível. Tinha alguns acertos a fazer.

Agora estava tudo muito claro! O abatimento de Leonor, a sua perda de peso, sua tristeza... O primo a tinha rejeitado por um outro amor! A pobrezinha deveria estar precisando de consolo, de um ombro amigo... de uma mãe! Quem sabe se não poderia influenciar esta cabecinha sonhadora com algumas palavras de bom senso e algum conselho feminino, de mulher para mulher... Pois bem! Teria que se aproximar da enteada por caminhos que jamais imaginara... mas assim seria!

Ouviu de repente a voz de Teresa, que se dirigia a ela:

— Sinhá, pode me *dizê* quem lhe *contô* que o sinhozinho Leonardo amava Leonor?

Maria Alice respondeu, voltando de seus pensamentos:

— Ora, eu sempre achei que ele a amasse e Rufino me confirmou...

— Rufino? Mas o que ele tem a ver com isso?

Maria Alice falou, titubeante:

— É que... Ele viu Leonor falando com Leonardo, muito proximamente...

Teresa franziu o cenho, intrigada, e continuou:

— Pois ele *tava* enganado. Não entendo por que ele vive escondido dentro de casa, parece que *tá* sempre com medo de alguma coisa...

— Isso se deve a uma implicância de Leonor com ele. José Venâncio ordenou que ele ficasse o mais longe possível de minha enteada... São caprichos de uma guria tola.

Teresa ficou pensativa. Rufino era belo demais para ficar preso dentro daquela casa, se escondendo por causa de uma ama fiasquenta. Nunca gostara de Leonor e podia entender o motivo agora... Leonor haveria de se ver com ela se Rufino sofresse qualquer privação por causa das suas bobagens...

***

De posse da informação obtida junto a Teresa, Maria Alice sentiu renascer a esperança de ver Leonor casada com Afonso.

Ao retornar, procurou Leonor em casa e nas redondezas. Por fim, a encontrou no velho caramanchão, onde Leonor se recolhia quando sentia a tristeza dominar sua alma.

Fingindo ser ao acaso, Maria Alice entrou lentamente e, demonstrando surpresa ante a visão da moça, falou:

— Leonor?! Não imaginei que estivesses aqui... Estava procurando um local para espairecer um pouco das preocupações...

Leonor, sem esconder a contrariedade, esboçou um sorriso irônico e perguntou:

— Preocupações? Nunca imaginei que tivesses tantas apreensões assim... Tens uma vida de rainha junto ao meu pai...

Maria Alice engoliu em seco e replicou:

— Vejo que te enganas, querida. Tenho sentimentos que só revelo a teu pai, pois conhece o íntimo do meu ser... Evito falar certas coisas a outrem, porquanto não sei se seria compreendida...

Leonor, colocando as sentinelas de sua alma em alerta, aguardava, enquanto Maria Alice falava:

— Sabe, Leonor? Tenho observado algumas coisas e, pela minha experiência de vida, devo concluir que o mal que te consome as energias não é físico como o teu pai imagina, mas sim uma grande dor moral...

Leonor enrubesceu e falou, perturbada:

— O que queres dizer? Estás enganada... — Naquele momento, Maria Alice se aproximou e, interrompendo as últimas palavras da moça, acrescentou:

— Não precisas me revelar nada. Sei que guardas um segredo e está ligado aos teus sentimentos. Já fui jovem, com a tua idade, e também padeci de uma grande desilusão!

Com os olhos marejados, Leonor perguntou em um sussurro:

— O que sabes a respeito? Alguém te falou algo?

Maria Alice sorriu e afirmou, conselheira:

— Não, Leonor. Ninguém me disse nada, mas, como te falei, já passei por isso e, apesar de ser apenas um amor da minha juventude, foi muito doloroso.

Enquanto falava, Maria Alice procurava observar o impacto de suas palavras sobre Leonor. Percebia, satisfeita, que as defesas da moça caíam por terra.

Leonor, sem conseguir sopitar o pranto, que sempre procurara esconder dos demais, deixou-o aflorar sem resistências.

Maria Alice se aproximou e discorreu em tom maternal:

— Minha querida, sei que não aprecias a minha pessoa; que não me perdoas por ter casado com teu pai, pois desejarias que tua mãe fosse seu único amor... Mas a vida é assim... Nada é eterno e teu pai merecia uma nova oportunidade de ser feliz.

Leonor respondeu entre os soluços:

— Nunca entendi o motivo desse casamento, assim tão rápido. Ele mal te conhecia...

Maria Alice mordeu o lábio e respondeu, demonstrando compreensão:

— Entendo os teus desvelos de filha para com José Venâncio. Afinal de contas, sempre tiveste somente ele para te proteger. Mas deverias ter encarado a nossa união como uma oportunidade de sermos todos felizes juntos. Jamais tentaria roubar o lugar que foi de tua mãe, isso seria impossível...

Leonor ouvia as palavras de sua madrasta e concordava intimamente com ela. Talvez a tivesse julgado mal, não lhe dera nenhuma chance. "Quem sabe se todos não seriam felizes, conforme Maria Alice dissera, se ela a tivesse aceitado desde o início?", pensava.

Maria Alice continuava:

— Sempre quis ter uma família, filhos, ser feliz. Quando conheci José Venâncio, pensei que o destino havia nos aproximado para a realização de meu sonho... Ao saber que ele tinha uma filha, percebi que fora Deus quem o colocara em meu caminho...

Leonor não sabia o que pensar. Sempre detestara aquela mulher, desprezava os seus caprichos, as suas manias, o seu comportamento. Ela era tão diferente de sua mãe! Todos diziam que Isadora era doce, meiga e admiravelmente generosa, bem ao contrário de sua sucessora...

Por fim, Maria Alice concluiu:

— Sei que ainda não me conheces o suficiente para poder confiar em mim, mas de qualquer forma vou lhe dar um conselho: se alguém a ludibriou com alguma promessa não cumprida, devolva-lhe na mesma moeda!

Leonor olhou sua interlocutora e, dando a perceber que não compreendera as palavras de Maria Alice, esta continuou:

— Ora, és muito ingênua, rapariga! Se teu amado te traiu com outra, arranje alguém para que ele saiba que também não te irás lamuriar pelo resto da vida...

Leonor respondeu, atônita:

— Não sei se isto seria correto... Além disso, quem poderia substituí-lo?

Maria Alice sorriu e aconselhou, entusiasmada:

— Este não haverá de ser o problema, querida. És jovem, bela, rica... Quem poderia desejar mais? Além disso, nestes assuntos do coração, muitas vezes somos levados a agir de forma a defender os nossos interesses e nesses casos não existe o certo e o errado...

Leonor não concordava, mas o fato era que desejaria mil vezes ter a oportunidade de uma revanche. Faria qualquer coisa para ver um dia Leonardo vindo lhe pedir perdão, e ela lhe dizendo: "Lamento, mas agora é tarde! Sou muito feliz e não o desejo mais..."

A idéia que Maria Alice lhe trouxera tomava vulto em seus pensamentos. Inexperiente, Leonor cedia às instâncias de seus obsessores, que usavam Maria Alice para atingir seus objetivos. Afinava-se, mentalmente, naquele momento, às emissões mentais de sua madrasta, que trazia uma série de idéias, que debalde seu bom senso e sua razão tentavam afastar.

Interessada, indagou de Maria Alice:

— Não entendo muito destas coisas. Sei que não tenho sido justa contigo, mas poderias me ajudar nesta questão?

Maria Alice, satisfeita, respondeu:

— Claro que sim, minha querida. Vou pensar em alguma coisa e depois falaremos.

Leonor concordou e ambas retornaram para casa. A tarde caía e já era hora de se recolherem.

Para surpresa de todos, naquela noite, Leonor se alimentou melhor e chegou a sorrir algumas vezes.

A idéia de se vingar de Leonardo tomava conta do seu coração e, antecipando o prazer da desforra, sentia-se estranhamente fortalecida.

Não sabia que dessa forma comprometia-se ainda mais com sua consciência e afastava-se do caminho de sua felicidade.

18

A vitória de Maria Alice

Afonso aprendera a amar a jovem solitária, que, vítima de um suposto amor não correspondido, deixara-se abater, perdendo o viço e o frescor da mocidade.

Já não lutava contra o sentimento que se instalara em seu coração. Aceitava, embora soubesse que não haveria nenhuma esperança de ver concretizado o seu desejo de se aproximar de Leonor.

Procurara ser gentil de todas as formas, mas a jovem, invariavelmente, repudiava-o com palavras quase hostis.

Conformado, resolvera permanecer calado, buscando na leitura e nos passeios solitários algum alívio para o coração desprezado.

Certo dia, quando Maria Alice e José Venâncio haviam se ausentado, enquanto lia distraidamente uma obra de conhecido poeta português, ouviu a voz de Leonor:

— Vejo que o senhor aprecia poesia também...

Afonso voltou-se e viu que Leonor estava a poucos passos. Descuidado, deixou cair o livro, o que ocasionou um sorriso divertido de Leonor.

Após recolher o volume do chão, aprumando-se, Afonso respondeu:

— É verdade, senhorita. Aprecio vários gêneros literários. Devo confessar que tenho nos livros grandes amigos...

— Eu também devo concordar que os livros são a minha companhia predileta. Não sei o que faria sem eles...

Afonso resolveu esclarecer algo que o intrigava:

— Senhorita Leonor, estou um tanto surpreso com a sua presença aqui. Sempre me evitou...

Leonor lhe respondeu pensativa:

— Tenho pensado em algumas coisas ultimamente... Acho que, a princípio, julguei-o mal. Jamais me deu motivos para o tratamento que lhe dispensava. Agi dessa forma, penso eu, devido aos problemas que tenho com sua irmã...

Afonso sorriu, desajeitadamente, e tornou:

— Saiba que nunca tive nenhuma queixa de si. Pelo contrário, admiro seus pontos de vista e os respeito. Procurei até mesmo não me aproximar para não lhe causar constrangimento...

Leonor surpreendeu-se com a revelação. Nunca imaginara que Afonso teria tanto apreço por ela. Resolveu indagar:

— Por acaso a minha companhia lhe agrada?

Afonso respondeu prontamente:

— Devo confessar que, desde a morte de minha esposa, não me sentia tão feliz diante de uma presença feminina...

Leonor enrubesceu levemente e Afonso lhe propôs, enquanto lhe oferecia o braço para apoiá-la:

— Vamos selar nossa amizade com um passeio pela estância. Esqueçamos o passado e imaginemos que estamos nos conhecendo neste momento...

Leonor riu da idéia e disse:

— Não sabia que o senhor se dava a esse tipo de coisa. Sempre me pareceu tão sério, compenetrado. Na verdade, o seu temperamento o torna mais... — naquele instante, Leonor calou-se, envergonhada. Afonso sorriu e retomou a frase inacabada:

— ... velho, não é mesmo? Sim, não posso negar que já não sou mais nenhum jovem, mas lhe afirmo que, apesar de minha idade, não deixei de sonhar em ser feliz.

A jovem ficou pensativa e ousou perguntar:

— O senhor amava muito sua esposa, não é mesmo?

— Mais do que poderias imaginar. Perdê-la foi uma grande tragédia em minha vida. — Afonso balançou a cabeça como se quisesse afastar algum pensamento.

Leonor continuou:

— Incomoda-se com este assunto?

— Preferiria não comentá-lo. São apenas tristezas de um passado distante. Felizmente, tivemos um filho, que me serviu de consolo nesses anos todos...

Leonor refletia, enquanto Afonso falava. Pararam junto a um grande plátano e, apoiando-se na árvore frondosa, a moça expôs seus pensamentos:

— O senhor não acha estranha a vida? O seu caso é muito parecido com o do meu pai... Ambos perderam a mulher que amavam e ficaram com a incumbência de criar o fruto destas uniões. O que será que determina essas coisas na nossa existência? Será tudo obra do acaso ou Deus brinca com as nossas desventuras?

Afonso fixou o olhar em um ponto distante e declarou:

— Sou um homem religioso, senhorita Leonor, e devo dizer-lhe que não acredito nem no acaso, nem em um Deus que esteja disposto a provar inutilmente suas criaturas. Certamente deverá haver algum propósito em tudo isso...

— Mas, qual? Não consigo acreditar que tenhamos que sofrer sem uma razão...

— Os religiosos dizem que são os mistérios que não podemos desvendar, que devemos aceitar com fé e resignação tais acontecimentos...

Leonor balançava a cabeça, inconformada. Não podia concordar com aquelas idéias. Afonso, procurando mudar o rumo da conversa, perguntou:

— Conhece a Europa, senhorita Leonor?

Leonor, um tanto aturdida com a mudança repentina de assunto, respondeu:

— Não, senhor. Meu pai nunca quis que o acompanhasse em suas viagens. Considerava que eu era jovem demais para entrar em contato com as "tentações" da civilização...

— Pois acho que a senhorita faria bom proveito em uma viagem dessas. Tem uma vasta cultura intelectual, que permitiria um excelente aproveitamento das reuniões cultas, dos teatros, da ópera. Como apreciador dos livros e, ao contrário do que supõe, possuir uma mente aberta, tenho encontrado conceitos valiosos na área filosófica e religiosa sobre algumas teorias que lhe poderiam interessar...

Leonor olhou para Afonso sem entender. Este prosseguiu:

— Não estou atentando contra os princípios de sua fé, senhorita. Apenas tenho tido contato com algumas religiões da Índia e do Oriente e percebe-se claramente a alusão a... — Leonor, impaciente, perguntou:

— O que dizem eles? Estou curiosa...

Afonso tornara-se preocupado. A curiosidade espontânea de Leonor o colocava em situação delicada. Poderia ser tachado de herege pelo conteúdo de suas palavras. Respirando fundo, prosseguiu:

— Creio que teremos tempo para falar deste assunto em outra ocasião. Assim terei a desculpa necessária para desfrutar novamente de sua companhia...

Leonor falou, compreensiva:

— Quero que me dês tua palavra de que conversaremos de novo sobre estes assuntos... De outra forma, como saberei? Jamais irei à Índia...

Afonso riu e contrapôs:

— Por que diz isso? Quem sabe? A vida apresenta situações inesperadas... A senhorita poderia ir como minha convidada...

Leonor sorriu, pensativa. Nunca imaginara que poderia ter alguma afinidade com Afonso, mas agora sentia-se à vontade conversando com o irmão de Maria Alice.

Sim! Quem sabe um dia poderia conhecer um outro mundo, cheio de lugares belos, cidades maravilhosas, com teatros estonteantes, ouvir concertos belíssimos, sentir-se cercada de pessoas cultas e nobres e aprender muito sobre a vida...

Como seria feliz se pudesse dar ao seu espírito este alimento, que supre a necessidade de conhecimento e beleza que ela sentia tantas vezes faltar em sua obscura existência...

Um novo horizonte parecia se descortinar à sua frente. Sentia que em seu íntimo nascia uma pequena esperança de felicidade.

Que estranhos caminhos a levaram naquele dia a tentar uma aproximação com Afonso?

"Realmente!", pensava Leonor. "A vida é muito estranha e é preciso saber mais sobre uma infinidade de coisas para tentar entendê-la."

* * *

A aproximação de Afonso e Leonor não passou despercebida a Maria Alice. "Enfim, os ventos sopram a meu favor!", conjecturava.

Não podia saber ao certo a que se devia aquela mudança no comportamento de Leonor, mas na realidade aquilo não importava.

Sabe-se lá por que forças do destino sua enteada resolvera abandonar seus modos desagradáveis, portando-se com mais civilidade. Isso apenas vinha a calhar com os seus planos de casá-la com Afonso!

"Isso só trará vantagens!", arquitetava. "Manteremos a fortuna de José Venâncio na minha família e eu poderei convencê-lo a partir para sempre!"

Naquela noite, ao se recolherem, José Venâncio não pôde deixar de perceber o contentamento de sua mulher:

— Qual o motivo de tanta alegria? Estás alvoroçada, parece que temos alguma novidade que eu desconheço...

Maria Alice sorriu e respondeu, misteriosa:

— Saberás no momento oportuno. Por enquanto, vamos deixar os acontecimentos seguirem seu curso...

Abraçando o marido, Maria Alice podia sentir que finalmente conseguia realizar o seu intento.

Precisaria, ainda, de um pouco de paciência, mas isso ela tinha, sabia esperar o momento certo... Era tudo uma questão de tempo...

19

Magoando o coração

No dia seguinte, Leonor recebeu uma mensagem de Leonardo dizendo que precisava vê-la imediatamente, mas que não poderia se ausentar da fazenda, pois D. Francisca se achava indisposta.

Preocupada, Leonor aprontou-se e, quando se preparava para tomar a charrete, Afonso se aproximou:

— Não tens medo de andar por estas estradas desertas, senhorita? Seu pai tem recomendado a todos que não se afastem da fazenda... Estamos à beira de uma revolução...

— Sei disso, mas conheço muito bem o caminho, senhor Afonso. Desde criança vou à casa de minha tia sem maiores problemas...

Afonso insistiu:

— Mas e quanto a estes negros? Sabes que muitos têm fugido das senzalas; nunca houve tantos negros na cidade. Ouvi dizer que estão em maior número que os brancos!

— Não os temo, senhor. São pessoas como nós. Além disso, nada fiz para eles...

Afonso riu diante da inocência da moça. Sabia que entre os escravos havia muita revolta e inconformação.

Resolveu insistir:

— Posso acompanhá-la até o seu destino e depois retorno para casa. Juro que não atrapalharei o seu passeio.

Longe de imaginar os sentimentos daquele homem, Leonor teimosamente se furtou à sua companhia:

— Entendo que sua educação o obriga a fazer este sacrifício, mas acho que o senhor se preocupa em demasia. Logo mais estarei de volta... Além do mais, não temo estes imperiais...

Dessa forma, Leonor subiu na charrete e partiu na direção de Santa Ana.

Afonso olhou, apreensivo, o veículo que se deslocava lentamente. Não sabia explicar por que, mas sentia que a deveria ter acompanhado.

Após andar alguns metros longe dos portões da fazenda, conduzindo o veículo sem pressa, visto estar o dia muito bonito, Leonor ouviu um som que mais lhe pareceu provindo de um animal. Ia apressar o trote dos cavalos, quando inesperadamente a parelha de animais estacou.

Sem entender o que ocorria, Leonor olhou ao redor e, estupefata, reparou que um homem caminhava em sua direção.

Insistiu para que os cavalos partissem, mas ao mesmo tempo Rufino emitiu novamente o mesmo som e os animais permaneceram estáticos.

Sentindo que o sangue lhe subia à cabeça enquanto, simultaneamente, era tomada de pavor, Leonor exclamou:

— O que significa isto? Como te atreves, escravo!?

Rufino, aparentando muita calma, respondeu:

— Vim *cuidá* da sinhazinha. É perigoso *andá* sozinha por estas *estrada*...

Indignada, Leonor respondeu:

— Saibas que não preciso de tua ajuda! Sai do meu caminho ou terás de te haver com o meu pai!

Rufino segurou as rédeas do animal e questionou, sarcástico:

— O que seu pai poderá *fazê*, sinhazinha? Me b*otá* no açoite? A sinhá não *vai fazê* isso...

Naquele momento, o escravo subiu e sentou-se ao lado de Leonor.

A moça, trêmula, não conseguia articular sequer uma palavra. Sentia horror àquele homem, tinha vontade de fugir.

Afastou-se, procurando evitar o contato físico com o escravo.

Rufino, percebendo a aversão da moça, tocado em seu orgulho, e, por que não dizer, deixando falar mais alto a paixão que a jovem lhe despertava, aproximou-se, tocando-lhe os cabelos.

Leonor conseguiu falar, entre dentes:

— Hás de pagar por tua ousadia, escravo!

— Não repita mais esta palavra: escravo! Diga o meu nome, Rufino!

Leonor mal podia respirar, tal a proximidade do homem. Tomada de desespero, gritou, arrogante:

— Jamais direi teu nome, miserável! Tu não és nada, entendeu? Vales menos que o chão em que pisas!

Rufino ia segurar o seu rosto, quando ouviram uma voz distante.

Imediatamente, Rufino se virou e observou que um homem vinha a cavalo a uma certa distância. Descendo da charrete, Rufino olhou em direção a Leonor e lançou-lhe um olhar em que o amor desprezado dava lugar ao ódio.

Ainda trêmula, Leonor viu que Afonso se aproximava. Desesperada, chorando, aguardou sua chegada e se atirou em seus braços.

Afonso ainda pôde ver quando Rufino se afastou por entre a mata. Tentando acalmar Leonor, jurou-lhe que o negro pagaria pelo seu atrevimento e levou-a de volta para casa.

A jovem foi acolhida por Maria Alice e José Venâncio. Após relatar o ocorrido, o pai de Leonor mandou um grupo de homens capturar Rufino.

Haveria de dar um castigo exemplar ao negro insolente.

***

O socorro providencial de Afonso fez com que a aproximação entre ele e Leonor se aprofundasse.

A repulsa inexplicável que a moça sentia pelo escravo havia se justificado em um grave incidente, e a presença oportuna do irmão de Maria Alice fizera-o transformar-se em uma espécie de "protetor" para Leonor.

Com os sentimentos confusos, sentia-se atraída pela segurança que ele lhe inspirava; seus conhecimentos sobre a vida e os lugares que ele conhecera causavam-lhe, dia a dia, mais admiração.

Enquanto as buscas a Rufino prosseguiam, os laços entre Leonor e Afonso se estreitavam, e ela esquecia o compromisso que assumira com Leonardo, de auxiliá-lo em sua questão amorosa.

A situação não passou despercebida a José Venâncio, que procurou saber o que estava acontecendo.

Resolveu inquirir Maria Alice sobre o assunto:

— Dize-me, Maria Alice, o que está havendo entre Afonso e minha filha? Percebo que ela tem aceitado a presença dele sem as malcriações de antes; pelo contrário, parece até se alegrar com sua companhia...

Maria Alice sorriu e respondeu:

— Meu querido esposo, devo te confessar que meu irmão, após muitos anos, se enamorou de tua filha. Nunca quis revelar o teor do seu sentimento, mantendo-o em segredo até mesmo para mim... Mas acabei percebendo e ele me revelou o seu amor...

José Venâncio ouvia, atento. Maria Alice continuou:

— Bem, o fato é que tive uma conversa com tua filha há uns dias, quando ela me parecia muito infeliz. Deves saber que ela imaginava que o primo retornaria para desposá-la. Como isso não aconteceu, ao contrário, Leonardo está apaixonado por outra jovem, ela caiu em desespero. Procurei consolá-la, explicando-lhe que esses romances da meninice raramente se concretizam... Disse-lhe que era jovem e bela e que haveria de ser muito feliz se passasse a enxergar o mundo com outros olhos...

— E o que ela disse?

— Essa conversa trouxe a vantagem de mudar, acredito, a opinião que sempre teve sobre mim. Desde então, tem andado mais tranqüila, mais serena. Passou a aceitar a companhia de Afonso e, desde o incidente com o negro, está tão próxima a ele que não duvidaria que esteja a se apaixonar também...

— Mas tu não achas que teu irmão é meio velho para ela? Ele é alguns anos mais moço do que eu, e Leonor é apenas uma menina...

Maria Alice respondeu prontamente:

— Ora, meu marido! Que preconceito tolo! Afonso realmente é mais velho, mas acredito que justamente este fato é que fará Leonor feliz! A segurança que ele lhe inspira e sua experiência de vida é justamente o que tua filha está a precisar para que possa conter seus impulsos, muitas vezes irrefletidos... Além do mais, também temos alguns anos de diferença e isso não traz nenhum problema, não é mesmo?

José Venâncio alisava os bigodes. Nunca imaginara ver sua Leonor unindo-se a alguém como Afonso. Imaginava que sua filha casaria com alguém mais jovem, da região. Lamentava o fato de Leonardo ter-se apaixonado por outra pessoa, pois seria deveras interessante vê-la casada com o sobrinho. Por fim, externou suas dúvidas:

— Não sei se uma união dessas seria boa para Leonor... *Bueno*, de qualquer forma, tudo vai depender dela...

Maria Alice exultou. O segundo maior obstáculo havia sido vencido: o primeiro era a própria Leonor, mas este já estava superado; o segundo era José Venâncio, que poderia se opor a essa união que ela considerava fundamental para a execução dos seus objetivos. Felizmente, chegara à vitória final: *Touché!*

Em breve, se tudo transcorresse bem, estaria ocupada em organizar as bodas de sua enteada...

* * *

Alguns dias depois, Maria Alice foi procurar Leonor em seu quarto.

Leonor bordava pequena peça decorativa quando ouviu as batidas na porta. Pediu que entrasse e se surpreendeu com a presença de Maria Alice.

— Leonor, preciso ter uma conversa contigo, de mulher para mulher...

Leonor olhou para Maria Alice com ar interrogativo:

— Bem, o que vou te perguntar é muito importante para mim... Preciso saber realmente o que sentes por meu irmão...

Leonor sentiu-se enrubescer. Não sabia o que dizer. A pergunta pegara-lhe desprevenida e ela titubeava, sem poder falar nada.

Maria Alice resolveu intervir:

— Diga-me, querida, o que vai em teu coração? Percebo que a amizade entre vocês dois se aprofunda cada vez mais e noto que Afonso te ama profundamente...

Leonor conseguiu balbuciar:

— Considero o senhor Afonso um amigo querido...

Maria Alice resolveu ir direto ao ponto:

— Preocupo-me com ele, Leonor. Deves saber que perdeu a mulher há muitos anos, assim como o teu pai... Desde então, Afonso tem relutado a voltar a amar novamente... Temo que ele possa se magoar com essa amizade!

Leonor falou, preocupada:

— Jamais faria mal algum ao senhor Afonso! Pelo contrário, devo-lhe muito...

— Pensas ser capaz de amá-lo? Sei que ele teme declarar-se e ter uma decepção... Sei que não suportaria!

Leonor levantou-se e procurou ordenar seus pensamentos. Afonso realmente a amava, não podia negar... Além disso, ele lhe transmitia muita segurança, poderia lhe ensinar tantas coisas... Ademais, não contaria jamais com o amor de Leonardo e estava cansada de estar só.

Após alguns minutos, resolveu:

— Acho que tens razão, senhora Maria Alice. Seria a última pessoa a magoar o senhor Afonso. Se ele acha que me pode amar conhecendo-me tal como conhece, acho que também posso aceitá-lo da mesma forma...

Maria Alice caminhou na direção da enteada e abraçou-a, exultante. Com lágrimas nos olhos, exclamou:

— Finalmente seremos amigas, minha cunhada!

20

Brincando com os sentimentos

Maria Alice não se podia conter de satisfação. Foi imediatamente contar ao irmão que Leonor o havia aceitado como marido.

Afonso, sem entender bem o que sucedia, não conseguiu assimilar adequadamente a notícia, recebida assim de supetão.

A convivência com Leonor sedimentara um sentimento que, doce e apaixonado, a princípio, se transformava em uma grande e irresistível paixão.

Leonor ocupava todos os seus pensamentos. Levantava imaginando como ela estaria e adormecia desejando que tivesse bons sonhos.

A essa altura de sua vida, já não esperava que um sentimento tão forte pudesse dominá-lo.

Tivera inúmeras oportunidades de casar desde que Maria Antônia morrera, mas, depois da tragédia em que se transformara o seu casamento, jurara não mais voltar a cometer o mesmo erro.

Contudo Leonor... Ah, ela era diferente! Sua juventude, sua beleza, o sentimento de fragilidade que a jovem lhe transmitia, tocaram as fibras mais íntimas de sua alma e, sem perceber, vira-se envolvido em um amor que até agora considerava sem esperanças...

As palavras de Maria Alice ressoavam em seus ouvidos como um sonho. Já se havia dado por muito feliz ao ver que Leonor passara a dedicar-lhe ao menos um pouco de amizade!

Sua irmã, no entanto, falava em casamento!

Leonor aceitara ser cortejada e, não tinha dúvidas, se isso acontecesse, certamente se casariam.

Envolvido na felicidade que o tomava por completo, Afonso pensou em Leonardo. "É apenas um amor de infância. Ela o esquecerá, tenho certeza!"

Maria Alice, que se tornava impaciente, reclamou:

— Estás me escutando ou estou a fazer papel de tola? Ouviste o que te disse?

Afonso volveu o olhar e, fixando a irmã, respondeu:

— Não sei se entendi o que disseste. Estás a me dizer que Leonor aceita que eu a corteje?

— Não, minhas notícias são bem mais alvissareiras... Leonor se casará contigo!

— Por acaso fizeste algo que levasse à aquiescência de Leonor? Tiveste algo a ver com essa decisão?

Maria Alice baixou o olhar e, caminhando em direção à porta, declarou:

— És muito mal-agradecido, meu irmão. Venho trazer-te uma notícia que esperava te deixar feliz e me recebes com dúvidas e desconfianças...

Afonso, arrependido, se desculpou:

— Perdão, Maria Alice. Apenas tive medo de que pudesses ter influenciado de alguma sorte a atitude de Leonor...

Maria Alice ficou séria e, representando o papel de vítima de uma injustiça, tornou:

— Enganas-te, meu irmão. Apenas tive algumas conversas com ela, abrindo-lhe os olhos quanto à decepção em relação ao primo. As circunstâncias te ajudaram, Afonso, não podes negar...

— Peço que me perdoes, minha irmã. Fui injusto em julgá-la...

Maria Alice deu de ombros e falou:

— Isso não importa. Devemo-nos preparar para teus esponsais...

Voltando-se, retirou-se do aposento. Afonso terminou de se aprontar e saiu à procura de Leonor.

Não muito longe da casa-grande, a jovem encontrava-se distraída com suas habituais leituras. Afonso aproximou-se devagar e colocou delicadamente um botão de rosa sobre o livro que Leonor lia.

Leve estremecimento denunciou a surpresa da moça, que voltou-lhe o olhar surpreso, enquanto Afonso dizia:

— Se não lhe importunar, gostaria de conversar com a senhorita...

Leonor, que já imaginava do que se tratava, tentou esquivar-se:

— Não podemos falar mais tarde, senhor Afonso? Creio que em breve nos chamarão para o almoço...

— Está a perder-se nas horas, senhorita! O almoço ainda levará bom tempo e não creio poder adiar o que lhe tenho a dizer, nem por um minuto mais...

Dando-se por vencida, Leonor concordou. Afonso lhe ofereceu o braço e eles saíram juntos em direção ao caramanchão da fazenda. Ao chegar, perguntou:

— Lembra quando eu procurei refúgio neste local, para fugir da chuva?

Leonor riu, divertida, e comentou:

— Lembro, sim! O senhor estava ensopado...

Afonso respondeu, fingindo estar ofendido:

— Pois gostou de me ver daquele jeito, não é mesmo?

Leonor, tentando conter o riso, respondeu:

— Devo confessar que sim! O senhor estava sempre tão bem vestido com os seus trajes ingleses, tão aprumado, e naquele dia... — Leonor apenas relanceou o olhar sobre Afonso.

Aproveitando-se do momento, ele se aproximou e indagou:

— Permite que lhe trate por "tu"?

— Como não!? — respondeu Leonor. — É assim que deve ser!

— Achas mesmo que sou tão formal por portar-me dessa forma e me vestir com aprumo? Aprendi a ser assim...

Leonor, temendo magoá-lo, acrescentou prontamente:

— Por favor, não me leve a mal. Naquele dia, quase acabamos nos desentendendo e não quero que isso se repita...

Afonso insistiu:

— Jamais me poderia desentender contigo, Leonor. Tu é que sempre foste intransigente comigo...

Leonor não sabia o que dizer. Afonso, aproveitando-se do momento, acrescentou:

— Sempre quis evitar o ridículo, pois sei que sou muito mais velho que tu... Mas não posso mais negar o que verdadeiramente me prende a este país, a este lugar...

Afonso deu alguns passos e, da porta do caramanchão, alongou o olhar pelas planícies distantes, onde um céu límpido de inverno emoldurava a paisagem. A seguir, voltou-se para Leonor e prosseguiu, emocionado:

— Não posso imaginar minha vida longe de ti, Leonor! Amo-te e desejo que te cases comigo, para partirmos juntos para uma nova vida!

Leonor, emocionada com a declaração de Afonso, não conseguia pensar. Era a primeira vez que ouvia da boca de um homem uma declaração apaixonada e veemente.

A perspectiva de uma vida longe de tudo, o que a fazia sofrer, significava a libertação de sua solidão, da sensação de abandono que lhe invadia a alma...

Afonso aproximou-se e, segurando as pequenas mãos da moça, beijou-as apaixonadamente; a seguir, com infinito carinho, aproximou-se dos lábios de Leonor e beijou-os com doçura.

Abraçados, entre sorrisos e promessas de felicidade, retornaram à casa da fazenda.

Durante o almoço, Afonso, não podendo adiar por mais tempo o desejo de se unir a Leonor, pediu a mão da moça em casamento.

José Venâncio olhou para a filha e perguntou, extremamente sério:

— É isto o que tu desejas, minha filha? Acreditas que esta decisão te trará felicidade?

Leonor respondeu sem pestanejar:

— Creio que sim, meu pai. Afonso será um bom marido.

José Venâncio, preocupado, ainda insistiu:

— Tu amas o senhor Afonso?

— Acredito que sim, meu pai.

Sob os brindes e cumprimentos de Maria Alice e José Venâncio, foi acertado o noivado de Afonso Góes Coutinho e Leonor Almeida de Gouveia.

* * *

A notícia se espalhou rapidamente. Logo, toda a fazenda de seu tio Antero também tomava conhecimento do "noivado".

José Venâncio, mesmo assim, resolveu ir pessoalmente contar a novidade junto com a mulher, Leonor e Afonso.

Ao chegarem, Leonardo já os aguardava nas escadarias que conduziam à grande porta do casarão.

Inquieto, não via a hora de falar com Leonor. Não entendia o que estava acontecendo e por que a prima não lhe falara nada sobre Afonso. A princípio, chegara a pensar que Leonor estaria interessada nele. Chegara a ter remorsos por haver pedido auxílio sobre sua questão pessoal. Imaginara que seria possível Leonor estar acabrunhada por sua causa!

"Ainda bem que estava enganado!", concluía. "Teria remorsos cruéis se soubesse que Leonor me amava..."

Não poderia esquecer os tempos de infância, quando a prima lhe parecia ser a mais formosa de todas, a mais linda que já tinha visto! Mas o encontro em Lisboa com Cândida havia mudado tudo...

Sua graça juvenil, os modos elegantes de alguém que se acostumara a conviver na corte, sua inconfundível beleza, haviam deslumbrado Leonardo.

Com o tempo, acabara por esquecer Leonor; apesar de a prima ter alguma cultura e saber se portar com fidalguia, não podia compará-las.

Cândida possuía o refinamento das mulheres da corte, sabia cativar as pessoas com seu olhar e com seus trejeitos adoravelmente femininos. Era, em resumo, uma moça encantadora...

O tropel dos cavalos despertou a atenção de Leonardo. Logo a carruagem se aproximou e o rapaz pôde vislumbrar seu tio e o resto da família chegando.

José Venâncio desceu e foi logo estendendo a mão para ajudar Maria Alice a sair da carruagem; em seguida, Afonso, repetiu o gesto com Leonor.

Leonardo saudou-os efusivamente e, abraçando a prima com carinho, sussurrou-lhe ao ouvido:

— Por que não me contaste? Não sabia que havia algo entre vocês...

Leonor ia responder, mas Antero se aproximou, ao lado de D. Francisca e, entre abraços e risos, foi logo felicitando-a; um pouco mais atrás, Lúcia assistia à cena, preocupada.

Entraram e logo Antero chamou um dos "guris" da fazenda, mandando um recado a um de seus peões.

Da cozinha, podia-se sentir o calor do forno de campanha, que acabava de assar uma fornada de pão; Antero pediu mais água quente para o chimarrão e todos foram se sentar na espaçosa sala de visitas.

Quando se acomodaram, foi logo perguntando:

— Como aconteceu isso, minha sobrinha? Então não me contaste que estavas quase noiva?! Logo agora que estamos vivendo tempos difíceis aqui na província...

Leonor apressou-se em explicar:

— Tio Antero, tudo aconteceu muito rapidamente...

Afonso asseverou, intervindo:

— Posso te afirmar que da parte de Leonor foi tudo muito rápido, mas, ao que me cabe, tenho esperado por muito tempo... Além do mais, não poderia esperar a revolução terminar para noivar...

Todos riram, exceto Lúcia. Após algumas explicações e algumas brincadeiras de Antero e Maria Alice, Lúcia convidou Leonor para conversarem um pouco sobre os detalhes do casamento.

Enquanto os homens continuaram a falar, animados sobre a provável iniciativa de Bento Gonçalves em liderar a tomada de Porto Alegre dali a alguns meses, Leonor levantou-se, acompanhando a prima até seu quarto. Ao chegarem, Lúcia fechou a porta e, voltando-se extremamente preocupada, perguntou a Leonor:

— O que estás fazendo? Enlouqueceste?

Surpresa, Leonor respondeu:

— Por que dizes isso? Não te entendo... Pensei que estivesses feliz com meu casamento...

— Deves estar brincando, Leonor! Como te podes casar com um homem que não amas? Pensas que não sei que estavas apaixonada por Leonardo?

Leonor empalideceu levemente e retorquiu:

— Estás enganada, Lúcia. Tenho um carinho muito grande por Afonso... E, quanto a teu irmão, ele ama outra pessoa, o que mais poderia eu fazer?

— Queres dizer que já o esqueceste?

Leonor procurou ser franca com a prima:

— Escuta, Lúcia. Tu és muito jovem e não entendes destas coisas... Mas a verdade é que me decepcionei muito com Leonardo. Pensei que ele retornaria para nos casarmos, e, tu sabes, ele me veio pedir ajuda para se unir à mulher que ama... Fiquei muito magoada.

Lúcia colocou as mãos na cabeça, enquanto caminhava pelo quarto. Parou diante de Leonor e exclamou:

— Trocaste uma decepção de amor por um casamento infeliz! Como podes imaginar ser feliz ao lado de um homem que há pouco desprezavas?

Leonor tentava se explicar:

— Lúcia, não exagere! Nos últimos tempos passei a conhecer melhor Afonso e ele tem sido um companheiro maravilhoso. Se for a idade que te preocupa, basta ver a diferença do meu tio em relação a tua mãe...

— Não é a isso que me refiro. Estou preocupada com teu futuro, Leonor. Não amas Afonso, e isso é tudo!

— Isso não é tudo, não! O amor só traz decepções, sofrimento! Veja meu pai, quando perdeu minha mãe... Não quero viver esperando por algo que não virá... Estou cansada de ser só!

— Leonor, é a tua própria vida que estás jogando fora! Vai te unir ao irmão de tua madrasta, que tanto desprezas... Ficarás unida a esta família para sempre!

— Já não tenho tantas reservas quanto a Maria Alice. Tem se demonstrado uma pessoa compreensiva e amiga. Além disso, estou cansada de viver às turras com ela. Isso me faz mal. Preciso de um pouco de paz...

Naquele momento, bateram à porta e Leonardo entrou. Sério, caminhou em direção a Leonor:

— O que está acontecendo? Precisamos conversar, Leonor.

Leonor voltou-se para o primo e indagou:

— Tu também achas que vou ser infeliz, Leonardo? Não concordas com meu casamento com Afonso?

Leonardo perturbou-se e redargüiu:

— Não entendo o porquê da pressa de tua madrasta. Parece que tem medo que desistas.

— Afonso deverá retornar a Portugal para tratar dos seus negócios e quer que eu o acompanhe... Por isso devo me casar em breve tempo...

— Por que nunca me falaste sobre teus sentimentos em relação a ele? Nunca tocaste neste assunto, cheguei a pensar que...

Leonor, pressentindo ao que Leonardo se iria referir, o interrompeu, desiludindo-o:

— Acho que estavas enganado, primo. Meus sentimentos por Afonso são sinceros e não vejo motivo para esta verdadeira exasperação familiar...

Ainda fixando o olhar em Leonardo, concluiu:

— Não te preocupes, primo. Antes de partir falarei com meus tios sobre Cândida. Cumprirei minha palavra contigo...

— Agradeço, Leonor. Apenas quero que me digas que tua resolução não tem nada a ver...

— ... contigo? Não, certamente não tem. Estou certa do que estou fazendo, não há necessidade de tanta preocupação!

Lúcia, que a tudo ouvia, se aproximou do irmão e de Leonor e acrescentou, voltando-se para a prima:

— Desculpa minha intromissão em teus assuntos, Leonor. Sempre fomos amigas, quase irmãs, e por isso me senti no direito de te alertar; apenas acho que não deves esquecer que Afonso te ama com sinceridade e está entregando seu coração a ti... E não devemos jamais brincar com os sentimentos alheios...

Leonor concordou e todos se retiraram para se juntar aos demais.

Leonor não sabia explicar por que, mas as palavras de Lúcia se fixaram em sua mente e pareciam se repetir incessantemente.

Uma sensação de ligeiro mal-estar tomou conta da moça.

A visita aos tios tinha deixado uma pequena sombra em seu espírito, como se algo lhe dissesse aos recônditos da alma que temos a liberdade de dispor de nossos sentimentos e de até mesmo causar sofrimento aos nossos próprios corações, mas, quando se trata das emoções alheias, o respeito se torna imperioso e insubstituível.

21

Vence o livre-arbítrio

As advertências de Lúcia mais não eram do que a malograda tentativa de Isadora, que, de nosso plano, tentava inutilmente afastar a filha de um terrível engano.

A dedicada entidade buscava de todas as formas abrir os olhos de Leonor. Sabia que a filha trazia pesados débitos do passado em relação a compromissos assumidos com espíritos que, tanto no plano carnal quanto no plano espiritual, clamavam por justiça.

Leonor trilhara caminhos infelizes ao usar de artifícios para conseguir seus objetivos, especialmente na área do sentimento. Impiedosamente, ferira almas que, ludibriadas, insistiam em vê-la experimentar o que tinham também passado.

Agindo novamente de forma a atender principalmente seus próprios interesses, colocava-se à mercê de uma justiça incorruptível.

O móvel de sua união com Afonso era, na verdade, a fuga de sua própria vida. Cansara de estar só e de se sentir um empecilho na vida do pai. Apesar do laço vigoroso que os unia, após o casamento com Maria Alice passara a se sentir culpada em relação a José Venâncio.

As entidades infelizes que a acompanhavam, aproveitando-se de seu estado psíquico vulnerável, lançavam em sua tela mental sugestões inferiores relativas a sua presença na casa de sua madrasta.

Faziam-na sentir-se como uma estranha no lar que um dia fora seu e insinuavam que, de certa forma, "atrapalhara" a vida do pai, fazendo com que se casasse apenas depois de vê-la crescida.

Chegava a imaginar que, não fosse por ela, José Venâncio poderia ter escolhido alguém em melhores condições que Maria Alice.

"Talvez, cansado da solidão, tenha escolhido minha madrasta sem dar-se ao trabalho de conhecê-la, como seria conveniente", pensava.

De qualquer maneira, Leonor evitava pensar em seus sentimentos em relação a Afonso. Sabia que no íntimo de seu coração encontraria uma sincera amizade e um grande respeito, mas nada mais do que isso.

Além disso, usara Afonso para atingir o primo. Realmente conseguira, segundo lhe parecia.

A perplexidade de Leonardo, quando falara com ela naquela tarde, trouxera-lhe um prazer desconhecido. Certamente ele não a havia esquecido por completo.

Acompanhando a evolução dos acontecimentos da esfera que lhe era própria, Isadora preocupava-se dia a dia com o rumo que tomavam. Pressentia que o passo que Leonor estava prestes a dar lhe traria grandes dissabores.

Tentaria ainda um último recurso para evitar que o casamento de Leonor se realizasse.

* * *

Passados dois dias, Isadora e Rosália — a avó de Leonor — buscaram, na colônia espiritual em que se encontravam, uma entrevista com Menmet, o mentor espiritual da jovem.

Foram prontamente recebidas pela respeitável entidade. Observando a preocupação das duas e reconhecendo a gravidade da situação, Menmet saudou-as fraternalmente:

— Que o Senhor esteja entre nós, minhas irmãs! — e, antecipando explicações adicionais, prosseguiu:

— Sei o motivo de vossa apreensão e partilho das preocupações que lhes visitam hoje os corações...

Isadora adiantou-se e exclamou:

— Perdoe-nos a impertinência, meu irmão, mas apesar de tudo o que fizemos Leonor permanece surda aos nossos apelos... Não sabemos o que fazer...

Menmet parecia concentrar-se em algo específico, distante da capacidade de percepção das duas entidades amigas ali presentes. Depois de alguns momentos em silêncio, considerou:

— Creio que o assunto exigirá a colaboração de nossa menina. Nada poderemos fazer sem sua aquiescência; o livre-arbítrio age como fator preponderante no caso em questão. Nossa interferência tem limites, vocês sabem...

Rosália opinou:

— Sabemos disso, Menmet, mas não haverá alguma forma de detê-la? Quem sabe uma moléstia física que a prenda por alguns dias ao leito ou que a impeça de andar, dessa forma poderá pensar melhor, avaliar seus sentimentos...

Menmet sacudiu a cabeça, dizendo:

— Minha querida Rosália! Sabes há quanto tempo venho buscando Leonor em seus momentos de vigília, sem que me atenda? Ao buscá-la durante o sono físico, entretanto, tão logo sai do corpo, busca as entidades que a acompanham durante o dia... Mantém o pensamento fixo em necessidades imediatas e ignora as realidades do espírito eterno! Acredita que encontrará a libertação junto a nosso irmão Afonso...

— É isso o que me preocupa. Leonor não possui uma constituição psíquica saudável a ponto de suportar a presença de irmãos sofredores sem que padeça das conseqüências... O que faremos? — questionou Isadora, ansiosa.

— Buscaremos a intervenção de Miguel. Ele não se demorará em vir para o Brasil e acredito que terá o maior interesse em evitar que esta união se efetue. Confiemos, minhas irmãs! Faremos tudo o que nos for permitido para auxiliar Leonor, mas precisamos estar conscientes de que a decisão final caberá a ela...

Mais tranqüilas, Isadora e Rosália se prontificaram em trazer Miguel para o Brasil durante o sono, a fim de proporcionarem seu encontro com Leonor.

Era a última tentativa de evitar que um grande engano fosse cometido.

***

Isadora e a mãe rumaram em direção à Europa, mais precisamente a Paris, em busca da última esperança para o caso de Leonor.

Em uma pequena ruela da cidade, em um bairro de estudantes, entraram em uma simples mas aconchegante residência.

Imediatamente localizaram, no andar superior, dormindo em um dos leitos, um jovem de aparência singular.

Inerte, adormecera com um livro sobre o peito, provavelmente vencido pelo cansaço.

Com extrema ternura, Isadora passou a mão sobre os cabelos do jovem. Esboçando encantador sorriso, recordou:

— Lembras, minha mãe, quando o recebi por filho muito amado? Como é possível poder eu amá-lo ainda mais?

Rosália sorriu e respondeu:

— Nosso amor, quando verdadeiro, não diminui jamais, Isadora. É uma dádiva de Deus que se multiplica e modifica, transformando-se em manifestações abençoadas de vida eterna.

A seguir, Isadora chamou Miguel pelo nome de forma suave. O rapaz, que ainda se encontrava junto ao invólucro de carne, se distanciou em espírito alguns centímetros do corpo e, um tanto atordoado, respondeu ao chamado:

— O que desejam, senhoras?

Isadora adiantou-se e informou:

— Miguel, somos amigas que vêm buscar seu auxílio em prol de uma causa que muito o beneficiará no futuro. Para isso, precisamos que nos acompanhe...

O rapaz as observava e, sentindo um grande bem-estar diante das duas entidades, disse, confiante:

— Como poderei ajudá-las?

Rosália respondeu, solícita:

— Logo verás...

Assim, o pequeno grupo se distanciou da cidade e se dirigiu à colônia espiritual onde Isadora e Rosália residiam.

Curioso, o rapaz arriscou perguntar:

— Acaso se trata de algum atendimento médico? Isso já me ocorreu outras vezes...

Rosália se dispôs a trazer-lhe algum esclarecimento:

— Sim, sabemos que participas de trabalhos assistenciais durante a noite, na condição de médico. Mas o assunto que nos interessa no momento diz respeito a tua própria vida, Miguel...

Diante do olhar interrogativo do rapaz, Rosália prosseguiu:

— Necessitamos de tua intervenção, para evitar que uma tragédia aconteça no futuro...

Miguel tornou-se sério e, mais consciente, questionou:

— Posso saber exatamente do que se trata?

Isadora postou-se diante do rapaz e explicou:

— É necessário que fales com Elise. Ela está prestes a cometer um grande erro...

Miguel sentiu que uma grande emoção o envolvia, sem conseguir precisar exatamente o motivo. Certamente, o nome que lhe fora mencionado lhe trazia uma perturbação inexplicável.

Olhou fixamente para Isadora, como se tentasse lembrar alguma coisa, mas sentia apenas uma sensação indefinível, misto de saudade e dor.

Isadora tentou fazê-lo lembrar apenas o necessário, para que não houvesse um excesso de inquietação por parte do rapaz:

— Calma, Miguel. Ao vê-la, lembrarás. Faz algum tempo que estão separados e é natural que o véu da matéria tolde as tuas recordações...

Prosseguiram em silêncio até se aproximarem de aprazível residência. Rosália entrou primeiro para ver se Elise — Leonor, para nós — já havia chegado, acompanhada por Menmet.

Após certificarem-se de que tudo corria conforme haviam planejado, afastaram-se um pouco e permitiram a entrada de Miguel.

Leonor, também afastada momentaneamente do corpo físico, tocava a um piano antiga melodia romântica.

Ao correrem habilidosamente seus dedos sobre o teclado, sentia sua alma se desdobrar, e seu pensamento viajava por regiões que lhe pareciam distantes, mas familiares, onde via rostos conhecidos.

Dentre estes, um se destacava pela presença constante. Era um jovem alto, tez clara, cabelos fartos e negros.

Emocionada, parou de repente a execução da melodia. Naquele exato momento, Miguel entrou no recinto.

Leonor voltou-se e, ainda com lágrimas nos olhos, reconheceu ser ele o mesmo rapaz que a música evocava.

Surpresa, indagou:

— Por que vieste, Julien? Acaso não sabes que estamos irremediavelmente separados?

Miguel, que outrora era chamado de Julien, entrou no recinto sentindo violento choque ao reconhecer em Leonor sua eterna Elise. A seguir, respondeu:

— Disseram-me que minha presença se fazia necessária... Agora entendo. Ainda não me perdoaste, Elise?

Leonor levantou-se e, afastando-se do piano, disse, com profunda mágoa:

— Por que me deixaste? Sabes que até hoje convivo com uma solidão enlouquecedora, sinto-me abandonada ainda... Desde aquele dia terrível, nunca mais fui feliz!

Miguel baixou o olhar e tornou:

— Se isso te consolar, posso afirmar-te que jamais soube o que venha a ser felicidade... a não ser a teu lado. Desde então, vivo a lamentar meu procedimento...

— Então por que me procuras? Acabou-se, entendeu? Jamais tornaremos a nos encontrar novamente...

Miguel se aproximou e tentou, com tristeza:

— Talvez não, se me perdoares... Poderemos ainda ser felizes...

— Creio que não. Estou prestes a me casar...

Miguel segurou as mãos de Leonor e suplicou:

— Por favor, Elise! Não cometas tal desatino! Sei que teremos uma nova oportunidade juntos, para recompormos o passado... Tenha paciência, nosso encontro está programado para breve... Não te cases precipitadamente!

Leonor riu e afirmou, desafiadora:

— Não! Não me farás sofrer novamente... Não serei tola como antes...

— Peço-te que me perdoes!

Leonor sabia que amava aquele homem. Mas estava determinada a não mudar de idéia. Fora prevenida pelas entidades que a perseguiam, que se faziam passar por suas amigas, que não poderia fraquejar; que seria tentada, mas que se mantivesse firme em seus "justos" propósitos.

Leonor, decidida, resolveu se afastar. Saiu correndo dali como se não pudesse suportar o olhar súplice de Miguel. Precisava ir embora daquele lugar.

Isadora, Rosália e Menmet entreolharam-se, desapontados. Menmet resolveu levar Leonor de volta ao corpo físico, antes que entidades maléficas novamente pudessem envolvê-la.

Possivelmente, tentariam levá-la para regiões inferiores, já que não tiveram acesso ao local em que o encontro se dera.

Isadora e Rosália acompanharam Miguel até sua casa em Paris.

Agora, tudo dependia de Leonor.

* * *

O relógio da fazenda soara três badaladas. O silêncio imperava em todas as dependências, depreendendo-se que todos dormiam.

No quarto de Leonor, podia-se ouvir um som incomum. Era a jovem, que, enquanto dormia, emitia soluços... Talvez chorasse.

Em determinado instante, mexeu-se violentamente na cama e acordou.

Verificou que lágrimas corriam de seus olhos. Inquieta, levantou-se e, aproximando-se de uma pequena mesa diante da janela do seu quarto, encheu um copo com a água depositada em bela jarra de porcelana.

Tomou alguns goles e voltou novamente ao leito.

"O que significa este sonho? Quem é aquele rapaz que por certo já conheço, mas de onde? E por que me chamou de Elise?", pensava.

O coração ainda batia descompassado; entretanto, apesar de sentir-se melhor, alguma coisa ainda a inquietava.

"O que estará acontecendo?"

Na verdade, a consciência de Leonor lhe emitia avisos de que estava prestes a agir em desacordo com os princípios cristãos que dizia abraçar.

Um casamento sem amor, apenas para sua conveniência, estava irrefutavelmente destinado a gerar o sofrimento não apenas dela, mas principalmente de Afonso.

Menmet decidiu que ele e Isadora estariam vigilantes, ao lado da moça, para tentarem dissuadi-la de concretizar aquela união.

22

O casamento de Leonor

Leonor levantara-se cedo e dirigira-se à cozinha. Estava com olheiras, o que não passou despercebido à boa Januária.

A velha escrava, que naquele momento tirava os pães do forno, olhou para Leonor e comentou:

— Acho que um certo casamento *tá* tirando o sono de uma sinhazinha que conheço...

Leonor balançou a cabeça e comentou:

— Não sei o que está acontecendo, Januária. Eu estava decidida, até feliz... Mas de uns dias para cá tenho estado apreensiva, preocupada, como se estivesse fazendo uma coisa errada...

Januária arregalou os olhos e tornou:

— A Sinhá não pode *tê* dúvida na véspera do casório!... Tem que *tê* certeza que ele é o homem da sua vida...

Leonor olhou espantada para a escrava. Sabia que Afonso não era o homem por quem sempre esperara. Disso não tinha dúvidas. Mas não iria esperar por alguém que talvez nem aparecesse...

— Acho que Afonso é galante e um homem experiente. Saberá me fazer feliz...

Januária sentou próximo à jovem e, segurando sua mão, disse-lhe maternalmente:

— Minha querida sinhazinha... Será que não *tá* vendo que isso não é amor? Como *pode fazê* exatamente o que tua madrasta *qué*?

— Ela não tem nada a ver com isso. Afonso já me amava antes de ela falar comigo sobre este assunto...

Januária deu uma risadinha de quem conhece a vida e as pessoas, e declarou:

— Pois muito bem! Se *prefere ouvi* os *conselho* dela, assim seja! Mas não esqueça que a escrava *véia* aqui não concorda com nada do que *tá* acontecendo, viu?... Mas nada mesmo! Depois não vem *chorá*...

Leonor pegou uma maçã de uma fruteira e saiu em direção ao pátio. Tinha ido contar o sonho para Januária, mas achou melhor se calar.

Não podia mais voltar atrás. Empenhara a sua palavra e não achava justo desistir das núpcias.

Logo seria a senhora Afonso Góes Coutinho...

***

Os dias passavam e os preparativos para a cerimônia tomavam conta da fazenda.

Maria Alice não cabia em si de felicidade e andava de um lado para outro, ora dando ordens às escravas ora supervisionando o trabalho delas.

Queria ver a prataria reluzindo, os cristais brilhando, tudo consoante com seu bom gosto.

A perspectiva de prováveis combates que se verificariam entre os "farrapos" — os gaúchos rebeldes — e os imperiais não atingiam de nenhuma forma os planos de Maria Alice.

Aquela que se tornou a mais longa disputa revolucionária em solo brasileiro pouco afetava os moradores da fazenda do Rosário.

Leonor não se envolvia muito com os detalhes da festa, pois estava mais preocupada com a viagem de lua-de-mel. Compraria o seu enxoval na Europa, poderia escolher o que existia de mais luxuoso e belo.

Certamente, imaginava, Afonso não lhe negaria nenhum capricho e teria tudo o que quisesse.

Soube que sua tia Eulália — irmã de sua mãe — viria para a festa; ela que resolvera viver longe da fazenda desde a chegada de Maria Alice.

Fora passar algum tempo em Porto Alegre por ocasião da viagem de José Venâncio, com sua tia Adelaide, mas quando soubera do casamento com Maria Alice reagira de forma inexplicável, dizendo que permaneceria por tempo indeterminado na capital.

Leonor agradecia aos céus aquela providencia, visto que, na verdade, não tinha afeto pela tia. Sabia que ela ajudara em sua criação, mas achava que ela mais parecia uma sombra sem vida, cheia de medos e preconceitos.

Em sua carta, contava que, após grave e insidiosa doença, a tia Adelaide havia finalmente entregue a alma a Deus. Pensava em, talvez, passar um tempo na fazenda, pois ouvira os escravos falarem que os farroupilhas estavam se concentrando na charqueada de Gomes Jardim, no outro lado do rio, e que pretendiam tomar Porto Alegre.

Sem poder negar hospitalidade à cunhada de José Venâncio, Maria Alice, por sua vez, torceu o nariz em um primeiro momento, pois se considerava a dona e senhora absoluta, agora que Leonor estava prestes a se afastar; no entanto, depois pensou: que mal haveria em receber a "velhota", uma vez que precisava mesmo de uma governanta?

Do que Maria Alice não suspeitava era que, apesar das suas rabugices, Eulália era bem mais moça do que imaginava. Na verdade, ainda não chegara aos trinta e cinco anos e, se não fosse por suas vestes escuras e o penteado, que lhe tornavam mais envelhecida, seria ainda uma bela mulher.

A suposta felicidade de Leonor, contudo, ainda estava ameaçada...

Enquanto todos se envolviam com os preparativos para a festa, alguém rondava as cercanias da fazenda. Era o escravo Rufino, que soubera do que estava ocorrendo pela espevitada Teresa.

A jovem escrava sabia o lugar onde ele se escondera, após a fuga; passou a levar-lhe comida e roupas, aproveitando-se dos preparativos do casamento, pois José Venâncio esquecera quase por completo do assunto.

Tomado de intenso ódio, Rufino ansiava poder tomar Leonor novamente em seus braços. Apesar de ter sido escorraçado qual cão imundo, pudera sentir o seu perfume, o toque suave de sua pele e, agora mais do que nunca, resolvera que ela não pertenceria a mais ninguém.

Com os dentes cerrados, Rufino observava ao longe o movimento desusado na casa-grande e cercanias. Acompanhou o passo rápido de Teresa e postou-se à sua frente, quando a escrava se afastava rumo a um dos galpões em busca de mantimentos.

Rufino segurou-a pelo braço e perguntou, agressivo:

— Quando vai *sê* o casamento? *Me diz*, mulher!

Teresa olhou de soslaio para o negro e, soltando-se bruscamente, questionou, irônica:

— O que te interessa, hein? Não vai *podê fazê* nada mesmo...

O escravo, tomado de raiva, segurou novamente o braço de Teresa e balbuciou, entre dentes:

— Não me desafia, *nega* enxerida... Preciso *sabê* dos *detalhe*.

A moça olhou para Rufino e obtemperou:

— *Tá* louco, é? O que tu *pretende fazê*, homem? Vai *arriscá* tua liberdade por essa sinhazinha? Eles vão te *matá*...

— Antes eu mato *eles*! Quero *sabê* o dia e a hora do tal casamento... Eles vão *viajá*?

Teresa olhou em direção a casa e falou, reticente:

— Parece que sim... Vão pra Europa. Vão *vivê* lá... — disse, em tom provocador.

Rufino se afastou, dando um soco na própria mão. A respiração arfante denotava o tumulto de seus sentimentos. Precisava fazer alguma coisa...

Voltou-se e, constrangendo o corpo franzino de Teresa contra o tronco de uma árvore, sussurrou:

— Quando será? *Diz* logo...

Teresa tentou se desvencilhar, mas a força do braço de Rufino a impediu. Olhou fixamente para o escravo e falou, baixinho:

— Dois dias... Daqui a dois dias...

Rufino a soltou, mas, voltando-se novamente para a escrava, pediu:

— Preciso de tua ajuda...

Teresa olhou para Rufino e disse, com orgulho:

— Por que tu *acha* que eu te ajudaria, *nego*? O que vou *ganhá* com isso? — disse a escrava, enciumada.

Rufino sorriu e, aproximando-se da jovem escrava, sussurrou ao seu ouvido:

— Ora, ora, *tá* com ciúme, é? Não te preocupa... Só quero *dá* uma lição na sinhazinha... Ela sempre me *provocô*, já te disse isso... Depois nós *fugimu junto*...

— É só isso?... Não sei... Acho que a branca te *enfeitiçô*...

— Não é isso. Ela me humilha desde que *botô* os *olho* em mim... Acha que é *superiô*... *Me chama* de *nego* insolente e ao mesmo tempo se insinua! Vai *pagá* caro por *brincá* com meus *sentimento*! Finge pra todos que tem asco de mim...

Teresa arregalou os olhos, instigada pelo ciúme, e arrematou:

— Se é assim como tu *diz*, vou te *ajudá*. Pensei que o teu ódio por ela era por causa dos *capricho* e da arrogância... Mas se isso é verdade, que ela te provocava, aí é outra história! Ela há de se *vê* comigo também...

Rufino abriu um largo sorriso, no qual mostrava os seus belos dentes, e respondeu:

— Obrigado, Teresa. Tu não *vai* te *arrependê*! Tem a minha palavra... Depois vou *sê* só teu!

***

Dois dias mais tarde, a fazenda se encontrava em grande festa. Os escravos tinham intensificado os trabalhos e tudo estava perfeitamente arranjado, conforme o desejo de Maria Alice.

Apesar de sua relutância em aceitar que a festa seguisse os costumes da região, isto é, fosse nas dependências da fazenda, Maria Alice acabou cedendo; apenas exigiu que fosse usada a louça mais refinada possível no casamento de seu irmão.

O cardápio não lhe agradou, pois José Venâncio convocou a peonada para assar a carne nos moldes característicos da região — o churrasco.

Pode-se dizer que se perde no tempo a origem dessa tradição, adquirida pelo homem que se afastava de casa para executar a "lida" no campo e, sem poder retornar para casa na hora das refeições, aproveitava a carne em abundância e, com um fogo rústico, improvisado, preparava sua refeição.

A origem aventureira e a coragem emanada de seu espírito livre e sonhador, que não reconhecia fronteiras além das que impunha a si mesmo, forjaram este ser humano peculiar.

Assim, José Venâncio foi taxativo e não aprovou a festa idealizada por Maria Alice.

— Minha filha se casará como todos nesta família. Será a maior festa desta região! — disse, com orgulho.

Assim foi. Alheios à luta que em breve o Rio Grande desencadearia, para defender os direitos que julgava usurpados, o casamento se realizou em uma bela manhã de primavera, na capela da fazenda.

Quando Leonor chegou de carruagem, os convidados e o noivo, aflito, já se encontravam à sua espera.

Usava o vestido que fora de sua mãe. A semelhança entre as duas fez com que José Venâncio não conseguisse disfarçar o seu assombro. Reconhecia a semelhança entre mãe e filha, mas, ao ver Leonor com as vestes de Isadora, era impressionante a identidade entre as duas.

Maria Alice percebeu a emoção do marido e, ao vislumbrar Leonor, desconfiou do que se tratava. Já havia visto alguns retratos de Isadora e sabia que sua enteada herdara os belos traços da mãe.

Afonso não cabia em si de contentamento ao ver os passos da noiva em sua direção. Tivera uma experiência dramática em seu primeiro casamento e agora com Leonor tinha a oportunidade de uma nova chance ao lado de quem amava.

A cerimônia correu sem transtornos. Ao final, os noivos foram cumprimentados na porta da pequena capela.

Seguiram imediatamente para a casa-grande, onde seriam recebidos e a festa iniciaria com muita música e comida.

Ao chegarem, os noivos tiveram uma recepção inesperada. Alguns escravos da fazenda — jovens, velhos e crianças — haviam se reunido e, com a permissão de José Venâncio, tinham preparado um número artístico em homenagem a sua sinhazinha.

Por intermédio da música e da representação teatral, narravam seus sofrimentos e tribulações, falando da sua terra natal e dos laços que se haviam rompido com seu degredo da África.

Falavam de saudades, de dor e de esperanças...

Aprenderam a amar a nova terra e, apesar das privações que a escravidão lhes outorgava, demonstravam que sua capacidade de amar continuava a mesma...

Desejavam felicidade a Leonor e diziam acreditar que seus filhos nasceriam em um mundo onde todos os homens seriam iguais...

A manifestação deixara Leonor perplexa. Jamais poderia imaginar que aquelas pessoas tivessem tanto apreço e carinho por sua pessoa. Ao ouvir o lamento que brotava daqueles corações amordaçados por sua condição, não conseguiu se conter e, sentindo o peito oprimido, começou a chorar. Lamentava profundamente aquela ordem das coisas e não se sentia à altura de tão comovente demonstração de afeto.

Os pobres negros lhe ofereceram ainda muitas flores e se retiraram sob o olhar severo de José Venâncio.

Considerava que haviam exagerado em suas lamúrias e, sabendo que Leonor era muito emotiva, irritou-se ao ver a filha chorando. Falou a Leonardo, que se encontrava a seu lado:

— Vês como são as coisas? Dei-lhes a oportunidade de homenagearem Leonor e já começaram com a choradeira! Leonor não merecia isso justo hoje, no dia do seu casamento!

Leonardo, balançando a cabeça afirmativamente, concordou:

— Tens razão, meu tio. Leonor é muito sensível e deveria ter sido preservada destas lamúrias...

Maria Alice, que ouvira a conversa, desabafou:

— Sabia que isso iria acontecer. Não se pode dar confiança a estes negros...

Enquanto o grupo e os demais convidados comentavam, admirados, o acontecimento, Leonor entrou, indo direto para o seu quarto. Queria retocar o pó-de-arroz e retirar o véu, que lhe atrapalhava os passos. Afonso ficou com os convidados.

Depois de dada a ordem para iniciar a música, poder-se-ia dizer que a fazenda inteira estava em festa.

23

Um acerto de contas

Havia porém alguém que sentia o ódio consumir-lhe as entranhas. Era Rufino, que a tudo assistira de longe e não via a hora de colocar seu plano em ação.

Efetivamente, falara com Teresa e recomendara-lhe fazer um sinal quando tudo estivesse pronto.

A pobre escrava, ludibriada pelo amor que sentia pelo escravo fugitivo, pensava estar ajudando-o a "lavar" sua honra, ferida pelo tratamento que Leonor lhe dispensava.

Na realidade, não desejava ferir a sinhazinha. Apenas queria que Rufino desse uma lição na — segundo o seu ponto de vista — orgulhosa Leonor.

Não compreendia ao certo as demonstrações e o carinho que os outros escravos lhe dedicavam. Achava que eram uns pobres coitados, que se contentavam com as migalhas de atenção que Leonor lhes dispensava.

Assim foi que, após entrar em seus aposentos, Leonor ouviu batidas na porta; distraída, tentando ainda libertar-se do véu, mandou que entrassem.

Ao ver Teresa, sorriu e lhe disse:

— Vieste em boa hora, Teresa. Ajuda-me a tirar este véu que está me atrapalhando... É muito longo e, desse jeito, não poderei andar no meio dos convidados...

Teresa atendeu com presteza e, enquanto auxiliava sua patroa, introduziu o assunto:

— Queria lhe *pedi* um favor, sinhazinha Leonor...

Leonor voltou-se para a escrava com ar interrogativo. Teresa continuou:

— É que eu queria lhe *dá* um presente... Só meu...

— Realmente, não estavas junto aos outros, quando me homenagearam. Do que se trata, Teresa?

A escrava baixou o olhar e afirmou:

— A sinhazinha terá que *vi comigo...*

— *Está bem, Teresa. Mas não posso demorar, porque estão todos me esperando. Vamos ver este presente misterioso...* — disse Leonor curiosa.

Sem que ninguém percebesse, Leonor saiu pela cozinha, seguindo Teresa. Afastaram-se alguns metros e Leonor, com dificuldade para caminhar, se queixou da distância a que se aventuravam. A escrava virou-se e assegurou:

— Não se preocupe, sinhazinha, logo *vamo chegá...*

Leonor prosseguiu e, apesar de começar a se preocupar, pois estavam perto do caramanchão, resolveu se calar. O silêncio reinante permitia que se ouvissem os estalidos da vegetação seca que havia no caminho.

Quando chegaram junto ao caramanchão, Leonor, surpresa, olhou ao redor e perguntou:

— Então, Teresa, qual é o presente que tens para mim?

Naquele exato momento, surgiu à entrada do caramanchão a presença imponente de Rufino.

Leonor deu um passo atrás e olhou, aterrorizada, para Teresa. Quase sem voz, balbuciou:

— O que significa isto? Como pudeste, Teresa? Trouxeste-me aqui para me atormentares com a presença deste escravo?

Teresa sorriu e encerrou sua participação no caso:

— Com licença, sinhazinha Leonor. Preciso *voltá*. Devem *de tá* dando por minha falta. Acho que *ocês* têm um acerto a *fazê*...

Leonor ia correr, mas o vestido a impediu. Foi quando Rufino se aproximou e segurou com força o seu braço. Leonor, ao se ver diante do escravo que tanto abominava, sentiu que perdia as forças. Desmaiou nos braços de Rufino, que a carregou para longe da fazenda, como se levasse uma pluma que se soltara ao vento.

***

Na fazenda, a festa seguia animada, comemorando a grande data.

Passado algum tempo, Afonso começou a achar estranho que Leonor não tivesse retornado. Perguntou a José Venâncio se a tinha visto, mas obteve uma resposta negativa; procurou Maria Alice, mas esta também não a via desde que entrara na casa. Inquieto, resolveu ir aos aposentos da noiva, para pedir que se apressasse, pois os convidados já estranhavam sua ausência.

Intimamente, sentia uma preocupação incomum. Enquanto se dirigia ao quarto de Leonor, pensamentos desencontrados tomavam conta de seu cérebro.

"E se ela se arrependeu e não quer mais ser minha esposa?", pensava. "Talvez tenha feito alguma loucura!... Leonor é muito impulsiva!..."

Perturbado com tais idéias, ao chegar à porta do quarto, seu coração batia descompassado. Precisava ver Leonor o quanto antes, para que pudesse se libertar de tais idéias!

Bateu duas vezes, com força. Como não obteve resposta, resolveu entrar.

Alarmado, viu que não havia ninguém no aposento. Divisou apenas o véu caído no chão, que Teresa retirara de maneira displicente...

Preocupado, Afonso retornou para o local da festa e olhou rapidamente para ver se distinguia o vulto de Leonor. Nada. Leonor havia desaparecido!

Já em vias de desespero, Afonso procurou José Venâncio. Transmitiu sua preocupação pela ausência de Leonor. A princípio, o sogro imaginou que ele se preocupava à toa, pensando que se tratava de um noivo ansioso para ter sua futura mulher a seu lado; mas quando Afonso relatou que Leonor não se encontrava no quarto e que deixara apenas o véu caído, José Venâncio sentiu que algo estava muito errado; olhou com firmeza para Afonso e se dirigiu ao encontro de Antero e Leonardo.

O tio e o primo de Leonor, ao perceber a gravidade da situação, mandaram reunir alguns homens e dar uma busca pela fazenda.

Maria Alice, percebendo que algo de anormal estava acontecendo, procurou saber o que ocorria.

Afonso, pálido, contou que Leonor sumira e que iriam procurá-la pelas redondezas. Ninguém a tinha visto desde que entrara em casa.

Maria Alice tentava concatenar as idéias. "Será que aquela menina caprichosa os tinha enganado todo o tempo, procurando feri-los com um escândalo espetacular?"

Tinha os seus receios quando se tratava de Leonor, mas não podia acreditar naquela hipótese. Observou Afonso e viu que o irmão se encontrava desesperado. Preferiu não partilhar com ele suas desconfianças.

Afonso sofria intensamente. Em um primeiro momento, não conseguia atinar o que poderia ter ocorrido. A única suspeita que a cada minuto crescia em seu coração é a de que Leonor se arrependera e fugira, não suportando a idéia de tornar-se sua mulher.

Enquanto isso, as buscas continuavam, incessantes. Alguns homens haviam saído a cavalo, outros acompanhados por cães. Muitos dos convidados haviam se oferecido para ajudar na busca, pois a festa não tinha mais razão de ser; os escravos iam à frente, pois conheciam bem aqueles caminhos dentro do matagal.

As mulheres mais velhas se benziam e choravam, assombradas com o desaparecimento da noiva; as mais novas sentiam arrepios ao imaginar o que poderia ter acontecido com Leonor.

Houve quem dissesse que aquilo ocorrera pelo fato de Leonor usar o vestido de sua mãe. “Isso é mau agouro; coitada da Isadora, viveu tão pouco... A filha deve ter tido o mesmo destino da mãe...”

“Vai ver que os imperiais a roubaram, aqueles malditos!”, comentou alguém.

Eulália, a irmã de Isadora, dizia a todo momento que era por causa da “portuguesa” que acontecera aquela tragédia toda. Afirmava que sempre soubera que, desde a chegada “dela”, tudo iria mudar, inclusive tinham “acertado” um casamento com o irmão — Afonso — para tomarem conta de tudo...

— Pobre Leonor! — exclamava.

As bodas haviam se transformado em um grande pesadelo para todos.

D. Francisca e Lúcia, afastadas dos apontamentos menos benevolentes, oravam, pedindo a Deus pela vida de Leonor.

Suas preces se uniam às de Isadora e D. Rosália, para que a misericórdia divina intercedesse em favor da desventurada noiva.

Precisavam, antes de qualquer coisa, ganhar tempo, para que pudessem apelar aos bons sentimentos de Rufino, a fim de que o pior fosse evitado.

Apesar da mágoa com Leonor, oriunda do passado, que o escravo trazia e que o comportamento da moça só fizera piorar, os dois espíritos acreditavam que o amor desprezado do rapaz poderia levá-lo a perdoar nossa amiga.

Havia bons sentimentos em seu íntimo, que deveriam despertar.

* * *

Anoitecera e não haviam encontrado nenhuma pista sobre o paradeiro de Leonor.

O desespero tomava conta de todos os corações, principalmente dos familiares da noiva e de Afonso, que continuava sem entender o que poderia ter acontecido.

José Venâncio andava de um lado para o outro, como uma fera enjaulada. Tinha certeza que algo muito sério deveria ter acontecido à filha e, a cada pensamento que lhe sobrevinha, de que ela pudesse estar sendo maltratada, sentia o ódio dominar-lhe por completo os sentidos.

Envolvido com a idéia de um combate próximo com o governo imperial, pensava se aquilo tudo não teria alguma coisa a ver com a revolução.

"Teriam os imperiais descoberto que participaria ao lado do seu comandante, Bento Gonçalves, naquela luta?", perguntava-se.

Maria Alice jamais vira o marido naquele estado. Temia se aproximar, provocando-o ainda mais. Pediu a Januária que levasse mate e café, e aguardasse as ordens do patrão.

Enquanto isso, foi procurar pelo irmão. Encontrou-o sozinho, encostado junto à porta principal da fazenda.

O semblante macerado denunciava o tormento moral pelo qual Afonso passava naquele momento. Maria Alice se aproximou e, colocando a mão em seu ombro, aconselhou:

— Tens que ter calma, meu irmão. Haveremos de encontrá-la...

Afonso se voltou e exclamou, com a voz embargada pela emoção:

— O que pode ter acontecido? Acreditas que ela possa... — Maria Alice o interrompeu:

— ... ter fugido? Cheguei a pensar nisso, mas realmente não acredito nessa hipótese. Leonor não faria uma loucura dessas, apesar de ser muito instável. Estou a pensar que tua noiva foi levada daqui por algum motivo...

— Mas por qual motivo? Quem poderia cometer tal desatino?

— Não sei, Afonso. Preciso pensar, colocar as minhas idéias em ordem. Confia em mim e acredita que quem fez isso pagará muito caro...

A algumas léguas dali, Rufino observava, angustiado, o corpo de Leonor, que jazia inerte sobre um monte de feno.

A moça perdera os sentidos quando ele se aproximara para carregá-la até o velho galpão e não mais despertara desde então.

As horas passavam e, por mais que tentasse fazê-la voltar a si, não lograva êxito. Parecia que Leonor evitava a todo o custo retornar à vida e enfrentar a triste situação em que se encontrava.

Rufino, por fim, lembrou-se que sobrara um pouco do vinho que Teresa lhe trouxera. Pegou a botija, uma pequena vasilha de barro, destampou-a e aproximou-a dos pálidos lábios de Leonor. Conseguiu fazê-la engolir alguns goles e logo a bebida agiu sobre o sistema nervoso da moça, trazendo-a de volta à realidade.

Aos poucos, Leonor foi despertando. Olhou ao redor, sem reconhecer o local onde se encontrava. Sentou-se bruscamente, mas sentiu uma dor na cabeça muito forte. Colocou as mãos sobre a fronte e verificou que tinha febre.

Vislumbrou a alguma distância um vulto. Assustada, encolheu-se a um canto do paiol e percebeu que se tratava de Rufino.

Evitando demonstrar o pavor que o escravo lhe inspirava, Leonor perguntou:

— Por que me trouxeste aqui? O que queres?

Rufino sorriu e lhe respondeu:

— *Tá* com medo, sinhazinha? Agora, não tem ninguém pra *lhe defendê*...

Leonor, apavorada, procurou conversar. Sabia que qualquer que fosse a intenção do seu raptor, deveria ganhar tempo. Certamente seu pai já devia estar a caminho.

— O que desejas de mim? Sabes que logo os peões de meu pai estarão aqui...

— Não *vamo ficá* aqui... Eu vou *levá* a sinhazinha *imbora*...

Leonor percebeu que o escravo falava sério e resolveu argumentar:

— De que isso adiantará? Não poderá dar nenhum passo sem despertar suspeitas... Como me levará daqui?

— *Vô dá* um jeito... Agora que a sinhazinha *tá* comigo, posso *fazê* o que eu *quisé*... Até *sê* escravo *forro*...

Uma esperança surgiu no olhar de Leonor:

— Queres a tua alforria, não é mesmo? Por que não negocias com meu pai? Poderias fazer uma troca...

— E *deixá* a sinhazinha *pro* português? Acho que a moça ainda não entendeu...

Naquele instante, Rufino caminhou em direção a Leonor. Ela se encolheu, tentando evitar seu contato. O escravo, tomado pela dor que o desprezo de Leonor lhe provocava, segurou seu rosto e perguntou:

— Por que tem nojo de mim? *Sô* escravo porque meus pais foram *robado* de suas *terra*... Nasci aqui e, se não fosse esquecido de Deus, seria um homem livre...

Pela primeira vez, Leonor olhou para Rufino de uma forma diferente... Um misto de piedade e compaixão começou a aflorar em seu íntimo.

Realmente, sentia absoluta repugnância por aquele homem, mas não podia negar que ele agora lhe parecia mais humano do que ela imaginara. A suposta arrogância e o atrevimento que ela sempre sentira em seus olhos eram, na verdade, uma resposta ao desprezo que ela, por sua vez, sempre lhe votara.

Apesar disso, não se conteve. Empurrou Rufino sem disfarçar a aversão e a repugnância que o contato de sua mão lhe causava.

O escravo, enfurecido pelo desprezo de que se via objeto, tomou novamente Leonor em seus braços e tentou beijá-la. Ela se esquivou, empurrando-o e ferindo-o com as unhas. Rufino, então, completamente descontrolado, atingiu o rosto da jovem com violenta bofetada.

Leonor caiu no chão... Não conseguia mais controlar o pranto. Jamais sofrera tamanha violência em sua vida. Ao perceber que aquela situação era praticamente irreversível, deu vazão ao seu profundo desespero.

Lembrou-se de Afonso. Como estaria o noivo àquelas horas? O que estaria pensando? Talvez jamais o reencontrasse...

À medida que tais pensamentos lhe vinham à mente, perdia totalmente as esperanças.

Como iriam encontrá-la naquele lugar que nem ela mesma conhecia?

Com o rosto dolorido, marcado pela violência de Rufino, resolveu orar.

Era a única coisa que lhe restava fazer.

***

No mundo espiritual, Menmet, Isadora e Rosália movimentavam-se, procurando fazer tudo ao seu alcance para modificar o rumo lamentável que tomavam os acontecimentos.

A escolha de Leonor alterara alguns caminhos que ela deveria percorrer naquela encarnação. Fora fruto do seu livre-arbítrio, é verdade, mas as conseqüências de seus atos e escolhas poderiam vir a influenciar a programação de vida de outros espíritos próximos a ela.

Contudo, Leonor não ficara à mercê da própria sorte, pois os amigos desvelados da espiritualidade buscavam uma maneira de auxiliá-la.

Percebendo uma brecha no coração de Rufino, que o amor pela jovem abrira, procuraram, nossos amigos, intuir Leonor a orar.

A prece de Leonor rogando auxílio, unida às preces de D. Francisca e Lúcia, envolviam suavemente o escravo, que as recebia como fluidos calmantes, convidando-o ao repouso.

Ao dormir naquela noite, tão logo se havia desprendido do corpo físico, Rufino teve uma grande e inesperada surpresa. Viu diante dele sua própria mãe, desencarnada na senzala, quando ele ainda era criança.

Emocionado, o escravo se ajoelhou diante da figura materna e, em lágrimas, tentou beijar-lhe a mão que ela lhe estendia.

Sorrindo, Narcisa lhe falou:

— Filho querido, o que estás fazendo? Não te reconheço, meu pequeno... Onde está o guri bom que eu coloquei no mundo? Por acaso te tornaste um homem cruel, desprovido de sentimentos, insensível às dores alheias?

Rufino, envergonhado, respondeu, lamurioso:

— Minha mãe! Quanta saudade! Sei que fiz uma loucura, mas eu amo essa moça... E ela me despreza porque sou escravo...

— O que esperavas? Deverias saber que a escravidão é uma condição temporária, e que nesta encarnação tu não te poderás aproximar de Leonor... Também não pude eu permanecer com teu pai, filho. Não somos donos do destino daqueles que amamos. Eles têm o direito de fazer suas próprias escolhas...

Exasperado, Rufino tornou:

— Mas eu amo *ela*! Quero *ela* pra mim...

Narcisa passou a mão sobre a cabeça do filho e continuou:

— Agora não poderás lembrar, mas este amor te é negado por tua própria culpa... Também desprezaste outro coração, que ainda chama por ti, meu filho. Já maltrataste muito essa moça e é por isso que ela te abomina! Agora, Leonor deverá seguir seu próprio caminho, que deverá ser de grandes lutas e dificuldades...

— Como posso deixar *ela* ir e *vivê* com outro homem? Não suporto essa idéia!

— Confia e faça com que ela retorne ao lar. É a coisa mais sensata que poderás fazer... Deixa Leonor viver a vida que escolheu. Mas não demores! Senão poderá ser tarde demais... Para ambos!

Inconformado, Rufino retornou ao corpo físico. Era madrugada e o jovem escravo acordou com a lembrança do sonho que tivera. Sabia que aquilo era um aviso.

Caminhou até o local onde Leonor se encontrava e novamente observou os traços delicados da moça, que dormia.

Sempre a amara! Adorava aqueles cabelos sedosos e aquela pele clara, como ele nunca tinha visto antes. Como deixá-la?

Não poderia. Partiria imediatamente, levando-a consigo.

Definitivamente, não teria forças para fazer o que a mãe lhe pedira.

24

Um desfecho infeliz

Sem perder mais tempo, Rufino se aproximou de Leonor, tocando em seu braço levemente para que acordasse.

A moça abriu os olhos e, tão logo avistou o escravo, colocou as mãos sobre o rosto, evitando dessa forma fitá-lo.

Rufino falou, enérgico:

— *Precisamo* ir embora. Logo os *peão* do teu pai vão *chegá*... As *tropa* do *imperadô tão* rondando as *estância*...

Leonor se levantou e, sentindo leve tontura, procurou se agarrar em um banco que havia no galpão.

Rufino, ao ver o estado da moça, franziu o cenho. Ela não comera nada desde o dia anterior e por certo isso iria atrapalhar na fuga.

Resolveu colher algumas frutas das vizinhanças enquanto seguiam adiante. Aproveitou a passagem próxima ao rio para encher uma botija de água. Leonor caminhava com dificuldade, procurando acompanhar o passo de Rufino; evitava olhar para o seu raptor, pois não queria despertar nenhum sentimento hostil no escravo.

Após andarem um quarto de légua, Leonor resolveu perguntar:

— Onde pretendes me levar? Sabes que não irás longe... Jamais poderás explicar a minha presença com estes trajes, junto a um escravo...

Rufino respondeu com aspereza:

— Fica quieta. Não quero conversa.

Leonor achou melhor se calar. Teria que aguardar os acontecimentos.

Enquanto caminhavam, a lembrança do sonho trazia à mente de Rufino as palavras de sua mãe: "... Deixa Leonor viver a vida que escolheu. Mas não demores! Senão poderá ser tarde demais... Para ambos!".

Rufino, apesar de saber que se tratava de um aviso, não podia entender por que a mãe dissera "para ambos". Sabia que ele seria perseguido e talvez até tentassem matá-lo, mas por que Leonor também estaria em perigo?

Não tinha a intenção de maltratá-la; desejava dobrar o seu orgulho, mostrar-lhe que, apesar do seu desprezo, sempre a amara.

Não tinha outra forma de fazê-lo. Ela nunca admitira sua presença e, quanto mais ela se colocava fora do seu alcance, mais ele sentia o desejo de se aproximar.

Com o dia do casamento chegando, a idéia de raptá-la foi se fortalecendo em sua mente. Não poderia suportar nem sequer o pensamento de que ela pertenceria a outro.

Esqueceu a sua condição de escravo e ludibriou Teresa, afirmando que apenas pregaria uma peça em Leonor e depois os dois fugiriam. "A estas horas a Teresa já deve *tá* desconfiando... Tenho que me *apressá*."

Realmente, após as buscas infrutíferas da noite, Teresa começava a exibir um comportamento estranho.

Afonso, José Venâncio, Leonardo e Antero haviam passado a noite em claro; Maria Alice e Eulália, pouco antes do amanhecer, se recolheram para descansar um pouco.

Januária também havia passado a noite sem dormir, junto com Teresa, não deixando faltar café e chimarrão para os homens.

D. Francisca e Lúcia tinham retornado para casa, deixando um menino escravo de prontidão, à espera de qualquer novidade.

A inquietude de Teresa deixou Januária intrigada. A certa altura, desconfiando de que havia algo errado, a velha escrava perguntou:

— Que bicho te mordeu, guria? Onde *tá* com a cabeça? Quase *derramõ* todo o café que acabei de coar...

Teresa olhou assustada para Januária e questionou:

— Tu *acha* que aconteceu alguma coisa ruim com a sinhazinha?

Januária parou, pensativa, e passando as mãos nos braços, exclamou:

— Sei não. Tive um calafrio... Acho que vem tempestade por aí...

Teresa arregalou os olhos e reclamou:

— Pára com isso, tia! Tenho medo... Tomara que ela volte logo, senão...

Januária a interrompeu:

— ... senão o quê? O que é que vai *acontecê*, guria? *Tô* achando que tu *sabe* alguma coisa...

Nervosa, Teresa deixou cair a vasilha que tinha nas mãos. Evitando olhar para Januária, afirmou, atrevida:

— *Bobagera*! Pára de *inventá* coisa, tia. Tu já *tá* muito velha e fica imaginando coisa...

A escrava olhou fixamente para Teresa. Novamente, sentiu um arrepio percorrer-lhe a espinha. Largou o pano que trazia nas mãos e exigiu:

— Pois tu vai é me *contá* tudinho, viu? O que aconteceu depois do casamento? Tu *sumiu,* vivente!

— Não sei de nada, tia Januária! Tu *deve tá* louca...

— Onde tu *andava* depois do casamento?

Teresa desviou novamente o olhar e inventou uma desculpa, enquanto brincava com umas batatas sobre a mesa:

— Vim *ajudá* a sinhazinha a se *arrumá*. Vi quando ela entrou e vim atrás dela...

— E daí? *Vamo*, fala guria!

— Quando eu entrei, ela já tinha saído...

— Jura por Santa Bárbara?

— Claro que sim. Juro...

Januária fingiu que acreditou. Iria descobrir de um outro jeito.

Na hora do almoço, Maria Alice conseguiu que o marido comesse alguma coisa. Afonso se negava a se alimentar, preocupando a todos.

Após a refeição, Teresa cumpriu com seus afazeres na cozinha e saiu às escondidas. Nem precisou investigar muito, pois, tão logo a escrava se afastou, um guri, filho de outra escrava, veio falar com Januária:

— Vó Januária, tenho uma coisa pra contar...

A escrava se voltou e perguntou, aflita:

— O que é que tu *descobriu*?

— A Teresa saiu lá *pros lado* do rio... Levava uma trouxa de roupas... Quase me viu, *tava* desconfiada!

Januária respirou fundo e, dando uma rapadura para o menino, mandou-o para fora. O pequeno saiu feliz, enquanto a escrava foi rápido para o aposento onde dormia.

Fez uma oração e pediu auxílio aos seus protetores. A seguir, disse algumas palavras e permaneceu quieta por alguns instantes.

Com o espírito parcialmente liberto, Januária se dirigiu rapidamente para o local onde Leonor se encontrava.

Ao avistar Rufino, compreendeu tudo.

Retornou imediatamente e, ao despertar do estado de desdobramento em que se encontrava, teve consciência do perigo que Leonor corria.

Precisava ir atrás de Teresa o quanto antes...

* * *

Teresa se havia dirigido para o local onde costumava se encontrar com Rufino. Haviam combinado que fugiriam juntos e ela só não tinha acompanhado Rufino na véspera para não despertar suspeitas sobre o escravo.

Começava a desconfiar de que ele a enganara. Dissera-lhe que o aguardasse no local combinado, para empreenderem a fuga tão almejada.

"Rufino não há de me *faltá*! Deve *chegá* daqui a pouco!", pensava a escrava, tentando convencer a si mesma de que não participara de uma armação na qual seria deixada de lado.

O tempo, no entanto, continuava a correr, e as horas, impiedosas, passavam céleres. Teresa olhou ao redor e se deu conta de que a tarde caía. Os pássaros se reuniam em revoada, rumo aos ninhos, e a natureza dava sinais de que dentro em breve seria noite.

Finalmente reconhecendo que fora apenas um instrumento nas mãos de Rufino, que ele a usara para raptar Leonor, Teresa desatou a chorar. Sentia raiva, ódio de si mesma, por se deixar envolver pelo escravo.

Amara-o desde o primeiro momento em que o vira. Adorava vê-lo de cabeça erguida, orgulhoso, sem ceder aos caprichos de Leonor.

Segundo ele lhe contara, as atitudes de Leonor, de desprezo, nada mais eram do que provocações para que ele a notasse.

Desesperada pelo ciúme, ela aceitara ajudá-lo, sem perceber que estava simplesmente entregando Leonor nos braços de Rufino, para que ele a deixasse e fugisse sozinho com ela. Leve ponta de remorso surgia em sua mente. O que faria agora? Como voltar para a casa-grande, uma vez que levara todas as suas roupas na esperança de não mais retornar? Ademais, notara o sofrimento de todos na casa, pelo desaparecimento de Leonor. Como explicar que fizera parte da armadilha, que entregara a sinhazinha ao seu algoz?

Tomada de angústia, não conseguia parar de chorar. As primeiras estrelas surgiam no céu quando ouviu uma voz conhecida. Era Januária, que fora a sua procura, pois tinha um pressentimento de que a sobrinha teria a chave do mistério do desaparecimento de Leonor.

Ao ver a jovem escrava encolhida em um canto do caramanchão, Januária teve certeza que, para tristeza do seu coração, nela encontraria as respostas à tragédia que se abatera sobre aquela fazenda. Sabia também que isso era apenas o começo... Ainda viveriam dias piores.

Aproximou-se de Teresa e, de chofre, perguntou:

— Vai *me contá* tudo ou *vô tê* que *chamá* seu Zé Venâncio?

Teresa, sabendo o que lhe poderia acontecer, disse, chorando, aos gritos:

— Ele mentiu pra mim, tia! Ele disse que vinha me *buscá*...

Januária interrogou, firme:

— Quem *ti* prometeu isso? Quem raptou a sinhazinha Leonor?

Teresa baixou o olhar e, com o corpo tremendo, respondeu:

— O Rufino! Disse que a sinhazinha provocava *ele* e que queria *dá* uma lição nela...

Januária colocou as mãos sobre o peito. Seu velho coração pulava descontrolado ao confirmar o que acontecera a Leonor. Pobre menina! Como deveria estar sofrendo!

A seguir, se aprumou e interpelou Teresa:

— O que tu *foi fazê*, guria? Este *nego* te usou, infeliz! Como tu *pôde acreditá* que a sinhazinha ia *querê* alguma coisa *cum* ele? Não sabia que ela amava o primo, sinhozinho Leonardo?

Naquele momento, Teresa viu com clareza a trama criada por Rufino. Seduzira-a e, aproveitando-se da inveja que ela sentia de Leonor, usara-a, inventando o suposto interesse da moça por ele. Sabia que ela não admitiria perdê-lo e o ajudaria na consecução do seu plano.

Finalmente, dando-se por vencida, contou tudo a Januária. Com lágrimas nos olhos, a velha escrava voltou-se para a sobrinha e lamentou:

— Pobre coitada! Lamento o teu destino, minha filha! Não vou *podê fazê* nada por ti... Se tu *qué fugi*, vai! Mas eles vão te *encontrá*... Ah, que vão, vão...

— Posso me *escondê* e *andá* de noite...

— Não vai *adiantá* é nada, ouviu?... Tão logo o sinhô José Venâncio fique sabendo, vai atrás de ti e te pega... Não só ele, como todos os *fazendeiro* da região...

— Deixa *eu tentá*, tia! Não quero *ficá* nos *ferro*, sem pão e água... Prefiro *morrê* lutando pra *sê* livre...

Januária olhou para aquele rosto juvenil à sua frente e percebeu que não poderia impedir a jovem escrava de tentar sua liberdade. Dezenas dos de sua raça morriam nas senzalas, muitas vezes por algumas migalhas de pão para os próprios filhos ou vítimas de algum capricho menos digno de seus senhores. Sabia que o castigo que José Venâncio lhe atribuiria seria exemplar.

Beijou a testa da escrava, concedendo-lhe o perdão pela atitude que tomara. Tinha certeza de que jamais a veria.

A seguir, rumou em direção à casa-grande. Teria que contar tudo ao patrão. Provavelmente ele a puniria também, pois, apesar dos anos que lhe servira, fora por sua causa que Teresa viera para a fazenda.

Estava, contudo, resignada. Aceitaria o castigo que fosse necessário, queria apenas que encontrassem Leonor.

O coração descompassava, enquanto Januária caminhava com dificuldade. A noite caíra e o caminho estava escuro e atemorizante. Ela, entretanto, nada temia. Já vivera muito e tinha a convicção absoluta de que a maldade do coração humano era muito superior a qualquer coisa naquele mundo de Deus.

Sabia que partiria mais dia menos dia para uma das moradas do Pai. Antes, porém, precisava encontrar sua filha do coração.

Pediria perdão à sinhazinha Leonor...

25

Leonor em perigo

Ao chegar à fazenda, Januária encontrou o que já esperava: Maria Alice estava furiosa por sua ausência prolongada e pelo sumiço de Teresa. Chamara outra escrava, Das Dores, para aprontar o jantar.

José Venâncio deveria chegar com os outros homens a qualquer momento, com notícias de Leonor. Estariam, por certo, com fome, pois haviam passado o dia fora.

A fazenda vivia dias de muito alvoroço, já que José Venâncio oferecera um prêmio para quem desse alguma notícia da moça. Assim, de todos os lados chegavam informações, muitas vezes falsas ou descabidas, sobre o paradeiro da "noiva raptada".

Pouco ou nada se importava, agora, com o futuro de sua terra. Só tinha um pensamento em mente: encontrar Leonor.

Nervosa, Januária resolveu aguardar a chegada do patrão. Falaria pessoalmente com ele sobre a conversa que tivera com Teresa. Dera uma desculpa sobre o desaparecimento da escrava para Maria Alice, mas não mentiria para o sinhô José Venâncio.

As horas passavam e José Venâncio não chegava. Januária estava angustiada, pois sabia que cada minuto perdido poderia significar o desaparecimento definitivo de Leonor.

O relógio já dera nove badaladas e a própria Maria Alice já dava sinais de preocupação. Desejava que aquela história acabasse logo, que descobrissem o paradeiro de Leonor, viva ou morta, para receber novamente as atenções do marido, que praticamente a esquecera.

Em seguida, ouviram o tropel dos cavalos se aproximando da fazenda. Maria Alice correu à porta principal para ver que notícias traziam.

José Venâncio desceu de sua montaria e, com expressão cansada, entrou em casa sem percebê-la. A jovem mulher segurou-o pelo braço, tentando despertar sua atenção. José Venâncio olhou-a e, dando um suspiro de desânimo, abraçou-a maquinalmente.

Leonardo, Antero e Afonso seguiram seus passos; logo todos se reuniam na grande sala. Tentavam concatenar as idéias. Não podiam entender o que acontecera. Tinham vasculhado quase toda a região, em todos os lugares possíveis, e nada haviam encontrado. Leonor sumira sem deixar rastros!

Maria Alice mandou uma escrava avisar na cozinha que o jantar já podia ser servido. Quando estavam todos se aproximando da mesa, Januária entrou na sala. Para surpresa geral, não trazia os pratos para a refeição. Maria Alice, irritada, bradou:

— Mas o que significa isso? Onde está o jantar? Como te atreves... — naquele exato momento, Januária se aproximou de José Venâncio e introduziu o assunto:

— Sinhô Zé Venâncio, tenho uma coisa pra lhe *contá*... Posso *falá* com o sinhô agora?

José Venâncio, exausto e abatido, não se encontrava disposto a chalrar com uma escrava... Ia sentando à mesa quando Januária, de forma atrevida, arriscou:

— É sobre a sinhazinha *Leonô*...

Imediatamente, o olhar de José Venâncio se fixou na escrava. Levantou-se e, caminhando em direção a ela, interpelou-a, imperativo:

— O que sabes sobre minha filha? Fala, vivente!

Procurando conter as lágrimas, Januária começou:

— Perdão, sinhozinho...

Leonardo se aproximou de Januária e falou com mais serenidade:

— Fale tudo o que sabes, Januária. Não temas...

— Fala, mulher, ou terás que te ver com umas chicotadas — acrescentou Maria Alice.

Januária respirou fundo e começou:

— A *véia* Januária não fez por mal... Só queria uma ajuda na cozinha... Por isso eu trouxe a Teresa... — disse Januária, trêmula.

Todos tinham o olhar fixo na escrava. Ela prosseguiu:

— A *neguinha* parecia boa... É minha sobrinha... Achei que ia *ficá* bem aqui comigo... Não vi que ela *tava* se engraçando com um escravo...

— Fale logo, mulher — gritou José Venâncio.

— *Bão*, acontece que o Rufino sempre amou a sinhazinha... Vi *ele* muitas vezes espionando a pobrezinha... Eu mandava ele *andá*, ir embora...

Todos se entreolharam, preocupados. José Venâncio indagou:

— O que esse escravo maldito tem a ver com minha filha? Há muito ele está desaparecido...

Januária seguiu:

— Ele *tava* por perto... Teresa levava comida pra ele numa maloca a umas duas léguas daqui... Seduziu a menina e prometeu *fugi* com ela se... — Januária interrompeu a revelação. Seu velho coração disparara.

Afonso lhe ofereceu um copo d'água. Januária agradeceu e foi adiante:

— *Enganô* a menina e pediu que a tonta contasse tudo o que acontecia na fazenda, queria *sabê* da sinhazinha... Quando *ficô* sabendo do casamento, quis *sabê* da data e... — balbuciou a escrava, com dificuldade.

José Venâncio já ajeitava o revólver na cintura. Sabia o que Januária iria dizer.

— No dia do casamento, ele pediu pra Teresa *levá* a sinhazinha até o galpão... Disse que tinha uma surpresa pra ela... — prosseguiu Januária.

José Venâncio deu um murro na mesa: como não havia pensado em Rufino?

A aversão que Leonor sentia pelo escravo, as queixas constantes do mau comportamento do negro, suas investidas contra ela... Tudo estava muito claro. Mas onde estaria Leonor agora? O que aquele negro ordinário lhe teria feito?

O suor escorria-lhe pelo rosto ao pensar no que Leonor poderia estar passando. Mataria o negro, sem dúvida, mas isso não evitaria um mal maior, que — Deus o livrasse de tal desgraça! — talvez até já tivesse ocorrido...

Afonso estava completamente arrasado. Saber que sua noiva fora raptada no dia do casamento por um escravo imundo! A raiva e o desespero tomavam conta do seu coração.

Desejava matar Rufino pessoalmente. Arrependia-se de ter duvidado de Leonor, chegando a imaginar que ela fugira propositadamente...

Com a voz alterada pela emoção, José Venâncio perguntou à velha escrava:

— Como soubeste disso, Januária?

— A Teresa me *contô*. Rufino disse que *despois* do susto na sinhazinha ela ia *fugi* junto com ele...

— Para onde este escravo maldito pode ter levado Leonor? — perguntou Leonardo.

— Eles foram pros lados do rio. A sinhazinha deve *tá* sofrendo, ela detesta o rio...

José Venâncio chamou um dos capatazes e deu ordem para vasculhar a região de ponta a ponta, principalmente nas proximidades do rio.

Haveriam de descobrir o paradeiro de Leonor. Antes de sair, voltou-se para Januária e ordenou:

— Quero a Teresa aqui quando eu voltar.

Januária estremeceu. Sabia o que aquilo significava.

Maria Alice ouvira, completamente pálida, o relato de Januária. "Era só o que faltava! Este negro infeliz voltar não sei da onde logo agora!", pensava, preocupada. "Se ele contar que fui eu quem o mandou atrás de Leonor naquele dia, na charrete, estarei perdida!"

Em poucos minutos a casa estava vazia. Os homens haviam saído, os escravos já se encontravam na senzala e apenas Maria Alice permanecia na sala, ela e seus temores.

Constatava — não sem grande irritação — que a alma daquela casa era, e sempre seria, Leonor.

***

O galope dos cavalos revelava que o grupo se havia afastado, embrenhando-se noite adentro. A empreitada não seria fácil, pois a extensão de terras a ser vasculhada era muito grande; por isso José Venâncio mandara chamar outros fazendeiros da região, seus amigos, que por sua vez trouxeram mais alguns homens para auxiliarem na busca.

A idéia era formarem grupos, que, armados de espingardas e lampiões, procurariam palmo a palmo, em cada pedaço de terra da província.

Muitos homens já se haviam juntado ao comandante Bento Gonçalves e a insegurança deixava todos sobressaltados, principalmente as mulheres.

José Venâncio não acreditava que Rufino tivesse ido muito longe com Leonor, pois seria praticamente impossível um negro acompanhar uma mulher branca sem despertar suspeitas.

Com efeito, Rufino esperava o anoitecer para seguir sua marcha. Desejava chegar até o quilombo de Mostardas.

A jornada se tornara extremamente penosa para Leonor, que, alimentando-se precariamente, já não encontrava forças para prosseguir.

Perdida no tempo, não conseguia concatenar as idéias. Lembrava-se de sua festa de casamento e que Teresa lhe havia falado em um presente especial, mas isso lhe parecia ter ocorrido havia tanto tempo...

Tinha chorado muito no início, mas agora sentia-se estranha, como se sua dor houvesse transbordado e tivesse tornado o seu coração árido como um deserto. Parecia amortecida.

O certo é que o trauma sofrido em decorrência dos últimos acontecimentos deixara seqüelas tanto no psiquismo quanto no corpo físico de Leonor.

Possuidora de um corpo frágil e de uma estrutura psíquica ainda mais delicada, Leonor tornava-se vítima de um processo maligno, que iniciava o seu curso insidiosamente.

A extrema debilidade e o retorno da febre fizeram com que Rufino mudasse seus planos.

Leonor não suportaria uma viagem até Mostardas; teria que se abrigar no quilombo de Manoel Padeiro, ali perto de Pelotas mesmo.

Ao perceber o estado febril de Leonor, tomado de compaixão, Rufino ofereceu-lhe o seu manto para que se cobrisse. Ao gesto do escravo, Leonor respondeu, altiva:

— Jamais me cobrirei com teus trapos!

Rufino mordeu o lábio, procurando conter a indignação. Resolveu, contudo, esperar, pois sabia que o tempo abateria o orgulho da moça.

Descansariam por algumas horas e buscariam abrigo no conhecido quilombo.

Se conseguissem chegar até lá — acreditava Rufino — estariam salvos.

Junto a seu povo, faria Leonor esquecer sua vida anterior.

No coração sofrido de Rufino surgiu um misto de esperança e felicidade que ele jamais sentira antes; da vida, apenas conhecera a amargura e a injustiça da escravidão.

Não tivera um lar, família, irmãos... Apenas se lembrava da mãe, de quem fora afastado ainda menino. Criado sob a rigidez de uma sociedade escravocrata, apenas trabalhara desde a primeira infância.

Apesar de tudo, nunca aceitara sua condição. Lutara com todas as forças para que os grilhões que lhe prendiam o corpo não constrangessem também sua alma.

Retomando laivos do comportamento de outras vidas, em que também havia sido senhor, mantivera a altivez e o amor-próprio que Leonor tanto detestava.

Na verdade, o despeito que ela manifestava se dava por haver reconhecido em Rufino o esposo cruel que detestava; no passado, Miguel, o homem que amava, não comparecera no momento da fuga, deixando-a à mercê da ira do marido traído.

Aguardara Miguel em vão junto à barca que escondera próximo ao castelo, mas, em vez dele, viu seu marido — hoje Rufino — chegar junto com os cães.

Havia sido traída por aquela que considerava sua amiga, Maria Alice, e por vingança acabara sendo a causadora de sua morte.

O tempo passara e o desencarne os havia surpreendido envoltos em grande desarmonia. Após a intervenção carinhosa de mentores amigos, retornaram, mas em condições bem diferentes.

No entrechoque de paixões e ódios vieram a se reencontrar no cenário que conhecemos.

O sentimento havia permanecido no coração de Rufino, que se dividia entre o amor e o ódio, sem saber por quê.

Rufino enfrentaria grandes lutas contra o orgulho e o desprezo de Leonor; ela, por sua vez, precisava atender a graves compromissos na esfera da renúncia.

Duas almas que traziam dois destinos absolutamente diferentes, unidas por laços de amor e ódio. Quem venceria a luta desses corações?

26

O quilombo de Manuel Padeiro

Poucos anos após o descobrimento da Pátria do Cruzeiro, aportou a raça negra em solo brasileiro. Vinham, nossos irmãos, vítimas de uma das práticas mais abomináveis da humanidade: o comércio escravagista, que mancharia para sempre a história do planeta.

Ao contrário do que se imagina, existiam muitas disputas entre tribos no território africano. As riquezas naturais e a beleza agreste daquela região receberam em seu seio espíritos destemidos e orgulhosos, que, na defesa de suas tradições e descendência, envolviam-se constantemente em disputas acirradas.

Por estranho que possa parecer, mesmo entre as tribos locais havia a prática da escravidão. Quando eram aprisionados homens e mulheres em idade produtiva, como despojos de guerra, eram escravizados, sem hesitação, pela tribo vencedora, por serem considerados inferiores por sua própria raça.

A expansão da prática escravagista pelo mundo foi uma questão de tempo. No Brasil, nossos irmãos africanos chegavam em condições lamentáveis, em navios fétidos, após jornadas de trinta e cinco a quarenta dias de fome, sede e maus-tratos.

Muitos morriam durante o percurso, pois a eclosão de doenças infecciosas era fato corriqueiro nas embarcações; as péssimas condições de higiene, a aglomeração em porões insalubres, onde não lhes era permitido nem mesmo a satisfação de suas necessidades básicas, podem dar uma idéia sobre o estado em que os navios negreiros chegavam à costa brasileira.

Eram levados para diversos portos, entre eles Salvador, Rio de Janeiro e Pernambuco; no Rio, eram transportados ao mercado da rua do Valongo*, aonde chegavam exaustos, famintos, doentes.

Muitos se felicitavam por estarem vivos; outros fechavam-se em si mesmos, revoltados, tomados de ódio contra o que o destino lhes reservara.

Mal sabiam nossos irmãos o que ainda os esperava...

Após serem vendidos aos senhores de engenho, fazendeiros ou nobres, eram conduzidos para suas novas moradas em condições desumanas, onde atrocidades as mais diversas eram praticadas diariamente.

As senzalas geralmente não passavam de galpões infectos, sem janelas, onde eles eram obrigados a dormir no chão; trabalhavam catorze, dezesseis horas por dia, quando não eram obrigados a trabalhar a noite toda.

Levantavam antes do amanhecer e costumavam fazer duas refeições diárias. Apenas os escravos domésticos tinham uma vida mais amena, vestindo-se e alimentando-se melhor.

O episódio da escravidão representa uma página pungente da vida de alguns países; hoje, a simples lembrança de tal fato macula

* Eugene nos levou até este local durante o sono físico. Sabíamos perfeitamente que estávamos no Rio de Janeiro no século XIX, presenciando, com extremo pesar, o sofrimento de vários irmãos na condição de escravos. (Nota da médium.)

nossas consciências, ao violentar rudemente o respeito à liberdade individual do ser humano e a qualquer rudimento de sentimento de fraternidade ou caridade. Estendemos aqui o conceito de escravidão à condição em que qualquer criatura subjugue irmãos seus, seja pelo motivo que for...

Lamentavelmente, muitos dos que praticaram tal ignomínia acreditavam-se cristãos legítimos e "tementes a Deus"...

A interpretação errônea ou supostamente equivocada dos ensinamentos de Jesus permitiu essa barbárie, com a aquiescência das religiões da época.

Ao lamentarmos, muitas vezes, o excesso de trabalho a que somos submetidos, não raro em condições inadequadas, esquecemos o quanto irmãos nossos já sofreram nesse mundo em situações inacreditáveis...

Na realidade, a misericórdia divina sobrepõe-se à inexorável justiça e age sempre atenuando nossas faltas, bastando para isso apenas nossa boa vontade em repararmos nossos erros.

Não somos mais escravos na acepção real do termo, pela evolução das leis, pela melhoria moral dos homens, mas a fase de resgate persiste.

A escravidão terminou, mas a libertação moral de nossos erros, oriundos daquela época, ainda se processa...

***

A fuga de Rufino não era fato incomum naquele tempo. Ao que parece, muitos escravos fugiam, procurando abrigo na fronteira uruguaia ou pedindo abrigo nos quilombos.

Embora o quilombo de maior expressão tenha sido o de Palmares, no sul alguns se destacaram, entre eles o de Manuel Padeiro.

Tratava-se de um negro que tinha fugido de seu senhor e criado uma comunidade nas proximidades de Pelotas.

A serra dos Tapes era o lugar para onde os negros que fugiam procuravam se esconder, por suas características geográficas, com relevos e mata abundante.

Esses negros viviam como bandoleiros, assaltando chácaras e fazendas, e eram comuns as emboscadas nas estradas, levando terror aos estancieiros da região.

O desejo de não voltar à condição de escravos levava esses quilombolas (como eram chamados) a uma vida exclusivamente de furtos, sem fixação à terra — no caso de Manuel Padeiro —, procurando sempre oportunidades para novos ataques.

Se Rufino tivesse buscado a fronteira, teria logrado melhor resultado em sua fuga, mas, acreditando na boa sorte, buscou o quilombo do "mina".

Manuel era assim chamado devido à sua origem, a Costa do Ouro. Rufino ouvira falar que o ex-escravo odiava os brancos e era muito temido nas redondezas.

Ao mesmo tempo, o estado de saúde de Leonor não era dos melhores.

O choque emocional que sofrera no dia do próprio casamento e os acontecimentos que seguiram levaram a jovem a um estado de prostração indescritível, aliado a uma infecção na garganta que se alastrava, impiedosa.

A febre alta e a debilidade da moça assustaram Rufino, que apressou o passo, passando a carregar Leonor, apesar dos seus fracos protestos. Era preciso chegar o quanto antes ao quilombo de Manuel Padeiro.

Rufino sabia que, se Leonor morresse em seus braços, seria acusado de assassinato, e nenhum negro da época desconhecia o futuro de um escravo assassino. Já tinha visto seu retrato com a acusação de "Negro Fujão", mas nenhum jamais se referira a ele como um assassino. Ademais, perder Leonor — sonho de sua triste vida — seria perder a própria existência.

Sem medir esforços, Rufino avançava, cansado e sedento, mas com o único objetivo de chegar ao quilombo.

O cerco se fechava com homens dispostos a tudo, capatazes liderados pelo próprio José Venâncio, dando investidas em chalés, choupanas, albergues de beira de estrada, galpões muitas vezes abandonados por outros negros etc.

"Se chegar ao quilombo, estarei salvo!". Assim pensava Rufino.

***

Apressando a marcha, Rufino divisou pequena colina e, subindo com extrema dificuldade, alcançou o topo. De lá, pôde ver alguns ranchos; com um sorriso, retomou a caminhada: finalmente chegara a seu destino.

De repente, como que saído do nada, surgiu um grupo de negros fortemente armado a sua frente. Rufino estacou e, caindo de joelhos, falou:

— Ajudem esse negro, seu irmão, que só *qué sê* livre!

O líder do grupo fez um sinal para que os outros recuassem e se aproximou. Observou Leonor e perguntou:

— Quem é a moça?

Rufino respondeu titubeante:

— É filha do sinhô... Quis me *acompanhá*...

O interlocutor sorriu:

— A sinhá quis *fugi* com o *nego* escravo? Isso é de se *admirá*... Tem coragem a moça!

Rufino tornou a falar, angustiado:

— Ela *tá* doente, meu irmão. Precisa de socorro...

Florêncio, este era o nome do negro, tornou:

— *Vamo levá* a moça pra Joana *dá* uma olhada nela. Não *queremo* nenhuma morte aqui, viu?

Rufino fez sinal positivo e seguiu o grupo. Curiosos, todos olhavam para Leonor de soslaio.

O quilombo de Manoel Padeiro tinha uma organização, com características bélicas, ou seja, formavam bandoleiros que atacavam as estâncias e fazendas, saqueando-as e libertando seus escravos. Muitas vezes, feriam ou até matavam seus proprietários; por isso eram temidos na região.

Manuel acreditava apenas na força como forma de promover a justiça. Sabia não poder contar com formas legais para libertar seus companheiros de infortúnio. Inspirado na única forma que conhecia para auxiliá-los, tornou-se um justiceiro... À sua moda.

Ele próprio não conseguira a tão sonhada liberdade. Fugira de seu senhor e traçara seu próprio destino, como um líder admirado e temido na região.

Leonor foi levada imediatamente para os cuidados de Joana. Após colocá-la em uma cama improvisada, a ex- escrava se aproximou e observou a jovem com atenção. A seguir, colocou a mão sobre a sua cabeça e, voltando-se para um jovem que estava a seu lado, cochichou alguma coisa.

O rapazote saiu às pressas. Joana, olhando para Florêncio, assinalou:

— Esta moça não *tá* bem, não. *Tá* fraca, febre alta... E vejo sua alma, infeliz. O negro fujão disse que ela quis vir com ele? — perguntou Joana, meneando a cabeça.

Florêncio respondeu, confuso:

— Bem, foi o que disse o escravo. *Vô falá* com ele... Não quero nenhuma branca morrendo aqui...

— Então vá logo. Esta moça fugiu no dia do casamento! Não viram? Nem parece, mas é um vestido de noiva o que ela *tá* vestindo! — afirmou Joana categoricamente.

— Se é assim, *vamo tê* problema! Logo vão *tá* por aqui atrás dela! A peleia vai *sê* feia! Não quero encrenca sem o Manuel por perto...

— Agora vai, Florêncio. Preciso *tratá* a pobre... *Vô fazê* uma infusão, pra febre baixar...

Florêncio se retirou, decidido. Não poderia acolher Leonor daquele jeito. Além do mais, já tinha suspeitado que Rufino mentira ao dizer que a jovem fugira por vontade própria. "Bem que duvidei! Imagina se aquela belezura ia *fugi* com um *nego* escravo! A moça foi é *robada*, isso sim!"

Florêncio atravessou o quilombo, chegando em um rancho mais afastado. Entrou e deparou com Rufino, debruçado vorazmente sobre um pedaço de carne com farinha. Aproximou-se e, sentando sobre um tronco que servia de cadeira, indagou:

— O que tu *fazia* na fazenda de onde tu *veio*? Trabalhava na charqueada?

Rufino tomou um gole de água e, secando a boca com a manga, respondeu, desconfiado:

— Por que pergunta? O que tu *qué sabê*?

Florêncio percebeu a perspicácia do escravo e continuou:

— Não me parece que tu *fosse escravo de lida... Tem um jeito diferente... Parece branco.*

Rufino parou de comer e explicou:

— No início, quando fui pra casa do sinhô, eu trabalhava na casa. *Despois*, eles resolveram me *castigá* e me mandaram pra charquear...

— Posso *imaginá* o motivo do castigo... A moça, não é mesmo?

Rufino olhou surpreendido para Florêncio e continuou:

— É, foi por causa dela, sim. Queria ela pra mim e ela me *ingnorava...*

— Como eu imaginei... Tu *robô* a moça no dia do casamento! Tu só *pode sê* louco ou burro, *nego*! Os *branco* merecem o pior, mas não *podemo* nos *arriscá* desse jeito! A essas *hora* a guarda da vila e os *capataz* do teu patrão devem de *tá* batendo em tudo que é canto! Vão *chegá* aqui a *quarqué* hora! E os *soldado* do *imperadô*? Tu *sabe* que *vai tê* uma guerra, *nego*?

Rufino se levantou e exclamou com desespero:

— Claro que sim, mas nos *ajuda*, Florêncio! Posso *lutá* com vocês! Não posso *saí* daqui, agora que consegui *chegá*... Não me abandona, meu irmão!

O coração de Florêncio, que normalmente era duro e inflexível, confrangeu-se. Lembrava do filho que deixara, havia muito tempo, na cidade onde morava. Procurando se conter, falou pausadamente:

— Calma, rapaz. A situação é grave, mas não *podemo decidi* nada. Só quem decide aqui é o Manuel. Quando ele *vortá, vamo* dá um jeito... Ele deve *tá demorando pro* causa dos *soldado*... deve *di tá* escondido na mata pra *si protegê*...

Florêncio bateu levemente nas costas de Rufino e se retirou.

Havia muito não sentia uma emoção tão forte como diante daquele pobre escravo. Algo havia tocado seu íntimo ao ver o desespero de Rufino diante da possibilidade de se ver novamente no cativeiro.

Provavelmente o infeliz encontraria a morte, se seu retorno acontecesse.

Não poderia permitir isso. Mesmo que contrariasse as ordens de Manuel Padeiro, ajudaria o escravo que o lembrara de coisas que gostaria de esquecer...

Pensava que fugindo poderia ser livre, mas deixara o próprio coração na senzala. Imaginara um dia poder buscar a mulher e o filho, ainda criança, mas tivera que ir para outras bandas; ao encontrar Manuel Padeiro, embrenhara-se na luta contra os brancos, e o tempo passara... Anos depois, quando procurara pela mulher, soube que ela havia morrido e o seu menino tinha sido vendido como uma simples mercadoria!

"Ah!", suspirou Florêncio. "A vida tem sido cruel comigo. Não me permitiu *libertá* meu próprio filho." Mas concluiu: "Ainda *vô podê ajudá* os *filho* dos outros *escravo*, libertando *eles* dos *grilhão* da escravidão, nem que seja pela força."

Assim, Florêncio se recolheu com as lembranças lhe assomando ao cérebro e lhe tornando pesado o coração.

27

Os elos da vida

No dia seguinte, Florêncio saiu em busca de Rufino, só que não o encontrou em seu rancho.

Seguiu imediatamente em direção ao local onde Joana se encontrava, pois sabia que o encontraria lá.

Ao chegar, parou de repente. A cena inusitada que se descortinava à sua frente fez com que o guerreiro, ex-escravo, acostumado com todo o tipo de manifestação da alma humana, emudecesse.

Ao pé do leito de Leonor jazia Rufino, de joelhos, soluçando inconsolavelmente. Sem perceber a presença de Florêncio, o jovem escravo falava com dificuldade:

— *Leonô*! *Me* perdoa! Nunca quis lhe *fazê* nenhum mal! Queria que ficasse comigo *purque* sei que não era feliz na casa-grande! Quantas *vez* te vi chorar, *Leonô*... Sabia que não me queria *purque* *sô* negro e escravo, mas... Sabia que não tinha o horror que as *outra branca* têm pelos *nego*. Vi como cuidava dos *doente* na senzala, como ensinava os *pequeno* da minha raça, cuidando deles, sem nojo nem asco... Nunca tinha visto alguém assim!

"Só tinha raiva *purque* não gostava de mim! Logo eu que te amava! Logo eu que morreria pela sinhazinha... Por isso, peço, não morra! Fica aqui, não te faço nenhum mal, prometo; nem deixo ninguém *chegá* perto, *Leonô*. Prefiro *morrê* a *pensá* que possa te *acontecê* algum mal..."

Naquele momento, Florêncio tossiu, procurando chamar a atenção de Rufino. O jovem se voltou, assustado, levantando-se imediatamente.

Envergonhado, procurou desviar o olhar, fixando-o em Leonor.

Florêncio olhou para a moça e perguntou:

— Tu *ama* realmente esta moça, não é mesmo? É uma prenda e tanto...

Rufino se aproximou de Leonor e, passando a mão calejada pelo rosto delicado da jovem, tornou:

— É a mais bela que eu já vi. Sempre me *desprezô*, tinha ódio mesmo de mim. Mas nunca desisti. Sabia que um dia ela ia *tá* a meu lado...

Florêncio demonstrou preocupação. A situação não era inédita, mas representava um fato grave. Fugir com a filha de um fazendeiro no dia do seu casamento era, inegavelmente, uma loucura.

O próprio Manuel Padeiro não acobertaria aquele tipo de insanidade. Provocar um ataque dos brancos dentro do quilombo não era uma circunstância aceitável.

Sempre que podia, Manuel amarrava-os dentro de seus próprios redutos — as fazendas —, porque lá conseguia adesão dos escravos. Ficavam sempre em maior número, podendo saquear e se divertir à vontade.

Nesse caso, a história era diferente. Certamente o pai de Leonor traria reforços de toda a região, por ser homem importante, e a luta seria desigual. Enquanto conjeturava, Rufino se impacientava. Percebia pela expressão de Florêncio que as coisas não iam bem. Sem poder tolerar o silêncio do outro, arriscou:

— Vim pra este lugar porque achei que estaria salvo. Será que me enganei?

Florêncio respondeu sem meias palavras:

— Nosso quilombo *tá* de porta aberta aos *irmão* que fogem da injustiça dos *branco*. Nunca *deixamo* de *ajudá* os da nossa raça. Mas nenhum nunca trouxe uma encrenca dessas...

Rufino, com o orgulho que lhe era peculiar, replicou:

— Já ouvi *falá* de *nego* que rouba as *branca* e traz *pros quilombo*...

— ... Mas não a filha de um homem como José Venâncio. Joana me falou que a moça é filha dele...

Rufino caminhava de um lado para outro, inquieto. De repente, parou e disse:

— *Qué dizê* que vão me *mandá* embora? Posso *lutá* e *ajudá* a *defendê* o quilombo, se por acaso...

Florêncio o interrompeu:

— Ainda não disse que não *vamo* te *ajudá*. Mas *deve* te *acostumá a pensá* nos *outro,* meu rapaz. *Vivemo* em uma comunidade e jamais nosso egoísmo deve *falá* mais alto. *Pensamo* a vida como um todo, em que todos são *responsável* uns pelos *outro*...

Ao pronunciar estas palavras, o remorso espicaçou Florêncio novamente. Não havia ele, anos atrás, fugido sozinho, negando-se a levar sua companheira e o filho, por achar que eles atrapalhariam a marcha?

Enquanto ele relembrava, mais uma vez, o dia de sua partida, ouviram um ruído vindo do leito improvisado a poucos metros. Ambos voltaram-se e perceberam que Leonor esboçava débil movimento com a cabeça.

Florêncio se aproximou. Aos poucos Leonor foi despertando. Abriu os olhos, demonstrando espanto pelo local onde se encontrava; foi quando Florêncio explicou:

— *Tá* tudo bem, sinhá. *Somo amigo*...

Leonor ia falar alguma coisa, mas achava-se sem forças. Rufino se aproximou e, ao vê-lo, os olhos da jovem se encheram de lágrimas.

Florêncio fez um sinal para que ele se afastasse e Leonor, segurando a mão do líder negro, suplicou:

— Ajuda-me, por favor...

Florêncio segurou sua mão em resposta e disse, em tom sereno:

— Calma, filha. Ninguém vai te *fazê* mal. Descansa...

Naquele instante, Joana entrou e ordenou, com autoridade:

— Chega de conversa. Essa menina não precisa de charla e sim das *minha erva*... e descanso. Mesmo assim, sei não...

Ouvindo a ordem de Joana, Rufino e Florêncio se retiraram.

Joana possuía bastante sensibilidade mediúnica, o que lhe permitia ver além da realidade material. Percebera que a ligação de Rufino e Leonor transcendia a vida presente e que, apesar de o coração da moça estar à deriva no mar da vida, o escravo ainda trazia, inconscientemente, a lembrança de que ela lhe pertencera.

Subitamente, um calafrio percorreu o corpo de Joana. “Não tem dúvida!”, pensava. “Estes dois ainda vão *trazê* muito aborrecimento pra todos nós! Preciso *fazê arguma* coisa antes que seja tarde!”

Sendo assim, Joana deliberou tomar alguma providência antes do retorno de Manoel Padeiro a fim de evitar que ele soubesse do acontecido.

Era preciso afastar o perigo que rondava o quilombo.

***

Enquanto isso, José Venâncio continuava procurando pela filha acompanhado de Antero, Leonardo, Afonso e seus capatazes, alguns escravos de confiança, a milícia da vila, que havia se dividido, mandando uma parte dos homens de volta em função das notícias alarmantes que chegavam de Porto Alegre.

O tempo não ajudara, porque a chuva e o vento os retiveram na retaguarda. Estavam a quase um dia de distância de Rufino e isso fazia diferença para que obtivessem sucesso na busca.

Preocupados, buscavam recuperar o tempo perdido, evitando paradas que julgavam desnecessárias. O cansaço, no entanto, estava presente em todos os rostos.

Resolveram apear dos cavalos e, após providenciarem um fogo de chão, para se aquecerem e comerem alguma coisa, desolado, Afonso desabafou:

— Lamento dizer, mas acho que já devem ter atravessado a fronteira... Faz alguns dias que não temos nem o rastro de Rufino...

José Venâncio deu um salto e contrapôs:

— Não! Isso não pode ter acontecido! Ainda vamos encontrar a minha filha e a levaremos para casa...

Leonardo interveio:

— Concordo, mas não podemos esquecer que, se de fato já alcançaram o país vizinho, não poderemos fazer mais nada... Rufino estará livre...

Antero pensou alguns instantes e conjeturou:

— Se estivéssemos no lugar desse negro... O que faríamos?

José Venâncio pensou alguns instantes e respondeu:

— Jamais me colocaria no lugar daquele verme! Não posso imaginar o que um ser bruto como aquele poderia fazer... Não passa de um animal!

Leonardo procurou acompanhar o pensamento do pai:

— Entendo teu raciocínio, meu pai. Certamente, se eu fosse Rufino buscaria a fronteira, para ser livre... Mas seria muito difícil essa empreitada, pois estaria acompanhado de uma mulher branca... Isso despertaria suspeitas...

Antero expôs o que lhe ia na mente:

— Exatamente! Por isso acredito que esse maldito não tomou essa direção... Estamos, na realidade, nos afastando de Rufino.

Voltando-se para José Venâncio, falou enfaticamente:

— Estás enganado, meu irmão. Este negro não é nenhum asno como pensas. Deveria saber que não iria longe com Leonor e, por isso, deve estar mais perto do que imaginamos...

José Venâncio se alterou e exclamou em voz alta:

— Diga, homem, o que tens em mente! Chega de mistério...

Antero respirou fundo antes de falar. Conhecia o irmão de sobejo e sabia o quanto era impaciente. Resolveu opinar:

— Talvez não concordes, mas acho que Rufino ainda está nesta região. Ele deve ter procurado proteção junto aos seus...

Naquele momento, Leonardo concordou:

— É isso, sim! Ele deve ter ido para o quilombo!

Afonso, que ouvia com atenção, questionou:

— Quilombo? Mas existem esses agrupamentos aqui no sul?

José Venâncio confirmou:

— Sim, eles existem em quase todo o país. Não havia pensado nisto...

— Vou falar com o comandante da milícia. Precisaremos de mais homens se formos atacar estes negros...

O grupo se aproximou do comandante, que mastigava um pedaço de carne assada, e expôs a idéia que tivera. O comandante limpou a boca com a farda e, após tomar um gole de vinho, respondeu:

— Sei o que os senhores devem estar passando... Mas precisamos avaliar bem essa situação. Estamos a um passo de uma guerra. Já cruzamos com os legalistas que iam para Porto Alegre... Andam falando que o tal Bento vai...

José Venâncio não entendeu a reação do militar e interrompeu:

— Com todo o respeito que lhe devo, acho que não entendeu o que lhe falamos... Creio que a minha filha está neste quilombo e queremos ir buscá-la, nem que seja preciso lutar... E independentemente de uma guerra...

O comandante levantou-se e, olhando para todos, comentou:

— A situação é mais grave do que o senhor imagina...

Afonso tomou a dianteira e contrapôs, orgulhoso:

— Estamos dispostos a lutar para encontrar minha noiva. Qual a dificuldade que o senhor vê nisso?

O oficial Pedro Gonçalves de Mello falou com serenidade:

— Calma, senhores. Não há motivo para exaltações... Mas a verdade é que... — e voltando-se para José Venâncio e Antero, disse: — Bem, a verdade é que, como os senhores bem sabem, não existe o menor interesse de nossa parte em que seja criado um conflito com estes negros...

Afonso ia dizer alguma coisa, mas o oficial Pedro não o permitiu:

— Escute, senhor Afonso! Não conhece essa terra, esse país! Não estamos no Rio de Janeiro... Estamos na província de São Pedro do Rio Grande do Sul, onde a população escrava é quase o dobro da de brancos... Somada aos negros livres, passam de muito a nossa raça... Qualquer fazendeiro sabe o perigo que ronda as suas terras... Se estes negros resolverem se revoltar...

José Venâncio baixou a cabeça:

— Sim, é verdade. Leonor nunca me permitiu usar das medidas que outros fazendeiros usam por aqui... Mas a maioria só trabalha com o "rabo-de-tatu" no lombo... É preciso intimidá-los.

O oficial continuou:

— Se atacarmos o quilombo provocaremos uma represália de conseqüências imprevisíveis... Talvez a que tanto temos evitado. Precisamos, por isso, agir com cautela. Acredito que possam estar certos em relação à fuga do negro para o quilombo; agora, precisamos encontrar uma maneira de confirmar essa hipótese e, em caso verdadeiro, teremos que encontrar uma forma de tirar a moça de lá...

Todos ficaram pensativos. Precisavam encontrar uma maneira de entrar no Quilombo de Manuel Padeiro e salvar Leonor.

28

Um ensejo ao perdão

A Terra é o palco das nossas experiências evolutivas. Muitos acontecimentos chocantes, dramas e tragédias aí ocorrem devido à condição do planeta, pois os espíritos a ele ligados estão em faixas evolutivas que ainda necessitam conviver com tais fatos.

Por outro lado, não podemos esquecer irmãos outros que se dedicam a causas nobres, em prol do semelhante, plantando as sementes do Bem, para que um dia frutifiquem e o planeta modifique finalmente sua posição vibratória.

Essas circunstâncias, contudo, não ocorrem apenas no plano material. A todo acontecimento na esfera física corresponde uma série de eventos na espiritualidade.

É impossível imaginar, para vós, irmãos mergulhados nas vestes carnais, tudo o que é feito pelos mentores espirituais para evitar que se dêem essas tragédias que todos os dias presenciamos...

São familiares que se aproximam, valorosos, em serviço dedicado; amigos, mentores e toda uma plêiade de espíritos trabalhadores, que procuram trazer auxílio àqueles que se encontram em posições perigosas...

Às vezes é alguém a quem a idéia do suicídio acode em um momento de desespero, ou um amor que acaba violentamente, com o assassínio do consorte ou da esposa enciumada...

Em outras oportunidades, são tramas em que alguém será prejudicado inconseqüentemente...

Mas não estaria tudo previsto, predeterminado nos desígnios divinos?, perguntaríeis. Certamente que não. Podemos escolher sempre! Para tanto, temos a faculdade do livre-arbítrio, que nos oferece sempre a oportunidade de decidirmos!

Erramos por nossas próprias tendências inferiores e acertamos, da mesma forma, pelo tênue raio de luz que já ilumina as nossas almas.

Nossas escolhas, portanto, são determinadas por nossa posição íntima, favorável ao bem ou ao mal.

Insistentemente, nos temos apegado a caprichos, ilusões, ao nosso renitente orgulho, e somos levados a repetir diversas vezes experiências semelhantes, até que por nossa força de vontade consigamos nos libertar desses vínculos de lágrimas que nos ligam a um passado de dor e sofrimento.

Era o caso de Leonor; quanto mais eu penetrava nas memórias de nossa cara irmã, mais percebia a puerilidade das preocupações humanas, com as posições frágeis do mundo e o empenho em sustentarmos, incólumes, nosso orgulho diante das situações da vida.

Esperava um desfecho que libertaria a pobre moça, mas, ao ver Rufino no canto daquele quarto de hospital, com a fisionomia transtornada de mágoa e ódio, percebi que alguém naquela história não havia perdoado...

O culpado seria apenas o pobre escravo, cujo amor não era correspondido naquela existência? Ou será que Leonor/Vivian participara de alguma forma na perpetuação de todo aquele rancor? Ou não existiriam culpados?

O perdão deve se sobrepor a qualquer idéia de imputação de culpa, pois em qualquer contenda, vista de uma perspectiva maior da vida, normalmente, ambos os lados já erraram muito. Assim, as verdades espirituais, muitas vezes, nos chocam pela grandiosidade com que apresentam a vida. Verificamos que somos ínfimos diante da misericórdia divina e, invariavelmente, agimos como tolos em nossa suposta auto-suficiência.

Na maioria das vezes, negamo-nos a perdoar, desconhecendo nossa posição de trânsfugas da Lei, açambarcadores dos bens a nós concedidos apenas por empréstimo...

***

Retornemos ao passado...

Leonor voltava a si aos poucos... Identificava a presença de pessoas estranhas a sua volta e, tomada de profundo desânimo, simplesmente deixava os dias sucederem uns aos outros.

Lembrava da casa onde crescera cercada de todo o conforto e pensava se um dia retornaria a ela.

Lágrimas lhe vinham aos olhos com as recordações, especialmente do pai. Onde andaria seu pai, que ainda não lhe arrebatara das mãos de Rufino?

Rufino! Sempre soubera que ele lhe faria mal... Nunca suportara o seu olhar orgulhoso, a sua imponência, esquecendo-se de que ela era uma sinhazinha!

Com os outros escravos era diferente. Eram dóceis e humildes, recebendo sua proteção com alegria e submissão, sem desafiá-la.

De repente, um pensamento lhe cruzou a mente: e se seu pai achasse que ela estava morta? Se desistisse de procurá-la? Ficaria para sempre naquele lugar, longe do pai e à mercê de Rufino? Chorando desesperadamente, Leonor chamou a atenção de Joana.

A ex-escrava se aproximou e falou de modo afável:

— O que houve, guria? Ainda dói a garganta?

Leonor fez um sinal positivo. Joana continuou:

— Pobre guria! Isso ainda vai *levá* uns dias... Além disso, deve de *tá* assustada... Nunca *imaginô vim pará* num quilombo, não é mesmo?

Leonor respondeu com tristeza:

— Não, senhora. Nunca pensei que isto tudo pudesse me acontecer...

— É, mas não adianta *chorá* agora... V*amo vê* o que vão *fazê* com vocês... Ando tendo umas *idéia*...

O olhar de Leonor se voltou, interessado:

— Fica quieta. Não conta ao *nego* que te trouxe... Mas a tua presença aqui, guria, não é uma coisa boa não...

Leonor não questionou. Sabia que Joana não responderia a suas perguntas.

Desde que acordara, observava os passos desta mulher. Não saberia defini-la quanto a seus verdadeiros sentimentos.

Joana trazia um turbante na cabeça, enrolado de forma que o laço final ficava para um lado, com um pedaço de pano caindo-lhe pelo rosto. Usava uma túnica de algodão com listras vermelhas, e uma saia escura. O que mais impressionava Leonor, no entanto, eram as suas atitudes, às vezes, secas e autoritárias, em outras ocasiões, cheias de brandura.

A verdade é que Joana sofrera muito desde que se vira no mundo. Sem mãe, criada órfã em uma fazenda do interior paulista, fora vendida inúmeras vezes até chegar à província.

Já passara da idade em que se oferecia muito por uma escrava e, após ser vendida no mercado do Valongo, no Rio de Janeiro, para uma família que havia falido, fora parar no sul, com a morte de sua última proprietária.

Os herdeiros resolveram libertá-la, pois já não tinha valor para venda e mantê-la seria muito oneroso.

Na vida, apenas aprendera a ser escrava. Não sabia viver a sua própria custa, ganhar dinheiro. Lembrou-se de que, quando ainda estava no Rio, um velho escravo lhe ensinara a fazer algumas beberagens que curavam as pessoas. Fora então procurar o grupo de Manoel Padeiro, oferecendo o seu conhecimento de curar em troca de casa e comida, já que a idade e a saúde lhe impediam de trabalhar na roça. Acabara ficando. Já não lembrava havia quanto tempo trabalhava para os outros...

Assim, Joana pouco sorria, trazendo no rosto as marcas de uma vida que se tornara uma via solitária do início ao fim.

Leonor suspirou. De súbito, lembrou-se da sua situação. Precisava recuperar as forças o quanto antes, para poder fugir daquele lugar. Percebera que sua presença não agradava a Joana, pois representava uma ameaça para o quilombo. Talvez — pensava — isso lhe trouxesse algum benefício. Joana poderia se tornar sua aliada ao ver que desejava ir embora tão logo fosse possível...

Repentinamente, Leonor ouviu vozes. Voltou-se no leito e viu que Rufino falava em voz baixa com Joana. Os olhos do negro brilharam e, após dizer algumas palavras que Leonor percebeu não serem muito afáveis, ele se encaminhou em sua direção.

Evitando fitá-lo, Leonor permaneceu em silêncio.

O escravo se aproximou e colocou a mão direita sobre a coberta da moça.

Leonor se encolheu, demonstrando que não estava confortável com sua aproximação. Foi Rufino quem falou primeiro:

— Sinhá *Leonô*, fiz uma loucura, eu sei... Mas não podia *vê* a sinhá casada com o português... A sinhá me despreza... *Me maltratô*, fez o *nego sofrê*, mas mesmo assim...

Leonor reuniu todas as suas forças e fitou Rufino longamente. Percebia o suor que lhe inundava o rosto, a agitação que fazia aquele homem, vigoroso, titubear.

Novamente, Rufino tentou falar o que lhe ia na alma:

— *Leonô...*

— Como ousas? Já não basta o mal que me causaste e ainda queres me faltar com o respeito? Sou e sempre serei a sinhá Leonor, filha de quem bem o sabes!

Atingido em seu orgulho, Rufino engoliu em seco. Estava disposto a perdoar o que quer que Leonor lhe fizesse, pois, acima de tudo, desejava tê-la ao seu lado; para tanto, faria qualquer coisa para lhe conquistar o coração.

Este espírito não analisava suas condições atuais, como escravo. Dono de um grande orgulho, vivia ainda a ilusão de conquistar Leonor, sem perceber que se tratava de uma situação absurda para a época.

É bem verdade que aconteciam casos em que as sinhazinhas apaixonavam-se por escravos, ou situações em que os jovens filhos de fazendeiros reencontravam nas senzalas os laços de amor do passado... Muitos dramas foram escritos nas páginas da vida de inúmeros jovens que se encontravam nesta situação de resgate; na realidade, para aprenderem a renunciar...

Mas o coração é desobediente! Quando encontra um laço mais forte, renuncia a tudo, até mesmo ao bom senso, e procura o ser amado para reatar a ternura de um tempo que se foi...

Mas não era este o caso de Rufino e Leonor. Ambos vinham de um passado de desencontros e só em futuro muito distante se encontrariam, envolvidos por um laço de um abençoado e infinito amor.

O presente, no entanto, reservaria ainda muitas dores e lágrimas...

Rufino tentou alguma coisa, mas Leonor pediu que se retirasse; ante a insistência do jovem, Leonor desatou a chorar, pedindo que saísse.

Joana acorreu e, com a voz alterada, bradou:

— Sai já daqui! Se não *saí,* chamo Florêncio pra te *expulsá*...

Rufino se afastou e acalmou sua interlocutora, contrariado:

— Não carece, não. Já *tô* indo embora...

Joana olhou a silhueta do jovem e calou por alguns instantes. A seguir, voltou-se para Leonor e declarou:

— *Voltô* escravo pra *perdê* o orgulho, mas ainda tem muito que *aprendê*...

Sem compreender, Leonor permaneceu quieta. Sempre achara Rufino arrogante e não podia entender como um escravo podia ter tal comportamento.

Joana se afastou, deixando Leonor absorta em seus pensamentos. Jamais perdoaria a atitude de Rufino. Se antes desprezava o escravo pela sua altivez, que beirava a impertinência, agora teria motivos para odiá-lo para o resto de sua vida. Nem sabia ao certo o que seria de sua triste vida...

"O que o futuro me guardará?", perguntava-se, angustiada.

***

As buscas a Leonor continuavam e o tempo escoava muito rapidamente; era prenúncio de que o desfecho se daria para breve.

Florêncio, que a princípio desconfiara de Rufino, com o passar dos dias começou a se interessar pela situação do escravo.

Sabia que o fugitivo não poderia ficar no quilombo, por ter trazido com ele a filha de um fazendeiro. Isso atrairia para todos a ira daquele homem poderoso e criaria uma situação perigosa.

Resolvera ajudar o jovem, mas teria que contar com a ajuda de Joana. Decidiu que na manhã seguinte falaria com a experiente mulher. Por certo ela haveria de ter alguma solução para o problema.

Com efeito, o sol já ia alto quando Florêncio se aproximou da cabana onde Joana residia. Ao chegar, chamou pela mulher, que lhe respondeu imediatamente.

Florêncio entrou e, surpreso, verificou que Joana amparava Leonor, que se encaminhava para uma cadeira tosca a um canto da cabana. Observou a extrema palidez da moça e perguntou de forma rude:

— *Pretende levá* este fantasma pra algum lugar? Não vai *dá* mais do que uns passos!

Chocada, Leonor respondeu:

— Estou me recuperando e em breve poderei ir embora. Não darei mais nenhum trabalho...

Florêncio riu e resolveu ser mais amável:

— Perdoa, sinhá. Mas a moça *tá* tão branquinha... *Sô* um *nego véio* que já tinha esquecido *as genteliza*... Só sei *andá* nos *mato, lutá* e *libertá* os *irmão* que *sofre*...

Leonor fixou os olhos brilhantes em Florêncio e continuou:

— ... E roubar os fazendeiros da região... Invadir suas casas, destruir seus bens...

Florêncio tornou-se sério e, aproximando-se de Leonor para olhar a moça de mais perto, retrucou:

— A sinhá é quase uma criança... Não sabe o que diz... Nunca deve de *tê* entrado numa senzala...

Leonor empinou o nariz e contrapôs:

— Enganas-te. Freqüentava a nossa senzala e sempre que pude tentei ajudar sua gente... Nunca aceitei castigos cruéis; em nossa casa, meu pai sempre me atendeu...

Florêncio havia lembrado que Rufino lhe dissera que Leonor era estimada pelos escravos e ajudava muitos deles. Chegava a confeccionar roupas e cobertores para o inverno rigoroso na região.

Certamente, a jovem não lhe parecia uma escravagista como as que conhecera. Resolveu tocar, então, no ponto que lhe intrigava:

— Como veio parar aqui? O que aconteceu?

Os olhos de Leonor se encheram de lágrimas. Com dificuldade, a moça relatou os fatos que se desenrolaram desde o dia de seu casamento.

Florêncio, depois de ouvir o relato, balançou a cabeça tristemente. Sabia que aquela história não acabaria bem.

Joana, que a tudo ouvira desde o início, sem interromper, resolveu falar:

— E tu, Florêncio, o que *veio fazê* aqui a esta hora? Não *deveria* de *tá* no campo?

— É verdade, Joana, eu não devia *tá* aqui. Mas o assunto que me trouxe é importante e preciso *sabê* o que tu *pensa* a respeito...

Joana respondeu prontamente:

— Tenho que buscá umas *erva* no mato. *Me* acompanha pra *podê* falá *mior*...

Florêncio aceitou o convite de Joana.

Leonor estava acostumada às ausências de Joana e sentia-se segura, pois dificilmente outras pessoas entravam na cabana sem a permissão da proprietária.

Era comum a busca por remédios na forma de chás, beberagens, tinturas para os negros que adoeciam nas chácaras da região. Estes escravos mantinham contato com os negros do quilombo e, além disso, Joana fazia também rezas que Leonor não entendia, mas que já havia visto as negras fazerem na fazenda.

Pouco depois de Joana e Florêncio saírem, ela ouviu um ruído na porta. Aguardou para ver quem era e notou que um vulto alto se esgueirava pra dentro da cabana.

Assustada, reconheceu Rufino, que se aproximava. Sem poder evitar a palidez que se estampava em seu rosto, perguntou, quase num sussurro, apavorada:

— O que queres? Vai embora...

Rufino não podia tirar os olhos de Leonor, cuja expressão de sofrimento a ele parecia realçar-lhe a beleza. Aproximou-se e ajoelhou-se próximo à jovem. Sentindo o amor pulsar em seu coração, confessou:

— Sei que me *despreza, Leonô*, mas eu te amo! Amo com todas as *força* de minha alma! Enfrentarei a todos por este amor...

Leonor fitou o escravo, estupefata. Aquilo lhe parecia um pesadelo. Odiava sequer pensar em Rufino. Ao vê-lo humilhado, junto a seus pés, repudiou-o, horrorizada:

— Não tens vergonha, escravo? Levanta-te, és um homem, não amaria jamais um alguém como tu! Esqueceste por completo a nossa situação?!

Rufino, que procurara uma aproximação, se humilhando e declarando o seu amor, sentiu aquelas palavras como pontiagudo dardo em seu peito. Levantou-se, lentamente, e, diante do seu porte altivo, Leonor se intimidou. Ele poderia matá-la se quisesse.

Rufino controlava os seus sentimentos, pois temia perder o controle. Novamente, procurando tocar o coração da moça, argumentou:

— Não entendo o teu ódio! Por quê? Por quê? Nunca te tratei mal, sempre te quis, podia até já ter...

— Sempre foste insolente! Por que me roubaste da minha família? Como tiveste coragem de me tirar dos braços do meu noivo, praticamente...

— Não suportei a idéia de que seria de outro! Tu *é* minha, *Leonô*! Nunca vai *sê* de outro homem, isso eu juro! Nem que eu morra... Jamais, entendeu? Não vai *sê* feliz com outro... *Te* persigo pela eternidade, *Leonô*! — Rufino terminou a frase aos gritos.

Leonor levantara-se com dificuldade e, com as pernas cambaleantes, se afastou, enquanto Rufino seguia em sua direção.

Com a voz trêmula, pronunciava aquilo que seria a sua própria condenação:

— Pois sou eu, Rufino, que não te perdoarei jamais! Passe o tempo que passar, serás meu inimigo para sempre!

Os gritos dos dois haviam chamado a atenção de alguns homens que passavam pela cabana.

Imediatamente, foram chamar Joana.

Quando ela chegou, Leonor chorava, desesperada, pronunciando palavras que expressavam todo o seu ódio contra Rufino. Palavras que lhe custariam muito tempo de provação e resgate.

Só quase duzentos anos depois conseguiria se libertar da teia em que se enredara no quilombo de Manoel Padeiro.

29

CONFLITOS DE SENTIMENTOS

Enquanto mensageiros iam e vinham levando notícias, inteirando José Venâncio sobre os passos de Bento Gonçalves, ele e seus homens avançavam em direção ao Quilombo.

A idéia era vigiar as atividades dos negros e procurar se inteirar da rotina, para poderem agir no momento propício.

A alguns metros dali, Joana tomava uma resolução: teria que se livrar o quanto antes de Leonor.

A conversa com Florêncio vinha ao encontro do que desejava, pois certificara-se de que ele também achava que corriam perigo diante da presença de Rufino e Leonor.

Discordavam apenas em relação à estratégia que utilizariam; enquanto ela desejava que fossem embora imediatamente, Florêncio queria convencer Rufino a devolver Leonor à família.

Os últimos fatos, no entanto, fizeram com que Joana decidisse fazer as coisas à sua maneira, pois Rufino estava cego de paixão e jamais devolveria Leonor de bom grado.

Decidiu ultimar os preparativos para a fuga de sua hóspede. Reconhecia que a moça estava ainda enfraquecida, mas não havia alternativa.

Dessa forma, aproximou-se de Leonor e falou, decidida:

— Tenho pensado, guria, e acho que é melhor que tu *vá* embora o quanto antes...

Os olhos de Leonor se iluminaram. Não desejava outra coisa a não ser voltar para casa.

Atenta, ouvia as palavras de Joana:

— Tu ainda não *tá* curada, mas não vai *podê ficá* mais tempo... Os *capataz* do teu pai já devem de estar por perto... Se *consegui chegá* até eles, tu *tá* salva...

Leonor informou, decidida:

— Reunirei as forças necessárias para partir, sei que vou conseguir... Mas e quanto a Rufino? Não aceitará a minha partida...

— Rufino? Tu *é* mesmo muito ingênua, guria. Ele não vai *sabê* de nada. Não vai *sabê* nem que eu te ajudei a *fugi*.

Leonor se entusiasmava a cada palavra da mulher. Parecia que Deus havia finalmente ouvido suas preces. Sendo assim, resolveu perguntar:

— Quando será, Joana? Rufino está cada dia mais violento e depois da briga de hoje temo por suas atitudes...

Joana pensou alguns instantes e explicou:

— Preciso *ajeitá* algumas *coisa*... *Vô consegui* uma muda de roupa, água e comida. Não sei quanto tempo vai *levá* até tu *alcançá eles*. *Vô* já lhe avisando... Se os *imperial* te *pegá*, tu *tá* morta... *Inda* mais que é filha de *estancieiro charqueadô*... *Precisa* de um bom cavalo pra tua fuga e isso não vai *sê* fácil, já que os *homem* levaram os *mió*... Vô *vê* o que eu posso *fazê*!

Joana ia se dirigindo à porta da cabana para tomar as providências necessárias quando, de repente, voltou-se e disse para Leonor:

— Sei que vocês discutiram hoje de manhã. Ele vai *vortá... Purque* te ama e, quando isso *acontecê*, tu deve de *dá* alguma esperança pra ele...

Leonor empalideceu e perguntou, perplexa:

— Como? Não poderia...

Joana explicou com rispidez:

— *Si* tu *qué* mesmo ir embora, tem que *sê* assim! Este *nego* não vai te *deixá* em paz até que se sinta tranqüilo, até que pense que tu *aceitô* a situação...

— Mas ele sabe que isso nunca acontecerá... — disse Leonor, convicta.

Joana retrucou, com a experiência que a vida lhe havia proporcionado:

— Isso é certo, mas ele é um homem apaixonado e, nesse caso, tudo muda...

A mulher se afastou e Leonor ficou pensando na difícil empreitada que tinha pela frente. Teria que vencer a repulsa que Rufino lhe causava para poder sair daquele lugar.

Mas estava decidida: faria o que fosse preciso para ir embora dali. Mesmo que precisasse mentir.

***

Naquele dia, ao entardecer, Rufino se aproximou de Florêncio, que fumava um "palheiro" distraidamente.

Apesar de ter percebido a presença do rapaz, Florêncio observava o constrangimento de Rufino.

Aguardou mais alguns minutos e questionou:

— O que se passa, vivente? O que tu *qué*?

Rufino tossiu e começou, reticente:

— É que... Sei que não devia de *tê* ido na cabana. Esperei Joana sair para *podê falá* com *Leonô*...

O ex-escravo olhou para o palheiro e, enquanto alisava o papel, opinou:

— Pois *fez* muito mal, meu jovem. Foi *cutucá* a onça com vara curta... E tu *sabe* que essa onça *tá* ferida...

Rufino, entendendo a comparação e sentindo-se ofendido em seu orgulho, perguntou:

— Tu *acha* que ela não ia *podê* me *amá* porque *sô nego*? Tu também *é, véio,* e...

Florêncio o interrompeu e falou com firmeza:

— Não *tô* falando da cor, por Deus! De onde veio esse teu orgulho? Tu *tá* cego, não entende o que te digo: essa mulher não é pra *ti*, não te ama... Tu deve *deixá* ela *parti*... Não se prende um passarinho que *qué* voá pra longe...

Rufino sabia que era verdade o que Florêncio lhe dizia. A dor ainda se tornava maior diante daquele fato. Humilhado, se aproximou de Florêncio e indagou:

— O que devo *fazê*? Não posso *deixá* que ela volte...

Florêncio, mais uma vez, sentiu que seu coração batia de modo diferente. Apesar de tudo, apreciava a altivez de Rufino, via nele a grandeza de seus ancestrais africanos.

Colocou a mão sobre o ombro do rapaz e indicou:

— Em primeiro lugar, tu *precisa acalmá* a moça. Ela *tá* assustada com as *tua atitude*... Aos *pouco*, quem sabe?

Uma leve esperança surgiu no olhar de Rufino. Florêncio, no entanto, continuou:

— Não sei *explicá*, mas tenho simpatia por ti, rapaz... Acho que tu não *deve ficá* aqui, no quilombo...

Rufino franziu o cenho e perguntou, preocupado:

— Mas o que eu posso *fazê* fora daqui, acompanhado de uma branca?

Florêncio continuou:

— Tu *tem* que se ir pra fronteira, como tantos *outro*... Lá, sim, tu *vai sê* livre...

Rufino olhou para o homem envelhecido que se postava à sua frente. Inexplicavelmente, sentiu uma grande afeição por aquele estranho.

Ele também poderia ter ido para fora do país, contudo, preferiu ficar e ajudar outros irmãos de sua raça a romperem os grilhões da escravidão.

A mútua compreensão que se estabeleceu naquele momento foi selada com um forte abraço.

No outro plano da vida, uma mulher olhava a cena comovidamente. Finalmente, a misericórdia divina havia reunido pai e filho...

***

Ainda não amanhecera quando Rufino se levantou. Colocou as vestes simples de algodão e um pala que lhe cobria o dorso.

As manhãs costumam ser frias na região e, quando saiu para fora, sentiu o ar gelado lhe adentrar os pulmões.

Na verdade, Rufino não dormira naquela noite. Após a conversa com Florêncio, pensara muito sobre sua vida e nos rumos que ela tomaria dali por diante.

Temia que seu comportamento do dia anterior houvesse afastado Leonor para sempre. Sempre fora orgulhoso e intempestivo, mas em realidade nunca tivera muito contato com as pessoas.

Seu caráter arredio afastara seus irmãos de raça e em mais de uma ocasião criara confusões na senzala.

Não admitia a submissão com que muitos dos seus companheiros de infortúnio aceitavam os maus-tratos que lhe eram infligidos.

Era em favor da luta por sua condição de ser humano e, mesmo que isso significasse o castigo e mesmo a morte, achava que seria mais digno morrer lutando.

O passado na nobreza se sobressaía na personalidade de Rufino. Vivia em constante conflito entre o que era na presente encarnação e o que fora um dia. Ele mesmo não compreendia esses sentimentos de grandeza e orgulho que trazia em si; a altivez diante de seus senhores... Isso sempre lhe trouxera dissabores e, no caso de Leonor, sua infelicidade.

"Por que essa atração por Leonor? Por que senti que já conhecia *ela*, e, pior do que isso, que ela já me pertenceu?", pensava. "Como tive coragem de *roubá ela* das *mão* do noivo, no dia do casamento? Será que eu perdi o juízo?"

Rufino sabia que seu futuro era incerto e que daquela aventura só poderia sair ou livre, com Leonor a seu lado, ou morto pelos capangas de José Venâncio. "De que adianta *vivê* longe de *Leonô*? Prefiro a morte!"

Aguardaria o momento para falar com a jovem. Florêncio lhe prometera tentar convencê-la a recebê-lo. Só lhe restava esperar...

Com efeito, algumas horas mais tarde Florêncio procurava Leonor na cabana de Joana.

De acordo com o combinado com Joana, Leonor se mostrou mais calma e disposta a ouvir o que Rufino tinha a lhe dizer.

Florêncio admirou-se da atitude da moça. Não esperava encontrá-la acessível a qualquer aproximação de Rufino. Chegou mesmo a pensar que Leonor poderia, com o tempo, modificar seus sentimentos em relação a Rufino. "Até que a guria não é tão cheia de vontades assim... Talvez o Rufino possa *amansá a fera...*", pensou, dando uma risadinha.

Ao retornar, disse a Rufino que ele poderia falar com Leonor, pois ela o estava esperando.

Ansioso, ao ouvir a notícia o rapaz deu um belo sorriso. Florêncio comentou, procurando entusiasmá-lo:

— Eta que esse *nego* também sabe *dá* risada! Vai logo, não deixa a moça *embrabecê* de novo...

Rufino se dirigiu, feliz, à cabana de Joana.

Como haviam combinado, Leonor o aguardava. Havia colocado um vestido que Joana conseguira de um saque a uma fazenda e guarnecia as costas com um xale ao estilo das portuguesas.

O cabelo preso lhe realçava as feições delicadas. Sentia o corpo tremer de indignação ao pensar que teria que ouvir novamente as palavras aviltantes daquele escravo e, mais do que isso, demonstrar boa vontade com ele.

Precisava, no entanto, ter prudência. Qualquer gesto duvidoso de sua parte colocaria Rufino de prontidão e ela não poderia fugir.

Ao chegar, o jovem ficou deslumbrado com a beleza de Leonor. Mal conseguia falar, quando balbuciou:

— Obrigado por me *recebê* de novo...

Leonor procurou demonstrar calma. Sentou em uma cadeira próxima a uma mesa improvisada e perguntou:

— Queres me falar alguma coisa, Rufino? Florêncio disse que gostaria de... — Leonor não completou a frase. Rufino aproveitou a ocasião e continuou:

— É verdade. Quero *pedi desculpa* pelo que eu disse ontem... Sei que não devia, a sinhazinha *ficô* com medo de mim...

Leonor se levantou e, dando meia-volta, se apoiou na guarda da cadeira. Pensou alguns minutos e afirmou:

— A verdade é que sempre me inspiraste medo. Desde quando chegaste à fazenda de meu pai... Teu olhar não era como o dos outros escravos...

Rufino fixou o olhar nos olhos de Leonor e disse:

— Foi porque sempre te amei... Desde o primeiro momento, quando te vi, sabia que não haveria outra mulher...

Leonor procurou se conter. A intensidade das palavras de Rufino a perturbaram. Nunca um homem havia falado com ela naqueles termos.

— Creio que esqueces a distância que nos separa... Como pôde cultivar tais sentimentos?

Rufino baixou o olhar e, procurando no âmago de seu ser a resposta que nunca havia encontrado, falou reticente:

— Não sei *dizê*, *Leonô*... Mas só pensava numa coisa: ela me pertence! Acho que por causa disso fiz essa loucura...

— Mas e agora? O que faremos? Não poderemos ficar aqui para sempre... Meu pai deve estar por perto...

Rufino contrapôs com firmeza:

— Sei disso... Mas não vou *esperá* sem *fazê* nada... Florêncio vai nos *ajudá* a *fugi* pra *frontera*...

Leonor ficou estarrecida. Teria Joana mudado de planos ou Rufino estaria sendo mesmo enganado?

— Não poderemos fugir a vida toda... No exterior, conquistarás a liberdade, mas eu serei sempre um empecilho, Rufino...

Ele se aproximou e prometeu, confiante:

— Não *vô* te *fazê* mal, nunca! *Vai aprendê* a *vê* que não *sô* um homem *qualqué*... Tu não *vai encontrá* um *amô* como esse meu...

Leonor sentiu leve remorso. Lembrou-se das palavras ásperas que eles haviam trocado na véspera. Subitamente, sentiu um calafrio ao pensar na promessa de Rufino de lhe perseguir pela eternidade. O desejo de se afastar do rapaz, no entanto, foi mais forte e decidiu seguir as instruções de Joana até o fim. Se ele realmente a amasse, a perdoaria.

Além disso, se Rufino fugisse para a fronteira conquistaria a tão sonhada liberdade e isso já lhe seria um grande consolo, pensou.

Leonor, por sua inexperiência e ingenuidade, não podia avaliar as conseqüências de seu gesto. O fato de enganar Rufino em relação a seus sentimentos lhe trazia uma grande sombra ao coração e decretava, irremediavelmente, um final trágico a sua encarnação. Não percebia que lidava com forças poderosas, sentimentos violentos e uma grande e inexplicável paixão.

Causava um mal que só a custo de muitos sacrifícios e lágrimas poderia sanar.

30

Traição e fuga

Leonor acendeu as esperanças de Rufino ao lhe assegurar que pensaria na possibilidade de acompanhá-lo na aventura que lhe propunha.

Iludido, vítima de seu próprio sentimento, Rufino não percebia o absurdo da situação. Não lhe ocorria que Leonor jamais o amaria, ao contrário, imaginava que conquistaria o seu amor.

Florêncio, mais experiente, achou estranha a atitude da moça em relação à fuga planejada. Ensimesmado, não podia entender como ela mudara de opinião tão rapidamente. Lembrava-se da conversa que tivera com Joana e percebera sua firme decisão de se livrar de Leonor. Admitia que a jovem aceitasse conversar com Rufino, mas daí a concordar com uma fuga havia muita distância.

Observava o brilho no olhar de Rufino e temia que algo acontecesse ao jovem; de qualquer forma, tomaria suas precauções, para evitar que o rapaz se colocasse em perigo.

Enquanto isso, Joana aprontava os preparativos para a partida de Leonor.

Seria naquela noite, não poderiam esperar mais. Joana percebia a desconfiança de Florêncio e precisava agir antes que ele tomasse qualquer atitude.

Nunca simpatizara com Rufino, achava-o orgulhoso e egoísta. Via, por sua sensibilidade psíquica, que o hoje escravo fugido já fora um nobre arrogante e que muito flagelara os seus servos.

Sabia ainda que Leonor fizera parte de seu passado e que Rufino a perseguira, obsessivamente, em vida e após a morte, até reencontrá-la em uma nova existência.

Por tudo isso, resolvera ajudar Leonor daquela maneira. Segundo seu ponto de vista, a moça poderia, assim, seguir o seu caminho sem trazer nenhum prejuízo ao quilombo.

Infelizmente, as coisas não sairiam como Joana imaginava...

***

Quando as primeiras estrelas surgiram, Joana ainda vigiava em seu rancho o movimento do quilombo.

Acertara com um dos membros do grupo para que ele soltasse um dos cavalos e o deixasse nas redondezas do quilombo.

Sabia que seria obedecida, pois se tratava de um ex-escravo que muito lhe devia e que não a decepcionaria.

Preparou uma bolsa com alguns pedaços de pão, uma botija com água e um pedaço de charque; emprestou a Leonor um velho vestido seu. Tão logo a moça o vestiu, Joana exclamou:

— Perfeito. Leva essa manta para te *cobri*, *tá* esfriando muito...

Leonor colocou a manta sobre as costas, segurou o farnel e respirou fundo. Joana se aproximou e comentou:

— *Tá* com medo, não é mesmo? É, não vai *sê* fácil, mas tu não *tem* outra chance. *Deve* de ir por agora...

Conforme o combinado, tão logo a escuridão foi se alastrando, Joana saiu na frente, sendo seguida por Leonor.

Caminhavam com cuidado, observando atentamente se não havia alguém por perto. Joana sabia que alguns negros vigiavam, verificando se algum estranho se aproximava.

Leonor sentia o coração bater fortemente; ainda não se recuperara totalmente e temia que suas pernas não a obedecessem quando fosse necessário.

Após alguns minutos de caminhada, Joana se voltou e instruiu, sussurrando:

— Agora *vô distraí* os homê. Aproveita e foge na direção do morro, logo adiante *vai vê* o cavalo...

Leonor olhou ainda uma vez para Joana e disse:

— Obrigada, Joana. Não esquecerei o teu auxílio...

— Anda logo, guria... Vai-te!...

Em seguida, Joana se aproximou das sentinelas, que cochilavam desprevenidas, e foi logo conversando:

— Compadre, preciso de água quente *pro* meu amargo... *Me* distraí e fiquei sem lenha...

Assustados, os dois negros olharam para Joana e prontamente ofereceram a chaleira, que chiava em cima das brasas. Joana a pegou e prometeu trazer logo em seguida, com mais água, para que eles não ficassem sem o precioso chimarrão.

Enquanto isso, Leonor caminhava o mais rápido que podia. Suas pernas não acompanhavam o seu desejo de se ver o mais distante possível daquele lugar.

Com muito custo, subiu a pequena elevação e olhou ao redor para ver se percebia algum movimento. Como se já a esperasse, o cavalo relinchou, chamando sua atenção.

Leonor caminhou em sua direção e, montando rapidamente, partiu a galope, deixando para trás o quilombo.

Joana retornou e aguardou algum tempo. Precisava deixar Leonor ganhar distância, pois, assim que se aproximasse da guarda que certamente acompanhava o seu pai, estaria salva. Rufino não poderia fazer mais nada.

As horas iam altas quando a mulher saiu de sua cabana e, fingindo estar desesperada, correu até onde Rufino e Florêncio repousavam. Com as batidas insistentes, os dois homens se levantaram, entontecidos pelo sono. Diante do alarido de Joana, não conseguiam compreender o que ela dizia.

Florêncio pediu que se acalmasse e exclamou:

— Joana, o que *tá* acontecendo? O que tu *disse*? Onde *tá* a branca?

Joana, simulando grande constrangimento, lamentou-se:

— Florêncio, a guria fugiu! Não *tá* na cabana...

— O que tu *tá* me dizendo? Como fugiu? Onde tu *tava*?

Joana procurou se justificar:

— Eu demorei pra *dormi*... *Tava* sem sono e resolvi *tomá* um amargo pra me *esquentá*... Como não tinha água quente, fui *pedi pros sentinela*... Acho que ela *acordô*, não sei...

— E daí? O que é que isso tem a *vê* com o teu descuido?

— Não teve descuido, Florêncio. Quando *vortei*, não percebi nada de anormal. Tomei o meu chimarrão e fui *dormi*. Peguei no sono, pesado, não ouvi nada... Essa guria já devia de *tá* planejando isso...

Desconfiado, Florêncio ficou pensativo. Sim! Então era isso! A mudança repentina de Leonor, aceitando as desculpas de Rufino, era para desviar sua atenção e a do rapaz.

A maldita tinha planejado a fuga muito bem, pois sabia que Rufino se tranqüilizaria após o acerto realizado.

Rufino, que a tudo ouvia, pálido, sentiu que ia enlouquecer. De repente seu rosto se tornou lívido e o maxilar se contraiu. Voltou-se contra Joana e ia esbofeteá-la, quando Florêncio, a muito custo, o segurou:

— *Te* acalma, rapaz! Isso não vai *adiantá* nada agora! Mais tarde *vamo vê* a participação de Joana nisso tudo... Agora *devemo* de *se* ir atrás dessa *mardita*! E *vamo alcançá,* ela não deve de *tá* longe. *Tá* muito fraca, nós *pega* ela...

Rufino soltou Joana com desprezo. Ela então sentenciou:

— Tu não *vai tê* o amor dela é nunca!... Ela te odeia!

Rufino fez menção de atacar a mulher novamente, mas Florêncio se interpôs entre eles e deu ordem para o jovem se preparar para a busca a ser realizada.

Enquanto os dois homens se aprontavam para partir, Joana permanecia calada.

Sabia que as sentinelas não ousariam contradizê-la, pois lhe deviam favores. Aliás, não havia ninguém naquele quilombo que não lhe devesse alguma coisa... Ora era um pouco de comida, ora um remédio; todos a tinham em grande consideração...

Precisava relembrá-los, apenas, que necessitariam outras vezes de seus favores e que não deveriam ajudar Florêncio e Rufino a trazer de volta a mulher branca, pois ela só traria infelicidade para todos...

***

Leonor já estava algumas horas na frente dos dois homens. Conforme Joana lhe dissera, não tardaria a encontrar o pai e o marido.

A noite densa e a cerração dificultavam a marcha da moça. Tinha desejo de parar para descansar um pouco, mas, se o fizesse, poderia perder a oportunidade de retornar para casa.

O cansaço, no entanto, falava mais alto. Sentia a boca seca, o corpo exausto. Temia não poder ir adiante...

O frio causticante enregelava todo o seu corpo. Não sentia as mãos, as pernas congelavam...

De súbito a visão se lhe turvou. Ao cair, inconsciente, sobre o cavalo, este diminuiu seu trote até estacar por completo.

Naquele mesmo instante, Florêncio e Rufino partiam a todo galope atrás daquela que consideravam uma pérfida traidora de sua confiança.

O coração de Rufino rugia de ira, principalmente por ter se deixado enganar daquela forma...

Florêncio, por sua vez, decidira ajudar o rapaz a capturar Leonor novamente pela atitude — em sua maneira de ver — indigna que ela tivera, depois de eles haverem confiado nela. Rufino sofria e ele se considerava responsável, se bem que indiretamente, por haver reacendido as esperanças do rapaz.

Fora ele que convencera Rufino a procurá-la...

***

Por outro lado, José Venâncio se aproximava com a sua pequena tropa.

A distância que separava tanto um como o outro de Leonor era praticamente a mesma...

Quis a sabedoria divina que, por uma fração de segundos, Florêncio e Rufino chegassem antes...

Ao avistarem o cavalo andando a esmo, com Leonor quase caindo da montaria, Florêncio, que conhecia o animal, cercou-o e, dizendo algumas palavras amistosas, fez com que ele se acalmasse.

Rufino desceu de sua montaria e se aproximou. Verificou que Leonor estava desmaiada. Observou que, junto à montaria, trazia mantimentos. Confirmou a certeza que tivera: Joana havia ajudado Leonor a fugir.

Distraídos, enquanto retiravam Leonor do cavalo, não perceberam que alguns homens os observavam a alguns metros.

Imediatamente, ouviram-se gritos:

— Sãos os escravos! Olhem os negros!

Logo atrás, vinha a pequena tropa de José Venâncio. O ruído surdo das patas dos cavalos a galope, cercando os dois negros, aturdiu Florêncio e Rufino. Em segundos os dois estavam entregues, vencidos por completo.

José Venâncio vinha à frente, acompanhado de Leonardo e Afonso. Ao reconhecer Rufino, antes mesmo de descer de sua montaria, desceu violentamente sobre as costas do escravo uma estrondosa chicotada.

Com o coração aos pulos, José Venâncio correu ao encontro de Leonor. A jovem delirava, falando palavras incompreensíveis.

Afonso segurou a cabeça de Leonor e beijou sua fronte repetidas vezes. A seguir, carregou-a nos braços com todo o carinho de que era capaz, levando o precioso fardo até o seu cavalo. Finalmente poderia levar sua esposa para casa. O pesadelo havia acabado! Segundo imaginava Afonso, poderiam ser felizes... Castigariam exemplarmente aqueles negros e seu sonho de felicidade se concretizaria.

Realmente, tudo indicava que um novo tempo surgiria...

Mas existirá felicidade à custa do sofrimento alheio?

31

Punição...

Ao perceber o estado orgânico preocupante de Leonor, Afonso e José Venâncio, aflitos, resolveram partir o quanto antes para que ela recebesse o atendimento necessário. Antes, porém, o fazendeiro precisava resolver uma importante questão.

José Venâncio foi ter com o tenente da milícia. Rufino e Florêncio haviam sido presos a ferros e acompanhariam a tropa a pé, sendo puxados por uma corda, que os prendia pelo pescoço.

Como o escravo era sua propriedade, cabia a ele fazer justiça como bem lhe entendesse, segundo o seu entendimento.

José Venâncio convenceu o tenente a lhe entregar a custódia de Florêncio, alegando que o negro era cúmplice e que era seu dever castigá-lo.

O oficial analisou a situação e acabou concordando. Afinal de contas, a moça tinha sido recuperada e não havia razão para levar o caso adiante. O ensejo, a seu ver, lhe favorecia, pois obtivera êxito na busca e não valeria a pena indispor-se com José Venâncio.

Assim, o grupo retornou para a cidade o mais rápido que podia, pois José Venâncio temia pelo estado de saúde de Leonor.

A jovem tinha momentos de consciência, quando abraçava o pai, em prantos; quando a febre retornava, o delírio novamente se fazia presente, preocupando a todos.

José Venâncio olhava para a filha esquálida e se perguntava por quais provações o bem maior de sua vida não haveria passado durante aqueles dias... E se Leonor não resistisse? E se ela viesse a sucumbir, vítima da insensatez daquele escravo odioso?

Quando tais pensamentos lhe vinham à mente, José Venâncio não resistia e, se aproximando dos negros, lhes fazia gemer sob os golpes repetidos de seu rebenque.

Só assim sentia que o seu ódio se aplacava...

Em uma dessas ocasiões, perdera a noção do castigo que infligia, deixando os pobres infelizes quase exânimes. Preocupado, Antero se aproximou do irmão e argumentou:

— Sei o que sentes e compartilho teu ódio, mas, se continuares assim, os matarás! Não chegarão à fazenda e perderás uma grande oportunidade de dar ótimo exemplo aos outros...

Esgotado, com o suor a lhe cair pelo rosto, José Venâncio olhou para Antero e concordou:

— Tens razão. Preciso me controlar... Tão logo esteja em casa, dou um jeito nesses negros ordinários... — completou, bufando.

Enquanto isso, Afonso despachou um mensageiro com a notícia de que haviam encontrado Leonor.

Com exceção de Rufino e Florêncio, só havia um desejo naqueles corações: voltar para casa!

Os dias passavam e, à medida que iam ganhando distância da região do quilombo, apesar do cansaço pela jornada empreendida, ninguém queria parar, pois ansiavam pelo dia da chegada.

Sem alimentação, com pouca água, os dois prisioneiros sentiam suas forças se esvaecerem. Florêncio, principalmente, deixava transparecer um abatimento extraordinário. Preocupado, Rufino, a muito custo, comentou:

— Tu não *devia* de *tê* vindo comigo... Tu *era* livre, agora *é* escravo de novo...

Florêncio sorriu tristemente e declarou, como se vislumbrasse o futuro:

— Não me arrependo... Quem sabe se Deus não me *colocô* do teu lado por alguma razão que ainda não *sabemo*?

A despeito da sua frieza habitual, Rufino não conteve as lágrimas:

— Obrigado! Nunca tive um pai ou um amigo em toda minha vida... Sempre fui só...

Florêncio respondeu, demonstrando coragem:

— Calma, rapaz! Ainda tem muita luta pela frente! *Precisamo sê forte*!

Ao ouvir a conversa que os dois entabulavam, um dos capatazes de José Venâncio tratou de silenciá-los, brandindo o chicote a alguns metros:

— Calem a boca, negros sem-vergonhas!

***

Quando avistaram os cavalos que se aproximavam, um guri, filho de uma escrava, correu e foi avisar Januária.

A velha escrava saiu correndo da cozinha e foi transmitir a notícia a Maria Alice e Eulália, que aguardavam ansiosas por alguma novidade.

— Sinhá Maria Alice, sinhá Eulália, ela *voltô*!

A pobre escrava não cabia em si de contentamento. Saiu correndo, trôpega, e, abrindo a grande porta de madeira escura, gritava, eufórica:

— Ela *voltô*! A sinhazinha *Leonô voltô*!

Nesse ínterim, a caravana foi se aproximando: alguns capatazes à frente, seguidos por José Venâncio, Leonardo e Afonso; junto a estes, uma maca improvisada com alguns panos e troncos de madeira, onde repousava Leonor.

Sem reparar nos negros, que vinham puxados pelas cordas, Maria Alice e Eulália correram, sendo que a primeira se atirou nos braços do marido, que a recebeu com frieza; Eulália, no entanto, dirigiu-se à maca onde Leonor se encontrava.

Ao ver o estado da sobrinha, não pôde conter as lágrimas. Voltou-se para José Venâncio e indagou:

— O que fizeram com a nossa guria? Precisamos tratá-la o mais rápido possível...

O fazendeiro concordou e, segurando o braço da cunhada, implorou:

— Sei que a criaste como tua filha, Eulália... Preciso que me ajudes de novo...

Estranhando o pedido, Eulália concordou, fazendo um sinal afirmativo com a cabeça e dando ordem aos escravos para que conduzissem Leonor para o quarto.

Todos entraram, com exceção de Maria Alice e Afonso. Foi quando a esposa de José Venâncio perguntou, perturbada:

— Podes tu explicar-me o que se passa? Por que meu marido me recebeu com tamanha frieza? Acaso ele te disse alguma coisa no caminho?

Afonso meneou a cabeça e, passando as mãos pelos cabelos desalinhados, respondeu:

— Deixemos isso para depois, minha irmã... Temos que salvar Leonor agora...

Após assim se pronunciar, reuniu-se aos outros. Maria Alice, sozinha, relegada a segundo plano novamente, pensou consigo mesma:

— Ah, Leonor! Voltaste!

Alheia a tudo, Leonor foi colocada em seu leito, semiconsciente.

Depois de pedir que o deixassem sozinho, apenas permitindo a presença de Januária, Leonardo se aproximou e começou a examinar a prima. O cenho franzido e uma pequena ruga na testa denunciavam sua preocupação.

Atenta, Januária lhe atendia às ordens, buscando compressas para a febre e trazendo água fresca para administrar o medicamento; mandou providenciar, também, ervas para auxiliar na higienização do ar.

Passados quase três quartos de hora, Leonardo abriu a porta e pediu que Jose Venâncio e Afonso entrassem. Angustiados, com os semblantes desfigurados, perguntaram, quase a uma só voz:

— Então? O que tem Leonor? Ela viverá?

Leonardo lavou as mãos em uma bacia colocada em uma mesa, ao canto, e, enquanto as enxugava, falou, reticente:

— Refiz meticulosamente os exames que já havia feito durante nosso retorno... Não posso afirmar ao certo o que ocorreu...

José Venâncio se exasperou:

— Mas fala, rapaz! Afinal de contas, tu és médico ou o quê?

Leonardo encarou o tio e continuou:

— Como estava dizendo, meu tio, acho estranho o fato de minha prima apresentar problemas no coração... É certo que possui alguma infecção, mas o que me preocupa são os sinais cardíacos...

Afonso se antecipou e indagou, aflito:

— Achas que se a levarmos para a Europa poderíamos salvá-la? Existem excelentes médicos em minha terra...

Leonardo balançou a cabeça em sinal negativo:

— Não podemos contar com esse recurso. Ela não resistiria...

O desespero parecia tomar conta de todos, quando Maria Alice entrou no quarto. Ouvira as últimas palavras e, apesar de sua presença passar quase despercebida, suas palavras reavivaram as esperanças do trio:

— Senhores, tomei a liberdade de enviar, durante sua ausência, uma carta ao meu sobrinho Miguel, pedindo que viesse o mais rápido possível... Como sabem, ele é médico, formou-se na França... Acredito que ele deve chegar por estes dias...

Afonso olhou para Maria Alice e exclamou, emocionado:

— Minha irmã, como adivinhaste? Havia falado a Miguel que nos aguardasse em Portugal... Dei-o por dispensado de meu casamento...

Maria Alice olhou rapidamente para José Venâncio e comentou, dirigindo-se ao irmão:

— Fiquei a imaginar que, após toda essa tragédia, a presença de Miguel fosse bem-vinda... Queria ajudar de alguma forma...

Leonardo se posicionou:

— Percebo como de grande valor a presença de um colega jovem, diplomado por outra escola... Poderemos vir a trocar algumas opiniões...

Finalmente, José Venâncio se voltou para sua mulher e afirmou, em tom conciliador:

— Fizeste bem, Maria Alice. Tua presteza poderá salvar Leonor...

A esposa temperamental de José Venâncio aproveitou a ocasião:

— Fico feliz em ter podido ajudar, meu querido. Sabes que podes contar comigo, sempre...

Leonardo recomendou a Januária que providenciasse um banho e a troca de roupas de Leonor. Eulália, que se aproximara, também se dispôs a ajudar.

Exaustos, sujos, cada um procurou seu próprio aposento, para fazer a higiene e descansar.

A partir de então, só restava esperar...

* * *

Em um dos galpões da fazenda, a história era bem diferente. Seguindo as ordens de José Venâncio, um dos capatazes, Tenório, foi encarregado de "cuidar" de Rufino e Florêncio.

Indiferente aos rogos do último, os dois tiveram as mãos suspensas e amarradas acima de suas cabeças, por cordas. Não demorou muito para que se fizesse sentir a extensão daquele castigo: em poucos minutos, Rufino e Florêncio passaram a acusar um formigamento nos braços, seguido por dor indescritível. Como se não bastasse todo aquele sofrimento, Tenório ainda foi até o galpão algumas horas depois e salientou com sarcasmo:

— Queria se *vê* livre de mim, *nego* traidor? Pois vou te mostrar, pra tu nunca *esquecê*, a quem tu *pertence* e a quem tu *vai pertencê* até *apodrecê* a sete *palmo* de terra!

Tenório trouxe, então, um ferro em brasa, com o qual marcava-se o gado. Aproximou-se de Rufino e, sem ouvir o apelo de Florêncio, marcou com as iniciais *FR* — Fazenda do Rosário — o ombro direito de Rufino.

Orgulhoso, o escravo cerrou os dentes e sentiu as pernas desfalecerem; como tinha os braços amarrados, permaneceu suspenso, enquanto lágrimas de revolta rolavam por aquele rosto alterado.

Ainda não sendo suficiente, Tenório marcou as costas de Rufino com o famoso "*F*", de fugitivo, que servia, acima de tudo, para humilhar os escravos; era mais uma penalidade moral.

Desesperado ao presenciar toda aquela atrocidade, Florêncio resolveu intervir:

— Meu *sinhô*, tem dó desse pobre... Ele não sabia o que *tava* fazendo...

Naquele instante, Tenório se voltou para Florêncio com um riso sarcástico e indagou:

— E tu, velho... De onde tu *saiu*?

Florêncio pensou rapidamente e respondeu:

— Sou livre e recebi esse escravo e a sinhazinha... Ela *tava* doente e recebeu *cuidado*...

— Ah! Então tu *ajudô* esse *nego*... Pois tu *vai tê* a tua parte também...

— Por favor, tu *é* um homem que nem nós... Não te *fizemo* nada...

— Cala essa boca, *criolo*! — bradou Tenório, cerrando os dentes de raiva. — Vou te *dá* uma lição daquelas da gente se *lembrá* e se *arrepiá!*

Apesar das palavras de Florêncio terem despertado em Tenório um tênue sentimento de culpa, ele logo foi substituído pela raiva descontrolada. Tenório se afastou e voltou trazendo o *bacalhau* — espécie de chicote de couro cru com uma só perna... E começou a bater...

Normalmente, para faltas menores, o usual era darem-se umas cinqüenta chibatadas. A ira do feitor, no entanto, fez com que ele ultrapassasse de muito esse número.

O desejo de se fazer prestimoso aos olhos de José Venâncio fez com que a ferocidade daquele homem o conduzisse a um nível de total irracionalidade.

Como tantos outros, naquela época, que infligiam castigos hediondos aos escravos, dilacerando suas carnes e aplicando-lhes penas que beiravam a insanidade, Tenório agia movido pelo ódio à raça negra; a maioria dos que nutrem sentimentos racistas, somente após muitas existências reencarnando e sentindo a injustiça do preconceito na própria pele consegue se libertar deste pesado estigma...

Assim que pôde, Rufino reagiu e, agindo mesmo contra sua própria índole, implorou piedade a Tenório.

O infeliz feitor sentiu-se satisfeito pela humilhação de Rufino; mas fez-se surdo àqueles apelos desesperados.

Rufino, no auge da revolta, não podendo mais suportar o castigo que sofria Florêncio, deu um grito alucinado, onde colocou todas as angústias e dores de sua existência.

O grito ecoou e retumbou por toda a fazenda...

Tenório desviou sua atenção de Florêncio e foi até um *mocho* próximo, onde pegou uma porção de salmoura e atirou nas feridas de Rufino. Sem dúvida, isso tornava o castigo ainda mais doloroso.

Ao se retirar, olhou mais uma vez para os escravos. Certamente a lição estava aprendida.

Rufino, com dificuldade, pediu perdão a Florêncio:

— *Me* perdoa! Nunca quis te *fazê* mal...

Florêncio mal conseguia respirar. Sentia o sangue quente correr-lhe em profusão pelas costas. Com extremo esforço, declarou:

— Não fala nada... Foi escolha minha...

Rufino olhou para Florêncio e chorou. Revoltado, perguntou ao companheiro de infortúnio:

— Por que *temo* que... *passá* por... isso? Por que essa sina?... Que Deus é esse?

Florêncio, exausto, com o peito arfante, conseguiu apenas comentar:

— Não sei *respondê*... Também procuro essa resposta... Queria *entendê* esse Deus...

Os dois ficaram em silêncio. Não sabiam ao certo se haveria um dia seguinte.

32

... E REMORSO

Todos se achavam à mesa quando o grito de Rufino ecoou no recinto onde se encontravam José Venâncio, Maria Alice, Afonso, Leonardo e Antero.

Indescritível mal-estar tomou lugar no ambiente. Não restavam dúvidas de que a punição seria exemplar, mas, de alguma forma, as pessoas ali ficaram chocadas... Exceto José Venâncio e Maria Alice.

Tentando desfazer a má impressão, aquele considerou:

— Não há que se estragar a refeição por causa deste negro. Ele já fez mal demais a todos nós... Vamos esquecer o ocorrido e tratar de jantar.

José Venâncio fez um sinal para que a escrava se aproximasse e começasse a servir.

A verdade é que eles haviam perdido a fome. Ressoava, insistentemente, em todos os corações, o grito de Rufino.

De repente, Januária entrou correndo na sala de jantar:

— Sinhô Zé Venâncio, venha *vê* a menina...

Imediatamente o fazendeiro se levantou e se dirigiu ao quarto a passos largos, seguido por Afonso e Maria Alice.

Ao entrar, Leonor, extremamente pálida e agitada, perguntou:

— O que foi isso? Quem deu esse grito? Onde está Rufino?

Afonso se aproximou e explicou carinhosamente:

— Amada minha, acalma-te. Está tudo bem, o escravo está longe daqui...

Leonor voltou-se para o pai e implorou:

— Peço-te, meu pai, que jamais deixe que ele se aproxime de mim novamente! Quero-o longe de mim...

O horror estampado no rosto de Leonor teve um impacto extremamente negativo em José Venâncio, que já trazia algumas suspeitas em seu íntimo. Interpretando como uma acusação velada quanto ao procedimento de Rufino, enraivecido, o pai de Leonor garantiu-lhe:

— Fica tranqüila, minha filha. Este negro nojento jamais voltará a te importunar, eu te prometo!

Mais serena, Leonor se recostou nos travesseiros. Sentia dores pelo corpo, um cansaço paralisante. Mal pudera retribuir os sorrisos conhecidos e calorosos que a cercavam, prestimosos. Apenas trocara algumas palavras com Januária. Certificando-se de que estava de volta, olhou para todos e falou com voz débil:

— Graças a Deus, estou em casa!

A alegria estampada em todos os rostos, exceto no de Maria Alice, obviamente, fez com que retornassem à sala de jantar e esquecessem o incidente.

José Venâncio, contudo, estava decidido: no dia seguinte, mandaria matar Rufino e o outro negro.

***

Ao longe, ouvia-se o galo cantar, prenunciando o despontar de um novo dia. A vida na fazenda retomava lentamente seu acomodado e vagaroso ritmo.

Nada de normal, entretanto, foi o amanhecer dos escravos prisioneiros. Com os braços muito inchados, Rufino e Florêncio tinham permanecido em pé durante toda a noite. A cor violácea das mãos denunciava a ausência de circulação sanguínea.

Combalido, mas revoltado, Rufino observou as mãos ásperas e intumescidas, e falou:

— Se minha mãe me visse nesse estado... Nós *fomo* uns *desgraçado*, eu e ela... Ela morreu na senzala, bem do jeito que eu vou *morrê*... Só que ela pegou uma peste de tanto *trabalhá*, de tanto *mau-trato*, de tanta tristeza...

Florêncio escutava, enquanto lhe vinha à memória a mulher que um dia deixara e a quem dedicara todo o seu amor. Retornara alguns anos mais tarde ao local, mas, para sua tristeza, sua mulher morrera na senzala pouco tempo após sua partida, e o filho fora vendido em um leilão, junto com outros escravos.

Nunca havia imaginado vir para o sul. Por ser a única chance de permanecer vivo que se lhe apresentara, tivera que aproveitá-la; nunca, contudo, sentira tanto a falta de uma família como nos últimos tempos.

"Talvez seja a idade!", pensava. "Eu *tô* é ficando um *véio* chorão..."

Entendia bem a revolta de Rufino, mas também sabia que não havia nenhuma esperança. Cansara de lutar. Foram muitas decepções e planos malfadados. Assim, com um conformismo sem ilusões, tentou persuadir Rufino a seguir-lhe os passos:

— Olha, Rufino, não é bom *ficá* com tanta raiva... Tanta amargura. Nós *sabia* que isso tudo podia *acabá* mal... eu mesmo fugi minha vida toda, mas sabia que um dia eles podiam me *pegá*...

Rufino balançou os braços com fúria, o que provocou mais dor e feriu-lhe os pulsos. Jamais perdoaria aqueles que o haviam agredido:

— Eu odeio essa gente! Ah, como odeio *eles*! Principalmente ela... Pois se os *morto* voltam — e hão de *voltá* — espera pra tu *vê* se não me vingo, mesmo depois de morto!

Florêncio interveio, ponderando:

— Ué! Mas tu não *ama* a sinhazinha? Que *amô* é esse que se *transformô* tão fácil em ódio?

Rufino pensou e respondeu:

— Ela é uma ingrata e uma traidora, isso que ela é... Eu podia *fazê* qualquer coisa por ela! Ela me *enganô*, me iludiu, como também te iludiu...

Florêncio deu um sorriso triste e retorquiu:

— Sobre isso, não me preocupo. Cada um paga seus *pecado*. Acho que vai *doê* mais nela do que em nós...

— Pois pra mim ela não tem coração! E nem alma...

— Ela é como todos os *outro*... Pensam primeiro em si — completou Florêncio.

Mais calmo e conformado, Rufino deu um longo suspiro de cansaço. Havia perdido a luta. Nada mais restava fazer. Era só esperar pela sentença final.

Após alguns minutos de silêncio, sentiu um aperto no coração e declarou:

— Se pelo menos eu tivesse minha mãe aqui comigo... Meu pai nos *deixô*; fugiu, dizendo que nos buscava, e nunca mais *voltô*...

Florêncio sentiu um ligeiro mal-estar ao ouvir aquilo. Tentando esconder suas emoções, contrapôs, paternal:

— Ora, Rufino, isso já faz tanto tempo... Ele já deve de *tê* se arrependido...

O jovem escravo obtemperou:

— Quem sabe se ele tivesse aqui do meu lado eu não seria *melhó*, mais obediente? Minha mãe morreu pouco tempo depois da partida dele...

Novamente, Florêncio sentiu um aguilhão em brasa a mexer--lhe velhas feridas. Com grande sofrimento estampado em seu rosto, comentou, emocionado:

— As *coisa* nem sempre saem do jeito que *queremo*, como já te disse...

Rufino prestou mais atenção no rosto de Florêncio. Poderia dizer que, desde que o conhecera, achara sua fisionomia familiar; mas agora parecia, sim, que conhecia aquela fisionomia de algum lugar, de um tempo longínquo... Encarando seu interlocutor, resolveu perguntar:

— O que aconteceu? Tu também *abandonô* tua família?

Florêncio resolveu contar:

— É verdade. Parti com a promessa de *buscá* minha *mulhé* e meu filho, neguinho esperto aquele guri, mas nunca pude *retorná*...

Rufino ficou pensativo e continuou:

— Estranho... Nós *temo* uma história parecida! Eu perdi meu pai, que nos *abandonô*, e tu *deixô* tua família! Quantos *filho* tu *tinha*?

— Já te disse, só um moleque. Vivia em São Paulo, em uma fazenda de café...

A sensação de estar descobrindo algo que fugia a sua compreensão no momento, mas que parecia emergir de um passado distante, fez com que aqueles dois homens ali amarrados temessem, mas ao mesmo tempo desejassem fervorosamente, descobrir a verdade:

Florêncio, angustiado, inquiriu Rufino:

— *Me* diz o nome da tua mãe...

Rufino baixou os olhos e sussurrou:

— O nome dela era... Narcisa. Eu chamava ela de mãe...

Florêncio o interrompeu:

— ... mãe Isa! Era assim que o meu menino chamava a mãe dele...

Os dois homens entreolharam-se por alguns minutos. Era um olhar que se reencontrava quase vinte anos depois...

Florêncio temia pela reação de Rufino. O seu menino era um homem revoltado com a própria sorte, infeliz, que nada tivera, mas que, mesmo assim, tudo perdera.

Rufino sabia que aquele fora o único olhar de amizade que recebera em toda sua existência. A partida do pai dificultara enormemente a sua vida, mas, apesar de tudo, fora ele o único a acreditar nele e a ajudá-lo...

Para Florêncio, o desejo de abraçar o filho, de apertá-lo ao encontro do seu coração foi irresistível... Mas os dois tinham os braços amarrados, intumescidos, imóveis...

Aproximaram-se e, sem poder conter as lágrimas, Rufino conseguiu somente encostar a cabeça no rosto do pai.

Florêncio continha a própria dor. Depois de algum tempo, por fim, falou:

— Por que mudaram o teu nome? *Nóis* te *chamava* de Custódio...

— Nem me lembro disso... Só sei que depois que a mãe Isa morreu o sinhô disse que o meu nome era Rufino.

Florêncio reuniu todas as forças que possuía e indagou:

— Filho, tu *sabe* o que vai nos *acontecê*, *num* sabe?

Rufino fez um sinal afirmativo com a cabeça.

Florêncio prosseguiu:

— Por algum motivo que eu não sei qual é, nós *fomo afastado* pela vida, mas agora *vamo morrê junto*...

Rufino estremeceu:

— Não aceito *morrê* desse jeito... Sem *podê* me *defendê*... Amarrado que nem um bicho...

— A gente não tem escolha, filho. Mas te digo que morro feliz porque te reencontrei. Quero só uma palavra tua, pra poder *entregá* a minha alma a Deus...

Rufino ouvia, atento:

— *Diz* o que é, pai...

— Eu queria que tu *dissesse* que me perdoa... Que *dissesse* que não me odeia mais...

Pela mente de Rufino, novamente passaram os anos de martírio e sofrimento pela falta do pai... — e se ele não os houvesse abandonado? Quem sabe se sua mãe não teria vivido mais? Quem sabe se sua venda, ainda criança, não pudesse ter sido evitada? Seu pai poderia tê-lo protegido?

A verdade é que Rufino não saberia dizer se a vida realmente teria sido diferente. Mesmo com o pai, tudo poderia ter acontecido da mesma forma, ou talvez até pior...

A vida apresenta caminhos que muitas vezes nos levam a perguntar: "E se tivesse sido diferente? Se fizéssemos esta ou aquela coisa, se tivéssemos tomado outros rumos, outras decisões?"

Apenas podemos afirmar que, de uma forma ou de outra, tudo acontece com a permissão de Deus. Nada está acima dessa vontade e, mesmo quando agimos pelo impulso de nosso livre-arbítrio, na realidade isso acontece somente porque Deus permite, para nossa experiência e aperfeiçoamento.

Rufino olhou para Florêncio e declarou, comovido:

— Tu me *deixou* nessa vida, mas *escolheu* me *segui* na morte, pai. *Veio* comigo nessa aventura, sabendo que *podia morrê*... Não posso *deixá* de te *perdoá*!

Florêncio chorava em silêncio. Morreria, sim, mas em paz. Finalmente sentia a alma leve...

De todas as dores que sentira na vida, pior mesmo que a mais injusta chibatada que seu dorso já tão maltratado recebera, seu maior sofrimento era a chaga que trazia no coração havia tantos anos. Carregara por aquele tempo uma ferida que jamais cicatrizara, ardendo como brasa em seu coração: o remorso.

Pela primeira vez, desde que deixara a fazenda de café, poderia ficar em paz. Já não importavam a dor física, os braços inchados e tudo o que o esperava. Tinha a alma redimida de uma grande falta.

33

A MORTE DE RUFINO

Eram oito horas quando Tenório foi chamado por José Venâncio.

O feitor entrou na casa-grande e foi acompanhado por Januária até o gabinete do patrão.

Segurando o chapéu com as duas mãos, ele esperou José Venâncio autorizar sua entrada.

— Mandou me chamar, patrão? Estou às *ordem*...

José Venâncio foi direto ao assunto:

— É por causa daqueles negros... Afinal de contas, como estão? Estou pensando em um modo de castigá-los, mas deverá ser uma punição exemplar...

Tenório, sem conseguir esconder sua satisfação, foi logo dizendo:

— Patrão, o senhor desculpe, mas já tomei algumas *providência*...

José Venâncio perguntou, surpreso:

— O que fizeste? Já mataste os negros? Tiraste este prazer do teu patrão?

Tenório corrigiu o equívoco:

— Não, *sinhô*! Apenas fiz eles *vê* com quem *tavam* lidando... Marquei o Rufino com o ferro em brasa... Coloquei o "F", pra que todos vissem o tratamento que se dá aos *fujão*...

Evidentemente, Tenório omitia alguns detalhes que lhe poderiam comprometer. José Venâncio concordou, satisfeito:

— Fizeste bem, meu caro Tenório. Mas o outro, o mais velho, não era de minha propriedade... Bem, de qualquer forma, foi cúmplice do desgraçado do Rufino!

— É verdade, sinhô. Ele me disse que era livre, mas não acreditei muito não. Castiguei *ele* também; o Rufino, ainda marquei com as *inicial* da fazenda nas *costa*... O *nego* gemia, não sei se de dor ou de raiva... — acrescentou Tenório, dando uma risadinha.

José Venâncio aprovou o procedimento, orgulhoso de seu empregado. Resolveu entregar a sorte de Rufino ao feitor:

— Tenório, já que tu conheces bem as manhas destes negros, bem que tu poderias dar um jeito neles, não é mesmo? Tu sabes bem com fazer... Apesar de tudo, não quero me envolver diretamente com isso.

Os olhos de Tenório brilharam. Não esperava por aquela demonstração de confiança por parte do patrão. Era algo como um presente, um crédito. Sim! José Venâncio o respeitava! Respondeu tão logo se recuperou da emoção:

— O *senhô* pode confiar em mim, patrão. Faço tudo direitinho e ainda *dô* uma lição *pros outro*...

— Está bem, fica combinado. Mas isso não pode chegar aos ouvidos de minha filha...

Tenório deu uma risada e saiu. Tudo o que desejava estava acontecendo. A antiga rixa que tinha com Rufino, por sua arrogância e rebeldia, seria acertada finalmente.

Nunca pudera agir livremente, porque Rufino era protegido por Maria Alice; agora, no entanto, ele estava em suas mãos.

Enquanto retornava ao galpão onde costumava dormir, refletia: "Podia colocar os *nego* no tronco, mas isso é coisa de todo dia... Preciso *pensá* em algo *melhó*...". Assim foi que o perverso Tenório, com seus terríveis pensamentos, se recolheu, enquanto sombras com formas humanas, invisíveis aos olhos dos encarnados, o abraçavam, insuflando-lhe idéias cruéis.

No casarão, Leonor acordara com muitas dores pelo corpo, especialmente nas articulações. Desde que retornara, sentia um inaudito cansaço e muita dor.

Preocupados, Afonso e José Venâncio não viam a hora de Miguel chegar. Leonardo vinha diariamente visitar a enferma, mas sabia que o mal que acometia a prima era diferente de tudo o que conhecia.

Impotente diante de uma moléstia que não conhecia, atormentava-se ao lembrar que no dia imediato ao rapto de Leonor mandara uma carta a Cândida, sua futura noiva.

Rogara-lhe que aguardasse mais algum tempo no Rio de Janeiro, pois algo grave havia acontecido na família e ele estaria ausente por tempo indeterminado.

Desde então, não tivera mais notícias de sua amada, e isto o angustiava sobremaneira. Teria a mulher da sua vida o esquecido, assim, tão depressa?

Ao retornar, aflito, procurara Lúcia para saber se havia alguma correspondência, mas não chegara nada que lhe dissesse respeito.

A própria Leonor aceitara intervir em seu favor, mas infelizmente não tivera tempo. No estado em que se encontrava agora, pouco poderia fazer.

Diante de todas essas preocupações, após examinar a enferma, deu-lhe uma medicação para a febre e dor. Leonor segurou a mão de Leonardo, que se sentara em seu leito, e perguntou:

— O que está acontecendo comigo, primo? Estou tão cansada...

Ele procurou não encará-la e, se afastando vagarosamente, afirmou:

— Tu não deves te preocupar com nada. Está tudo bem. Estás cansada em virtude da aventura que viveste...

Leonor, recostada no travesseiro, fechou os olhos. Queria esquecer tudo o que passara. Voltando o olhar na direção de Leonardo, inquiriu o primo:

— Eu não vou morrer, não é mesmo? Vou ficar boa, não é, Leonardo?

O primo se aproximou do leito e explicou, procurando ser convincente:

— Claro que tu vais ficar boa... Que tolice, minha prima. É só uma questão de tempo...

Leonor, atiçada pela curiosidade, perguntou ainda:

— Soube que estão aguardando o filho de Afonso para me examinar... Achas que ele poderá me ajudar?

— Não tenho a menor dúvida. É um colega que poderá nos auxiliar muito.

Leonor sorriu, satisfeita. Ainda tinha a vida toda pela frente; viajaria, tão logo tivesse forças, para a Europa.

Lá visitaria os lugares mais belos do mundo, compraria lindos vestidos, iria ao teatro, à ópera, enfim, seria uma dama da sociedade.

Seria feliz, muito feliz! Era só uma questão de tempo...

***

Após pensar por algumas horas sobre o que fazer com Rufino e Florêncio, Tenório chegara a uma conclusão: mataria o escravo de modo peculiar, ignorando os castigos comuns da época.

Nada de cepo, tronco ou "anjinho"... Já estavam bastante machucados; se os deixasse ao relento por alguns dias, sem água e comida, prendendo-os pelas mãos e pés, não durariam muito tempo. Seria uma morte lenta e dolorosa; Florêncio, como era velho, certamente morreria antes.

Sendo assim, Tenório saiu do galpão decidido a colocar em execução o castigo idealizado por sua mente maléfica.

Mandou dois capatazes levarem os escravos para a parte da fazenda que servia de caminho entre o casarão e os galpões de abate do gado propriamente ditos.

Eram, esses galpões, próximos ao rio, o que facilitava o escoamento das carnes não aproveitadas e o próprio transporte para as regiões portuárias.

Naqueles locais, geralmente o cheiro exalado pela carne era praticamente insuportável e, em decorrência disso, havia muitas moscas e insetos, o que vinha ao encontro da punição engendrada pelo feitor.

Passaram-se alguns minutos quando os capatazes chegaram, estalando os chicotes nas costas de Rufino e Florêncio.

Os desditosos escravos mal podiam parar em pé. A surra levada na noite anterior castigara, sem dúvida, o corpo, mas fustigara ainda mais profundamente suas almas.

O consolo do reencontro de pai e filho às portas da morte amenizara o sofrimento, mas, ao mesmo tempo, colocara-os na situação de dizerem adeus um ao outro justo quando se encontraram.

Foram conduzidos com a gargalheira — instrumento de castigo utilizado para escravos fujões —, que tinha a peculiaridade de servir como pena moral, pois denunciava a falta que haviam cometido.

Andando com dificuldade, mal podiam mover as mãos e as pernas, muito inchadas.

A tal gargalheira, composta por dois semicírculos, que se ajustavam ao pescoço, possuía uma extensão em ferro, para os lados, que dificultava os movimentos, impedindo que o escravo fugisse novamente.

Tenório mandou cravar na terra quatro estacas a uma distância razoável uma da outra; a seguir, mandou o escravo deitar de bruços e prendeu as mãos e os pés de Rufino nas estacas.

Voltando-se para Florêncio, ia prendê-lo na peia, quando o escravo lhe implorou:

— Sinhô, quero o mesmo castigo... Eu lhe peço, me deixa *morrê* da mesma forma...

Tenório olhou para o escravo e, dando uma sonora gargalhada, ironizou:

— *Pensa* que tu *pode escolhê* teu castigo, seu infeliz? Chega de conversa, *nego*, senão eu é que calo essa tua boca suja no rebenque!

Florêncio não se intimidou e retorquiu:

— Sou só um *nego* a mais *pro* sinhô... Qual é a diferença?

Tenório irritou-se ao ouvir novamente a voz de Florêncio. Não sabia por que, mas ele era diferente. Possuía uma inflexão na voz que, de alguma forma, mexia com sua consciência.

Furioso, voltou-se para um dos peões e mandou que prendessem Florêncio tal como haviam feito com Rufino.

Inconformado, Rufino pedia que libertassem Florêncio, que só ele era culpado. Por fim, desistiu.

Enquanto Tenório se retirava, Florêncio foi amarrado ao seu lado. Tentando olhar o firmamento, o ex-escravo sentenciou:

— Não precisa mais *pedi* por mim, filho. Estou pronto pra morrer...

— Se aquela *mardita* não tivesse nos enganado... — disse Rufino com raiva.

Preocupado, Florêncio pediu:

— Meu filho, acredito no teu perdão e isso me deixa a alma leve... Mas acho que tu *tem* que *perdoá* a moça... Ela é boba, não mediu as *conseqüência* do seu feito...

Rufino fechou os olhos e duas lágrimas rolaram pela face negra e entristecida. Com o rosto encostado na terra, totalmente humilhado, lembrou-se da última conversa que tivera com Leonor.

Lembrara-se que ela o havia desculpado e parecera ser mais dócil, e ele acreditara que talvez até pudesse acompanhá-lo...

Naquele momento, o frio atingia seu corpo sem piedade e, como prova de sua maldade, Tenório havia mandado colocar mais salmoura em suas costas.

O suplício tornava-se intolerável. Mais uma vez, pensara em Leonor.

Ela fora a pior coisa que acontecera em sua vida. Pior que todos os castigos, humilhações, carências...

Ela surgira como o sol e, no entanto, colocara-o na mais pura miséria física e moral..., considerava.

Não! Não poderia perdoá-la...

Dessa maneira, com muito esforço, Rufino levantou a cabeça e disse para o pai:

— Lamento, pai... Isso eu não posso *fazê*. Jurei que ia *persegui* a sinhá se ela fosse de outro... E é isso o que eu vou *fazê*!

Florêncio, com o olhar entristecido, indagou novamente:

— Afinal de contas, tu *ama* ou *odeia* a sinhazinha?

Rufino deixou a cabeça pender sobre a terra e exclamou, em tom de desespero:

— Eu não sei, eu não sei! Amo e odeio ao mesmo tempo... Ela é um tormento, mas eu não consigo *isquecê* essa *mulhé*...

Compadecido, Florêncio permaneceu em silêncio. Quanto tempo agüentariam aquela situação? Será que José Venâncio os deixaria ali, no chão, amarrados até morrerem?

E Leonor? Por que não ouvira mais falar dela? Teria morrido? Provavelmente não, pois, se isso tivesse acontecido, por certo já estariam mortos. Mas se ela era tão boa com os escravos, por que os deixaria morrer daquela forma e, pior ainda, por sua causa?

Não entendia a alma dos brancos. Só não queria morrer com rancor de ninguém.

A noite chegou e, sem água e alimento, os dois homens se desidratavam rapidamente.

Os demais escravos da fazenda não se aventuravam para aqueles lados. Sabiam que tal atitude lhes poderia custar a vida.

Apenas Januária ficou sabendo das atrocidades e saiu, na escuridão da noite, para oferecer um pouco de água aos condenados.

Aquele tipo de "justiça" era muito comum nas fazendas de todo o Brasil e sempre mais cruel do que as punições legalmente permitidas.

O estado lastimável dos dois impressionou sobremaneira Januária. Havia muito não via punição tão severa a nenhum escravo. Desde que a mãe de Leonor chegara à fazenda, aqueles castigos haviam cessado.

O pai de José Venâncio aplicava castigos desumanos, mas, com a presença da nora, tão meiga e dócil, rogando-lhe menos severidade, o velho acabara cedendo, pois a amava como a uma filha.

Depois viera a sinhazinha e José Venâncio nunca conseguira lhe dizer não... Agora acontecia essa brutalidade...

Aos poucos, os homens conseguiram engolir alguns goles de água. Florêncio agradeceu com humildade; Rufino, no entanto, permaneceu em silêncio.

A boa mulher olhou para Rufino e sentiu um calafrio quando seus olhos se encontraram. Reconhecendo a escrava, Rufino afirmou, ameaçador:

— *Diz* pra tua sinhazinha que eu vou *morrê*, mas ela não vai mais *tê* sossego...

Januária sabia o que representava aquela ameaça. Conciliadora, tentou apaziguar o coração de Rufino:

— Meu jovem, a sinhazinha *tá* muito doente... Não *sabemo* se vai *sobrevivê*.

Rufino forçou uma gargalhada, expressando todo o seu ódio:

— Isso seria muito bom! Ela ia *morrê* comigo... Pois o que está dito está dito: eu venho *buscá* a sinhazinha *Leonô*! Ela fica comigo!

Apavorada, Januária se afastou correndo. Havia algo tétrico nas palavras de Rufino... Uma profecia maléfica, que a velha e boa escrava não deixou de assinalar.

Januária não voltou mais para oferecer água, pois havia ficado receosa com a promessa de Rufino. Sabia que ele a cumpriria.

Os dias passaram e a situação dos dois prisioneiros se deteriorava a olhos vistos.

As chagas nas costas se transformaram em feridas pestilentas, que atraíam animais e insetos.

Sendo ali mesmo o lugar onde faziam suas necessidades fisiológicas, o local se tornou um vasto pasto a vermes, moscas e outros artrópodes.

Florêncio desencarnou primeiro. Deixou o corpo físico quando este já se encontrava quase em decomposição.

Sua alma, enfim, conquistava a liberdade. Teria muitas contas a acertar com a misericórdia divina, mas o perdão concedido a seus algozes tornara sua partida menos penosa.

Já Rufino levou mais alguns dias. Desencarnou com o pensamento fixo em sua vingança. Ao contrário de Florêncio, depois de desencarnado, permaneceu na fazenda. Como louco, procurava aquela que, segundo ele, muito o havia prejudicado.

Não havia dúvidas de que a encontraria...

34

O REENCONTRO

Rufino e Florêncio desencarnaram em condições dolorosas. O primeiro, devido a seus pensamentos de ódio e vingança, permaneceu por algum tempo ligado aos despojos carnais; Florêncio, por ser um espírito mais resignado e principalmente por haver perdoado seus algozes, recebeu o prêmio justo de sua gradual reabilitação espiritual.

Apesar do desequilíbrio de seus atos no quilombo, Florêncio assim procedera acreditando sinceramente que agia da forma correta, que qualquer coisa deveria ser feita para libertar seus irmãos do cativeiro.

O móvel que o impulsionava era o desejo de auxiliar, forçando a liberdade de outros escravos. Pouco sabia sobre as leis humanas e menos ainda sobre os desígnios divinos.

Buscava libertá-los à força, por não ter outros meios de ajudá-los. Como sempre, a intenção de nossos atos é o mais importante e, como todos os esforços que visam o bem são levados em consideração por nosso Pai, Florêncio recebeu o auxílio necessário.

Quanto a Rufino, após um período de perturbação inicial, passou a procurar Leonor desesperadamente.

Ao ver-se em liberdade, embora não possuísse a consciência da sua desencarnação, vasculhava a fazenda em busca da mulher que, segundo acreditava, era a única responsável por sua ruína.

Assim que soube da morte dos escravos, José Venâncio, que ignorava as condições desumanas em que ela se dera, mandou que Tenório tomasse as devidas providências, enterrando-os o mais longe possível da fazenda.

Sentia um certo alívio ao saber que nunca mais veria Rufino pela frente. Não gostava do escravo e, depois que Leonor passara a demonstrar visível desprezo por ele, suas desconfianças a respeito do seu caráter aumentaram.

Com o rapto de Leonor, o ódio pelo escravo se deflagrou em superlativa intensidade. Havia jurado exterminá-lo e cumprira sua promessa.

"Leonor está livre daquela fera humana", pensava. "Ninguém mais a perturbará e tudo voltará ao normal."

Assim que a filha estivesse mais forte, contar-lhe-ia a novidade. Por ora, tinha um dever de honra a cumprir.

Mandou um dos guris que rondava a cozinha chamar Afonso.

Alguns minutos mais tarde, seu cortês genro se colocou à sua frente. José Venâncio pigarreava e, após tossir com força, de uma vez por todas começou:

— Bem, meu caro Afonso. Tenho evitado esta nossa conversa, mas precisamos enfrentar as coisas de frente...

Afonso, surpreso, não entendia onde o sogro queria chegar. Preocupado, perguntou:

— De que se trata? Não estou a entender...

José Venâncio caminhou em passadas firmes pela sala e sentou em sua cadeira, perto da escrivaninha:

— Senta, amigo. O que ocorre é que... Não posso exigir que tu mantenhas este casamento, depois do que ocorreu... Além disso, minha filha está doente...

Afonso empalideceu. Jamais pensara em abandonar Leonor em virtude dos nefastos acontecimentos. Sabia ter sido ela vítima de um homem enlouquecido por uma paixão impossível.

Olhou fixamente para José Venâncio e retrucou com orgulho:

— Lamento, meu cunhado e sogro, que vieste a ter sobre minha pessoa uma impressão tão errada... Amo tua filha como dantes e jamais a abandonaria agora, quando se recupera dessa terrível tragédia! Não está a me importar o que aconteceu... Haveremos de esquecer! — afirmou Afonso, baixando o tom de voz.

José Venâncio levantou-se e deu alguns passos em direção ao genro. Comovido pela nobre atitude do português, abraçou-o afetuosamente.

Afonso correspondeu ao abraço e deram o assunto por encerrado.

Em seu quarto, Leonor, apesar das dores que a incomodavam, sentia-se melhor. Com a ajuda da tia e de Januária, resolveu sentar-se próxima à janela.

Pediu um livro à Eulália, tentando retomar sua rotina, que fora interrompida com sua infeliz aventura com Rufino. Nem bem se havia acomodado, ouviu baterem na porta do quarto. Januária prontamente abriu e Afonso, pedindo licença, entrou, meio constrangido.

Leonor pediu que ele se aproximasse. Afonso olhou para as duas mulheres ali presentes e pediu para falar a sós com sua esposa.

A situação era absolutamente inusitada. O marido, que não "concretizara" o casamento, se sentia um intruso diante da esposa, que parecia muito à vontade com sua vida de solteira...

Afonso sentou-se a seu lado e, segurando uma de suas alvas mãos, falou com carinho:

— Temos um assunto sério para falar, minha amada... Gostaria que tu estivesses melhor, mas acho que não podemos adiá-lo...

Leonor sorriu com tristeza e comentou:

— Notaste minhas mãos, não é mesmo? Estou com as articulações inchadas... Mas o que é que queres me falar de tão importante?

Afonso não sabia como introduzir o assunto. Por fim, começou:

— Teu pai me deu a liberdade para desistir de nosso casamento...

Os olhos de Leonor se anuviaram. Nunca pensara que poderia perder o noivo em função daquela aventura. Procurando se controlar, prosseguiu:

— Deixar-me-ias agora, Afonso? Quando mais preciso de ti?

Afonso passou a mão sobre o rosto delicado da moça e asseverou:

— Não te deixarei jamais, Leonor. Apenas quero combinar contigo que jamais falaremos sobre este incidente, está bem? Não quero saber o que aconteceu durante este período e, assim que Miguel chegar, veremos o que ele tem a dizer sobre a tua saúde; se tiveres condições, partiremos daqui para sempre...

— Prometo que nunca falarei sobre o que passei nesses dias... Quero começar uma vida nova ao teu lado, Afonso. Preciso esquecer...

Afonso se aproximou e, apaixonado, beijou a mulher, que amava mais do que qualquer coisa.

Novamente naqueles braços, Leonor encontrava o refúgio para sua alma.

Havia muito tempo que não se sentia tão feliz nem tão segura como naquele momento.

***

Leonor passara a gozar de relativa tranqüilidade com a aproximação de Afonso e por se ver cercada de carinho e atenções.

Na verdade, sempre fora assim. Desde que nascera tivera toda a dedicação do pai, da tia Eulália, de Januária, dos tios Antero e Francisca e, principalmente, do primo Leonardo.

Desde o casamento do pai, contudo, passara a se sentir abandonada e, ao saber que Leonardo retornara apaixonado por outra moça, tinha sido levada a uma verdadeira crise existencial.

Inexperiente, caprichosa e ingênua, direcionou todos os seus recursos afetivos a Afonso, que lhe pareceu ser o homem ideal, pois, além de mais experiente, amava-a com devoção... E certamente faria tudo o que ela quisesse.

A aquelas alturas, os conselhos de Januária e Lúcia pouco valeram, e a intervenção de sua mãe e da avó, no plano espiritual, não logrou o resultado almejado.

Portanto, quando Miguel chegou, a situação já estava definida.

O filho de Afonso havia concluído seus estudos e procurava constituir clínica na cidade em Lisboa, quando, surpreso, soube do casamento de seu pai.

Pouco sabia sobre a noiva, a não ser que era enteada de sua tia Maria Alice.

Imaginou tratar-se de alguma jovem casamenteira do interior, pouco instruída, que enfeitiçara o seu desesperançado pai.

Agradeceu intimamente ao pai quando recebeu deste a notícia de que estava dispensado de ir ao Brasil por ocasião de seu casamento e que conheceria sua "madrasta" quando o casal fosse em lua-de-mel para a Europa.

Alguns dias após enviar correspondência, aceitando a proposta paterna, recebeu a carta de Maria Alice, relatando tudo sobre o rapto de Leonor.

Estupefato, sem saber o que fazer, imaginou que, apesar de tudo, o pai deveria estar sofrendo. Assim, decidiu partir imediatamente; nem ao menos tivera tempo de se despedir de sua amiga Isabelle, a quem, havia tanto tempo, dedicava um carinho especial.

Isabelle era uma moça rica, filha de um próspero homem de negócios, que ele conhecera em uma reunião na casa de seu melhor amigo, Charles.

Sabia que a moça alimentava a esperança de que a amizade se transformasse em amor e que um dia se casassem, mas Miguel não partilhava desse sonho.

Admirava a bela Isabelle, contudo não lhe parecia ter ainda encontrado a mulher com quem desejaria dividir sua vida.

Acabara se acomodando à situação e, sem perceber, mesmo involuntariamente, alimentara os sonhos da jovem francesa.

Na pressa em partir, apenas deixara breve bilhete no qual explicava o seu afastamento, que desejava não fosse por muito tempo.

A viagem longa, entediante, trazia a sua mente pensamentos desencontrados. "Por que meu pai deixou-se levar por uma moça sem cultura, sem *finesse*, provavelmente deselegante... Lembro pouco de minha mãe, mas sei que ela era linda e de uma elegância sem igual... É incompreensível essa atitude de meu pai!"

O tempo passava devagar; Miguel não via a hora de chegar a tal fazenda para inteirar-se dos acontecimentos.

"A noiva ainda foi raptada no dia do casamento!", pensava. "Que atraso! Quão pouca civilização deve ter essa gente!"

Com esses pensamentos, Miguel atracou no porto de Rio Grande se dirigindo prontamente à fazenda do Rosário.

Jovem cheio de ideais, mas influenciado pela sociedade de seu tempo, Miguel, poder-se-ia dizer, era o típico moço europeu: garboso, bem postado, vestindo-se como ditava a última moda de Paris.

À primeira vista, tal impressão nos poderia levar a um julgamento deveras rigoroso sobre sua personalidade; mas, ao conhecermos o fundo de seu pensamento, verificaríamos tratar-se de um jovem de extraordinário valor.

Devotava ao pai um sentimento de gratidão e respeito incomparáveis. Crescera sob os cuidados do progenitor e de Maria Alice, e os amava profundamente.

Apesar de não concordar com o casamento do pai, não deixaria de estar sempre ao seu lado para ajudá-lo no que fosse possível.

Após andar por algumas horas na carruagem, adentrou finalmente a porteira daquela fazenda tão ligada ao destino das pessoas que mais amava no mundo.

Enquanto a carruagem percorria o trajeto, desde o portão até o casarão, observava a grandeza e a beleza da paisagem que se desdobrava à sua frente.

A vegetação, principalmente, de um verde inigualável, contrastando com o firmamento, onde um céu sem nuvens se estendia, protetor, sobre aquela surpreendente região.

Verificou que, próximo aos galpões, havia centenas de algo parecido com varais, onde pedaços de carne eram estendidos, dependurados, como se fossem peças de roupa secando ao sol.

Via negros com braços fortes, outros mais franzinos, carregarem fardos muitas vezes superiores ao que poderiam suportar, indo de um lado a outro e sendo vigiados por homens atentos.

A carruagem estacou. O cocheiro desceu e abriu a porta, prestimoso.

Miguel lhe entregou algumas moedas e imediatamente veio um menino, um molecote, para carregar sua bagagem para dentro.

Afonso e Maria Alice o esperavam na soleira da porta principal. Miguel abraçou o pai efusivamente e beijou Maria Alice com ternura.

Adentraram a casa, trocando impressões sobre a viagem, o cansaço do rapaz, a beleza do lugar...

Enquanto Maria Alice se dirigia para a cozinha, a fim de dar ordens às escravas, Afonso esperou o filho se alojar em uma cadeira e comentou:

— Lamentei ter permitido que não viesses a minhas núpcias... Senti muito tua falta...

Miguel se mexeu na cadeira, procurando uma posição mais confortável, mas na realidade o que ele queria era encontrar as melhores palavras para tentar explicar que não desejava ter vindo.

— Fiz como me pediste... Achei que agiste com ponderação, uma vez que irias partir logo após o casamento...

Afonso fez um sinal com a cabeça, demonstrando que fizera o que achara melhor.

— Filho, como sabes, minha noiva foi raptada no dia de nosso casamento. Um escravo enlouquecido raptou a pobrezinha, levando-a para um quilombo. A propósito, estás familiarizado com o que vem a ser isso?

Miguel pensou por um instante e respondeu:

— Já estive a ler algo a respeito; são tribos de escravos cá na América, não é assim?

Afonso explicou:

— Na verdade, são locais onde escravos fugitivos procuram refúgio; são comunidades onde eles estabelecem uma sociedade, com normas, direitos e deveres. Pois bem: o desgraçado levou minha Leonor para um destes lugares...

— E então?

— Ela ficou sujeita à intempérie por vários dias, passou frio e fome... Além disso, Leonor é muito delicada, tem uma estrutura débil, e essa aventura prejudicou muito sua saúde... Gostaria que a examinasse o quanto antes para ver o que poderemos fazer...

Miguel tentava entender o caso. A certa altura, perguntou:

— Pai, dize-me, qual é a idade de tua esposa?

Afonso corou levemente e disse ao filho:

— Ela é bem jovem... Se é isso que queres saber...

— Mas, então, qual é a idade dela?! Essa informação é importante para mim, como médico...

— Está certo, ela tem dezessete anos...

Miguel olhou para o pai, admirado. Não imaginava que sua "madrasta" fosse mais moça que ele próprio.

— Realmente, ela é bem jovem... Posso examiná-la ainda hoje se o quiseres...

Afonso ia responder, quando Maria Alice entrou na sala, dizendo:

— Primeiro quero que faças uma boa refeição... Depois descansarás um pouco. Mais tarde irás examinar Leonor...

Afonso concordou com Maria Alice. Nesse ínterim, mandaria chamar Leonardo para que os dois conversassem a respeito da misteriosa doença de Leonor.

José Venâncio não tardaria a chegar e por certo gostaria de ouvir a opinião de Miguel.

***

Em seu quarto, Leonor apresentava-se mais disposta nos últimos dias.

Cedendo às instâncias de Januária, colocara um vestido que lhe caía muito bem. José Venâncio lhe trouxera o tal vestido quando de sua última viagem à Europa e ela havia gostado muito de seu corte.

Apesar da palidez, Leonor mantinha a beleza de seus delicados traços. Eulália a auxiliara a prender o cabelo, deixando alguns cachos negros caírem sobre um de seus ombros.

Ao se olhar no espelho, Leonor sorriu. Havia quanto tempo não se via, assim, bonita? Já esquecera. Chegara a pensar que jamais voltaria a se vestir daquela forma.

Ouviram a porta se abrir e Maria Alice entrou. Sem cerimônia, foi logo dizendo:

— Minha cara Leonor, tenho uma boa notícia a te dar: meu sobrinho Miguel, que aguardávamos com tanta ansiedade, chegou há algumas horas... Está descansando no momento, mas antes do jantar te virá ver...

Eulália, que sempre permanecia em silêncio, evitando atritos com Maria Alice, reclamou:

— Por que ele não veio logo ver Leonor? Tu sabes que ela precisa...

O semblante de Maria Alice se modificou. Demonstrando desprezo pela cunhada de seu marido, retorquiu:

— Quem decide como e quando meu sobrinho verá Leonor sou eu... Além disso, ele estava exausto com a viagem...

Eulália ia replicar, mas Leonor resolveu intervir:

— Está certo, senhora Maria Alice. Estarei aguardando o doutor Miguel...

A madrasta de Leonor olhou para as duas e saiu.

Eulália voltou-se para Leonor e comentou, preocupada:

— Imagino o que passaste ao lado dessa megera...

Leonor sorriu e respondeu:

— Não importa o que passou... Agora tenho vocês ao meu lado!

A tia sorriu e abraçou Leonor. Somente quando imaginou que havia perdido a sobrinha pôde avaliar o quanto amava aquela menina.

Felizmente, imaginava, ainda era tempo de demonstrar à filha de Isadora, sua querida irmã, o carinho sincero que lhe dedicava.

***

Em virtude dos problemas de saúde que apresentava, Leonor continuava fazendo as refeições no quarto.

Naquele dia, após terminar o jantar, pediu que Januária a auxiliasse a sentar-se próxima a umas das janelas, onde podia ver a planície verdejante que se desdobrava à sua frente.

Tal imagem lhe evocava lembranças distantes e desconhecidas para ela. Eram-lhe familiares aqueles tons que a natureza exuberante lhe oferecia, parecendo que a planície se estendia ao infinito. Ensimesmada, Leonor observava atenta a paisagem. "Onde já vi imagem semelhante em minha vida, se nunca me afastei muito da cidade em que nasci? Por que, às vezes, sinto uma tristeza inexplicável, uma espécie de saudade de alguém ou de lugares para mim desconhecidos?"

Parecia que sua alma pertencia a outro tempo e lugar. Sentia-se como se tivesse que voltar para casa, que precisasse partir...

Absorta nesses pensamentos, Leonor não ouvira baterem à porta.

A tarde caía e os últimos raios de sol se despediam no horizonte. A pouca claridade que penetrava no ambiente criava uma atmosfera quase irreal, como se fora um sonho, onde o semblante de Leonor, pálido, com seus fartos cabelos presos de forma a lhe adornarem a bela cabeça, podia, sem dúvida, ser confundido com um ser etéreo de beleza angélica que estivesse de passagem pela Terra.

***

Após o jantar, Miguel dispensara as apresentações de praxe. Pensando se tratar de moça interiorana, sem trato social, resolveu se apresentar pessoalmente e procurar dar um diagnóstico o quanto antes.

Sabia que todos esperavam ouvir sua opinião e não acreditava que o caso trouxesse maiores complicações. Queria se ver livre daquela incumbência o quanto antes, para poder retornar à civilização e aos modos elegantes de Isabelle.

O primo que a examinara não haveria de ter muita experiência.

Com esses pensamentos, Miguel bateu à porta do quarto de Leonor. Como não ouvisse nenhuma resposta, resolveu abri-la.

O quadro, porém, que se lhe revelou aos olhos, pegou-o de surpresa. A bela jovem, que olhava distraída pela vidraça da janela, causou-lhe uma emoção indescritível.

Sem saber o que falar, Miguel permaneceu em silêncio por alguns minutos. Notando sua presença, Leonor se voltou e, não o reconhecendo, perguntou:

— O que deseja, senhor? Não o conheço...

Miguel, encabulado por ver-se totalmente sem ação diante da moça, retrucou, sem jeito:

— Não... Acho que... Bem...

Leonor sorriu e se deu conta:

— Estou enganada ou o senhor é o filho de Afonso, Miguel?

Miguel estava transtornado. Não podia acreditar que aquela se tratasse da esposa de seu pai... Sua madrasta! Ainda sem saber como agir, respondeu, meio desajeitado:

— Perdoe-me. Esperava encontrar uma moça diferente...

Leonor não compreendeu. Estendendo a mão delicadamente, perguntou:

— ... Diferente? Não o compreendo...

Miguel, mais uma vez, perturbou-se. Pensou por alguns segundos e resolveu mudar de assunto:

— Estamos a perder tempo com nossa apresentação... Vim a pedido de meu pai, para examiná-la...

— Oh! Sim, claro... O senhor prefere que eu volte ao leito?

Miguel ainda não conseguira se recuperar da surpresa. Batia-lhe o coração completamente acelerado. Leonor era uma das moças mais encantadoras que já vira na vida... "É um lírio plantado em um charco", pensou.

Leonor repetiu a pergunta:

— Como prefere, doutor Miguel?

O rapaz voltou a si e prosseguiu, procurando ser convincente:

— Queira me perdoar, senhora. Faz apenas algumas horas que cheguei de viagem e estou cá com os miolos a dar voltas... Sim, acho que será bom que a senhora volte ao leito...

Leonor pediu, constrangida:

— Poderia me ajudar? Desde que voltei tenho dificuldade para me movimentar... Sinto dores cruéis e fico por demais cansada a qualquer movimento...

O olhar de Miguel expressou preocupação. Havia esquecido do motivo que o levara até ali. A graça e formosura de Leonor o haviam distraído por completo...

A verdade é que estava naquele quarto para dar um diagnóstico sobre a doença de sua madrasta. Ao mencionar os sintomas de sua enfermidade, Miguel percebeu que se tratava de algo mais sério. Aproximou-se de Leonor e, com muito cuidado, ajudou-a a voltar ao leito.

Leonor pôde ver mais de perto o filho de Afonso. Era um jovem de traços másculos, olhar penetrante, testa larga. O cabelo farto emoldurava um rosto de expressão definitivamente marcante.

Leonor se recostou no leito e Miguel iniciou o exame com uma série de perguntas e observando certos sinais; avaliou a pressão sanguínea, os batimentos cardíacos etc.

Involuntariamente, criou-se uma ruga em sua testa. Leonor, preocupada, resolveu perguntar:

— Estou muito doente, doutor?

Tentando evitar alguma palavra precipitada, Miguel evitou responder:

— Por favor, não me chame de doutor... Sou Miguel, filho de seu marido apenas, está bem?

Leonor concordou, sorrindo. Naquele momento, Afonso entrou no recinto acompanhado de José Venâncio.

O pai de Leonor perguntou sem delongas:

— Então, doutor, como está a minha filha?

Muito preocupado, mas procurando aparentar tranqüilidade, Miguel respondeu:

— Sua filha está bem, senhor. Precisa de muito descanso, serenidade. Gostaria de falar com seu sobrinho, Leonardo...

— Amanhã mesmo ele virá até aqui. Achas que devemos levá-la para a Europa?

Miguel respondeu prontamente:

— Ainda não... Vamos ver como ela reage ao tratamento que pretendo iniciar o quanto antes...

— Faça tudo o que for preciso, Miguel. Não medirei esforços para ver Leonor com saúde novamente...

Afonso se aproximou de Leonor e, beijando-lhe as mãos, afirmou:

— Quero que estejas boa logo, minha querida. Partiremos e lhe mostrarei uma vida que nem sonhas existir...

Miguel observava o pai junto a Leonor. Não sabia por que, mas sentia um certo constrangimento.

Após algum tempo de conversa despreocupada, durante o qual Leonor se distraiu bastante, todos se retiraram. Cada um procurou o seu aposento, pois já era tarde. Quando Miguel foi tirar o paletó, sentiu um perfume diferente. Aproximou o casaco novamente e reconheceu que era o perfume de Leonor...

Preparou-se para dormir e, enquanto tentava conciliar o sono, pensava: "Como foi meu pai encontrar jóia deste jaez a esta distância da 'civilização'?"

Pensava que iria encontrar uma moça arredia e sem cultura, em suma, uma ignorante casadoira, e acabava de conhecer um ser que reunia em suas formas um conceito de beleza por ele jamais sonhado, aliando ao seu espírito uma pureza que poucas vezes encontrara na sociedade em que vivia.

Sabia que Leonor possuía uma bela alma. Não duvidava de suas impressões. Não poderia explicar como, mas trazia em si uma certeza: não era a primeira vez que via aquele rosto, aquele sorriso...

Afonso havia permanecido nos aposentos de Leonor a fim de se despedir mais intimamente.

Desde que chegara, Leonor poucas vezes ficara ao seu lado, pois, com a saúde debilitada, receava que sua esposa piorasse. Naquele dia, contudo, resolvera ficar e conversar com Leonor.

Aproximando-se de seu leito, sentou-se e, beijando-lhe repetidas vezes a mão delicada, falou:

— Então, o que me dizes sobre Miguel? Não é um belo rapaz?

Leonor concordou espontaneamente:

— É verdade. Deves ter muito orgulho...

Afonso concordou:

— Meu filho sempre foi tudo em minha vida... Nunca lhe quis dar uma madrasta, por temer que alguém pudesse maltratá-lo. Agora já decide a própria vida e espero que encontre alguém como tu, Leonor... Se já não encontrou!

Leonor baixou o olhar e comentou, pensativa:

— Por certo deve ter deixado alguém o esperando. Quanto a mim, acreditas que ficarei totalmente curada, Afonso? Às vezes tenho maus pensamentos... Acho que não viverei o suficiente para...

Afonso colocou as mãos de Leonor sobre seu próprio peito e exclamou, angustiado:

— Não repita isso, Leonor! Não suportaria te perder. Despertaste um sentimento intenso em meu coração... Por favor, não tornes a falar de tal forma novamente!

Leonor prometeu não tocar mais no assunto. Afonso se aproximou, beijando-a ternamente, e se retirou.

Leonor permaneceu envolvida nas emoções que vivera naquele dia.

Realmente, Miguel era muito belo; possuía alguns traços de Afonso, mas certamente devia lembrar o rosto de sua mãe. Não saberia explicar como, mas Miguel lhe era estranhamente familiar. "Talvez", pensou, "isso ocorra devido à sua semelhança com Afonso...".

Sem maiores questionamentos, Leonor se entregou a um sono tranqüilo e reconfortante.

35

Laços que o tempo não desfez

No dia seguinte, Miguel levantou cedo, pois desejava falar o quanto antes com o pai e os familiares de Leonor.

José Venâncio havia mandado uma mensagem dirigida ao sobrinho, solicitando sua presença logo cedo na fazenda.

Assim foi que, tão logo Miguel se apresentou na sala para a primeira refeição, Leonardo chegou.

José Venâncio o apresentou ao sobrinho, enquanto se dirigiam para a mesa, onde vários quitutes eram servidos pelas escravas.

Leonardo iniciou o diálogo:

— Caro amigo, esperávamos ansiosos por tua presença. Não sei se concordas comigo, mas acredito que minha prima tenha contraído uma moléstia de origem obscura... Pelo que sei, os últimos progressos feitos nessa área se realizaram na França... Onde te diplomaste recentemente, não estou certo?

Miguel fez um sinal positivo, concordando. A seguir, completou:

— Sim, penso conferirem nossas opiniões, Leonardo. Atualmente, muito se tem discutido sobre essa moléstia e, apesar dos céticos, devo dizer que concordo plenamente com as idéias de nosso mestre Bouillaud... Recentemente, ele realizou uma publicação valiosa nesse sentido...

— Creio não haver dúvidas no caso de Leonor... Infelizmente. Minha prima é muito jovem, deve ter contraído durante o período em que aquele desgraçado a levou... Pelo menos o infeliz está morto.

José Venâncio, impaciente, resolveu interromper:

— Por favor, senhores, sobre o que estão falando? O que tem minha filha?

Leonardo olhou para Miguel e resolveu esclarecer:

— Meu tio, Miguel concorda com meu diagnóstico. Somos de opinião de que Leonor contraiu uma moléstia do coração...

José Venâncio empalideceu. Afonso, que a tudo ouvia, atento, perguntou ao filho:

— Diga-me, Miguel, meu filho, qual a gravidade? Pensas que devamos levá-la para Portugal ou Paris?

Miguel permaneceu calado por alguns instantes. A seguir, olhou para o pai e respondeu:

— Sinto muito, mas de nada adiantaria uma viagem tão longa. A senhora Leonor poderá ter os mesmos cuidados aqui... Antes de dar minha opinião final, desejo corresponder-me com meu professor, que está pesquisando sobre esse tipo de moléstia. Ele tem-se destacado no estudo de algumas doenças cardíacas relacionadas às articulações... Devo dizer que é um especialista no assunto.

José Venâncio, exasperado, indagou:

— Mas, afinal de contas, o que tem Leonor?

Miguel, de forma gentil, respondeu:

— Senhor, entendo a sua angústia em relação a sua filha, mas precisamos de algum tempo para definirmos a conduta que devemos seguir. Trata-se de uma moléstia antiga, de cuja origem as novas descobertas têm trazido grandes esclarecimentos. Gostaria de conversar novamente com a senhora Leonor; Leonardo, faço questão de que estejas presente...

Leonardo concordou prontamente. Tudo o que desejava era descartar alguma evidência, encontrar um fato novo que afastasse o terrível diagnóstico.

Dessa forma, os dois médicos retornaram ao quarto da enferma.

Encontraram-na recostada ao leito, pensativa. Eulália, sua tia, balançou a cabeça, preocupada, quando os dois médicos entraram.

Leonardo perguntou, receoso:

— Ela piorou? Parecia tão animada ontem...

— Não sei o que houve... Acordou quieta, parece que seu pensamento está muito longe...

Miguel se adiantou em direção ao leito e cumprimentou Leonor:

— Bom dia, senhora... Espero que esteja tudo bem...

Leonor voltou-lhe o olhar e, devolvendo o cumprimento, perguntou com o semblante triste:

— Bom dia, doutor. Desejaria saber o que o senhor pensa a respeito dos sonhos...

Miguel respondeu, reticente:

— Bem... Penso que sonhamos com coisas que nos preocupam, que estão em nossa mente... Por acaso estiveste a sonhar coisas ruins?

Leonor deu de ombros e respondeu:

— Sim, mas deixemos esse aborrecimento de lado... E quanto aos senhores, desejam me falar alguma coisa?

Miguel procurou explicar as conclusões a que ele e Leonardo haviam chegado; gostariam, contudo, de examiná-la novamente, para tomarem as devidas providências.

Leonor se colocou à disposição e os dois médicos passaram ao exame.

Após responder algumas perguntas e reavaliar os sinais, deram a visita por encerrada.

Leonor, aflita, perguntou:

— O que acham? Vou melhorar?

Foi a vez de Leonardo tentar dar uma opinião:

— Prima querida, não podemos lhe dizer nada por agora. Felizmente, Miguel foi aluno de um médico que está dando grandes contribuições ao estudo da sua enfermidade e irá entrar em contato com ele para trocar algumas informações...

— Sim, Leonardo, mas haverá cura? Ainda não me responderam...

— Faremos todo o possível para que te restabeleças o quanto antes... — respondeu Miguel.

Tão logo proferiram as últimas palavras se retiraram, evitando mais alguma pergunta de Leonor. Sabiam que dificilmente ela voltaria a ser a jovem que um dia fora.

Ao sair dos aposentos de Leonor, Miguel foi ter com o pai. Ao avistá-lo na varanda do casarão, aproximou-se e falou com tristeza:

— Sinto muito, meu pai, mas não há mais dúvidas: Leonor contraiu uma temível enfermidade que seguramente irá deixar seqüelas... Acredito que seu coração foi atingido e...

Afonso interrompeu, nervoso:

— O que queres me dizer, Miguel? Leonor vai morrer?

Miguel suspirou fundo e concluiu:

— O tipo de lesão que ela possui é progressiva e ainda não temos como impedir o seu avanço...

— E se partirmos imediatamente? Ela ficaria em repouso e buscaríamos maiores recursos...

— Como já lhe disse, não creio que fará muita diferença... Vou escrever agora mesmo para o meu professor na França... A seguir, providenciarei uma sangria para purificar-lhe o sangue.

Afonso calou-se. Não havia o que fazer.

Sentia que todos os seus sonhos ruíam como uma avalanche desencadeada por algum impiedoso titã.

Se Leonor morresse, levaria consigo a única coisa que lhe despertara o interesse pela vida novamente.

Não teria forças para recomeçar...

* * *

Em seu quarto, Miguel deixara transparecer no próprio rosto a emoção que sentira ao constatar o estado de saúde de Leonor.

Fazia algumas horas que a conhecera, mas a sensação de já tê-la visto, e mais, de já ter convivido com aquela moça era de tal forma evidente, que não sabia se poderia ocultar por muito tempo essas impressões.

O olhar, o sorriso, as mínimas expressões daquele rosto lhe eram particularmente conhecidas.

Mas como? Onde poderia tê-la visto? Em algum sonho ou... Onde?

Conhecera jovens belas, entre elas Isabelle, pertencentes a nobres famílias; agora, no entanto, a que ele mais desprezara, antes mesmo de a conhecer, lhe causava toda uma gama de emoções para ele completamente desconhecidas.

Repentinamente, Miguel se lembrou que se tratava de sua madrasta.

Um suor gélido lhe correu pelas têmporas. Como isso se poderia ter dado? Por que aquela jovem de uma beleza tão peculiar se deixara tomar em casamento por seu pai, que sem dúvida ainda era um belo homem, mas inegavelmente velho demais para ela... Teria sido alguma desilusão amorosa?

Miguel se lembrou de Leonardo. Talvez ele fosse a razão de Leonor ter aceitado aquele casamento.

Com os pensamentos contraditórios entre o que começava a sentir e o que efetivamente deveria sentir, Miguel pôs-se a escrever a carta ao professor Bouillaud. Falaria com tia Maria Alice para saber o que realmente ocorrera. Intimamente, não conseguia aceitar que Leonor amasse seu pai.

Se ao menos a tivesse conhecido antes...

36

Uma sombra

Os dias passavam e Leonor começara a agir de forma diferente. Evitava os alimentos e permanecia por longas horas em silêncio; às vezes, tanto Januária quanto Eulália a viam enxugar grossas lágrimas.

Numa dessas ocasiões, Januária se aproximou e, tomando-lhe uma das mãos, lhe disse:

— Minha filha, o que *tá* acontecendo? Sei que tu não *qué contá* pra sua Januária... Mas pode *dizê*, *tô* ouvindo...

Leonor olhou para Januária como se despertasse de um sonho. A seguir, tentou falar, mas seus lábios trêmulos indicavam que iria chorar. Januária a encorajou:

— Abre o teu coração, minha menina...

Leonor fechou os olhos e começou a contar:

— Sabe, Januária, aquele escravo que me levou? Tenho sonhado com ele... Ele tinha jurado que mesmo morto iria me perseguir... Não entendo! Ele não morreu, pois meu pai me disse que iria vendê-lo, mas, apesar disso, vejo-o em meus sonhos, me ameaçando...

Januária arregalou os olhos e, sentindo violento calafrio, disfarçou, tentando acalmar sua sinhazinha:

— Não ligue, filha. A essas *hora* esse *nego tá* longe da menina e de nós *tudo*... Procura *esquecê*, menina...

— Mas eu tento e não consigo! Parece que ele está sempre a minha espreita! Sinto até a sua respiração... — e Leonor começou a chorar.

Januária, preocupadíssima, pois sabia o que estava acontecendo, foi logo dando fim àquela conversa:

— O *mió* remédio é *esquecê*... Que não tem outro, não tem mesmo. A sinhazinha também tem que *cuidá* da saúde... Precisa *descansá* e se *distraí*...

— Acho que tens razão, minha boa Januária. Vou pedir para o doutor Miguel para ficar algumas horas junto às árvores, onde eu fazia as minhas leituras antes de...

O olhar de Leonor se anuviou. Parecia que sua vida estava dividida entre antes e depois do seqüestro...

Januária, procurando dar outro rumo à conversa, concordou:

— *Vô chamá* o *dotô* aqui. Não se preocupe que tudo vai *dá* certo, minha filha...

Assim sendo, Januária procurou Miguel e lhe transmitiu o desejo de Leonor.

A partir de então, Miguel e Afonso se desdobravam em atenções com Leonor. José Venâncio, ao ver a filha mais animada, sentia-se mais tranqüilo, o que não queria dizer que havia perdoado Maria Alice.

O fazendeiro guardava ainda recôndita mágoa da esposa por ter trazido Rufino para a fazenda mesmo sob os protestos de Leonor. Culpava-se por ter ouvido a portuguesa em vez de atender ao pedido da filha.

Reconhecia que estivera inebriado com a presença daquela jovem mulher ao seu lado. Imaginara que ela preencheria o lugar de Isadora, mas tinha que reconhecer que se enganara.

Ademais, começava a suspeitar que Maria Alice tivera uma participação efetiva no casamento de Leonor, apenas não conseguia perceber qual teria sido a intenção deste arranjo.

Com todas essas dúvidas no coração, José Venâncio passara a se dedicar somente à filha, esquecendo seus compromissos com a esposa e até com a terra que tanto amava, para tormento de Maria Alice, que a cada dia se sentia mais relegada a segundo plano. Até Miguel, o menino que criara como filho, parecia ter sido seduzido por Leonor...

Em função disso tudo, aumentavam o ódio e o despeito por Leonor, nos dois planos da vida...

***

No plano espiritual, Rufino facilmente localizara aquela que considerava a única culpada por sua desdita.

Ao se aproximar de Leonor, percebeu, em um primeiro momento, que ela não detectava a sua presença; aos poucos foi-se inteirando de sua nova condição de espírito desencarnado e aprendendo a lidar com aquela nova situação.

Inicialmente, Rufino retornou ao local onde se encontravam seus despojos e chorou, desesperado; a seguir, aguardou o enterro de seu corpo, o que demorou algum tempo...

Considerou uma atrocidade o descaso que demonstraram, deixando-o exangue, atirado, à mercê de animais selvagens. Depois de ver o túmulo improvisado que lhe arranjaram, um pensamento não lhe saía da mente: Leonor.

A partir de então, aquela idéia se tornou uma fixação mental que quase o enlouqueceu. A certa altura, se lembrou da promessa que fizera de não deixá-la, mesmo após a morte. Com uma risada de escárnio, buscou-a até encontrá-la em seu quarto.

Curioso, verificou que, quando ela dormia, seu espírito se afastava do corpo. Apesar de algumas entidades luminosas — invisíveis para Rufino — se apresentarem com o intuito de protegê-la, ao sentir a sua presença, Leonor fugia, desesperada, retornando, muitas vezes, em prantos ao corpo.

Assim, Rufino passou a fazer companhia a Leonor, sem que ela suspeitasse. Isso acontecia, na verdade, pelo fato de a jovem guardar em seu íntimo insuspeitado remorso pela maneira como agira com o escravo.

Em sua consciência, latejava certo arrependimento por haver seguido os conselhos de Joana, na véspera de sua fuga. Ademais, sua atitude de horror em relação a ele criara uma atmosfera de vingança por parte de seus familiares.

Todos evitavam falar em Rufino, para não melindrar Leonor, e ela mesma não tocava em seu nome, a fim de esquecer o que tinha passado.

Os elos que uniam esses dois espíritos começavam a se tornar sólidos; infelizmente, não por qualquer vínculo de carinho, mas pelo ódio cristalizado por um coração em desequilíbrio.

Na verdade, meus amigos, em nosso nível evolutivo, tal sentimento pode ser tão duradouro quanto o amor.

A força da paixão que Rufino alimentara desde vidas pregressas atingia seu ápice exatamente quando, na condição de escravo, ele nutria um sentimento desesperado por alguém que jamais lhe corresponderia o sentimento.

A sombra que passara a perturbar Leonor a acompanharia mesmo em futura encarnação; apesar dos esforços da espiritualidade, Rufino ainda a perseguiria... Vivian sofreria a ação vingativa daquela alma sofredora.

Havia ainda uma longa jornada pela frente...

* * *

Leonardo resolveu trazer sua irmã, Lúcia, para ficar algum tempo ao lado de Leonor. As duas sempre tinham sido amigas e, apesar de terem passado algum tempo distantes, havia uma afinidade perfeita entre elas.

Conhecedora dos gostos da prima, Lúcia procurava abordar os temas de interesse de Leonor; conversavam sobre diversos assuntos, sendo que Lúcia jamais tocara na questão do rapto.

Em uma dessas conversas, Leonor comentou com tristeza:

— Sempre considerei que os homens, apesar das diferenças sociais, fossem todos iguais, por serem filhos de Deus... Mas, depois de tudo o que aconteceu, penso que talvez meu pai tenha razão...

Lúcia, apreensiva, apressou-se em considerar:

— Não deves falar assim, Leonor... Sei que estás magoada, sofreste muito, mas não podes formar tua opinião sobre uma raça pelas atitudes de uma pessoa; e quanto às atrocidades cometidas por tanta gente pelo mundo todo? Pessoas de todas as raças?

Leonor continuou de forma enfática:

— E quem me garante que os outros escravos não intentam fugir e atingir meu pai, como fez aquele...

— Esse assunto não te faz bem, minha querida, vamos falar do teu futuro, de tua felicidade...

Leonor tornou de forma amarga:

— Futuro? Felicidade? Não sei, Lúcia, mas acho que não vou ficar boa novamente. Todos evitam falar sobre o assunto, mas escuto conversas à meia voz... Leonardo e Miguel não conseguem esconder sua decepção com a evolução dessa enfermidade...

— Como querias que fosse? Que ficassem contentes com tua doença? Chega de divagações tristes, Leonor. Vamos falar de algo mais alegre...

— Conta-me, então, tu alguma novidade...

Lúcia fez um ar matreiro e, se aproximando, indagou com ar malicioso:

— Por que não me disseste que teu enteado era tão belo? Aposto que já havias visto algum retrato dele...

Leonor sorriu e respondeu:

— Podes acreditar que foi a primeira vez que o vi... Ficaste impressionada com o filho de Afonso?

Lúcia fechou os olhos, sonhadora, e tornou:

— Ah, ele é muito atraente, Leonor, e se não fosses casada, por certo se interessaria por ti...

— Por mim? — perguntou Leonor, surpresa.

— Mas claro que sim! És mais velha do que eu; além do mais, com esse teu jeito de princesa, ele não resistiria...

Ao ouvir a observação da prima, Leonor desatou a rir. Fazia algum tempo que ela não falava banalidades como aquelas com Lúcia. Tentando recuperar o fôlego, perguntou:

— Então, achas que se eu não tivesse me casado o jovem doutor cederia aos meus encantos?! Pois estás muito enganada... Acho que ele deixou alguém a sua espera...

Lúcia ia responder, quando viram que Miguel se aproximava. O jovem médico cumprimentou-as e, notando que Lúcia estava levemente ruborizada, anotou:

— Penso ter chegado em boa hora, pois tratam de assunto alegre... Ainda não a tinha visto rir-se desta maneira, senhora Leonor...

Leonor asseverou, ainda rindo:

— Pois o senhor não sabe do que a minha prima é capaz! Sabe nos divertir como ninguém...

Miguel se voltou para Lúcia e afirmou, satisfeito:

— Pois saiba que, se me permitires, vou contratá-la para distrair diariamente a minha paciente... Penso ser sua presença mais eficiente que os meus remédios...

Lúcia não sabia o que dizer. Encabulada, sem conseguir articular qualquer palavra, acabou comentando:

— Se o senhor acha que posso ajudar Leonor...

O médico, aproveitando o ensejo, continuou:

— Podes começar convencendo tua prima a tomar a infusão que Januária está preparando... Trata-se de um chá de salgueiro, que lhe fará muito bem...

Leonor não conseguiu ficar calada:

— Terei que tomar novamente aquela tisana horrível? Fico com dores no estômago cada vez que a bebo...

Miguel tornou-se sério e prosseguiu, paciente:

— Além do chá, faremos algumas compressas em suas articulações... Vamos ver se desincham um pouco...

Inquieta, Leonor anotou em tom de brincadeira:

— Está bem... Devo admitir que vieste de Portugal para me maltratar...

Miguel olhou para a moça e respondeu sem pensar:

— Em verdade, acho que deveria ter vindo antes, com meu pai...

O tom com que Miguel pronunciou aquelas palavras pela primeira vez tocou Leonor. Seguiu-se um silêncio constrangedor e Lúcia, percebendo a situação, tratou de trocar de assunto:

— Não vou esperar Januária... Irei buscar o chá agora mesmo...

Miguel resolveu acompanhá-la. Tão logo ficou sozinha, Leonor conjeturou: "Por que Miguel falou nesse tom estranho, que parecia querer dizer outra coisa? Não foram suas palavras que me impressionaram, mas a maneira como me olhou e falou... Terá deixado alguém à sua espera como imagino? Melhor não pensar mais nisso... Seria um absurdo!"

Afonso, que ali a observava havia algum tempo, enquanto Leonor estava absorta em seus pensamentos, a interpelou:

— Daria um doce para saber o que vai em tua cabecinha...

Leonor voltou-se, distraída:

— O que disseste, Afonso?

Ele sorriu e, afagando-lhe os cabelos, declarou, apaixonado:

— Sabias que tenho ciúmes de teus pensamentos?

Leonor, surpresa, retorquiu:

— Que tolice, Afonso! Sabes que todos os meus pensamentos são para ti...

Mais feliz, ele tornou:

— Sei disso, minha querida, e eu te juro que isso tudo vai passar e ainda seremos muito felizes...

Leonor concordou, apesar de lamentar a primeira mentira que dizia a seu marido.

***

Os dias passavam e, enquanto todos aguardavam alguma melhora do quadro clínico de Leonor, a jovem apresentava mudanças singulares.

Havia dias em que se distraía com facilidade, ora conversando com Afonso, ora trocando confidências com Lúcia e principalmente Miguel, que absorvia toda sua atenção com os relatos das atrações que presenciara em Paris.

Naqueles momentos, sim, Leonor demonstrava todo o desejo de sua alma de viver em outro lugar, onde pudesse dar vazão a suas necessidades intelectuais, onde pudesse, quem sabe, conhecer pessoas ligadas às artes, literatura, em uma cidade que era, na ocasião, o berço luminoso de grandes artistas e pensadores.

Em uma dessas ocasiões, Miguel se atreveu a perguntar:

— Queira me desculpar, senhora, mas causa-me curiosidade o fato de nunca teres ido à Europa... Se lhe atrai tanto a vida nas cidades européias, por que não acompanhou seu pai na última ocasião em que ele lá esteve?

Leonor respondeu, conformada:

— Meu pai achou que na época eu era muito jovem... Afinal de contas, ele ficou por muito tempo por lá e, como ia a princípio tratar de negócios, achou que seria muito enfadonho para mim e resolveu deixar-me... Bem se viu, depois, que ele teve outras ocupações por lá... — e Leonor voltou-se para a silhueta de Maria Alice, que naquele momento saía em uma carruagem.

Miguel observou a tia e voltou a inquirir Leonor:

— Não sei se estou a me enganar, mas ao que parece minha tia não a agrada...

— Tive algumas dificuldades com ela no início, pois eu não aceitava a idéia de ver outra mulher no lugar de minha mãe. Com o tempo, e principalmente depois de aceitar me casar com Afonso, nosso relacionamento mudou, para melhor...

Miguel ficou pensativo e, mais uma vez, questionou:

— Sei que não é de minha conta, mas gostaria de saber: qual a participação de minha tia em seu casamento com meu pai?

— Sei que tenho um temperamento difícil às vezes... — disse Leonor, constrangida. E continuou: — Mas a verdade é que também não simpatizava com teu pai...

Miguel se exaltou e perguntou:

— Como pôde casar com ele, então?

Leonor sorriu e procurou acalmá-lo:

— Calma, eu lhe contarei tudo... Após alguns acontecimentos que prefiro não revelar, comecei a me sentir só, abandonada, e foi em seu pai que encontrei o conforto que necessitava. Depois disso, o escravo que me raptou, Rufino, tentou... Bem, o senhor sabe... E Afonso veio em meu socorro no momento preciso. A partir de então, nos tornamos mais próximos e surgiu um sentimento muito forte que nos une...

Miguel baixou o olhar, pensativo. Leonor resolveu inquiri-lo:

— O que houve? Ao que parece ficaste triste com meu relato...

— Preferiria que dissesse que o ama, simplesmente... Seria mais fácil aceitar esse casamento se houvesse amor de ambas as partes...

Leonor enrubesceu e tornou:

— Como o senhor pode dizer isso? Abri meu coração, contando-lhe o quão profundo são meus sentimentos por seu pai e...

— ... E eu lhe afirmo que a senhora não está nem nunca esteve apaixonada por ele! Desde que cheguei suspeitei de que havia algo errado... A senhora é muito jovem para ter-se casado por amor com um homem maduro...

Leonor não conseguia conter as lágrimas. As palavras de Miguel a feriam, principalmente por haver-se dado conta de que eram verdadeiras.

Procurando se controlar, falou pausadamente:

— Não entendo onde o senhor quer chegar... Não lhe importunei com perguntas sobre sua vida e o senhor me vem falar dessa forma, como se me julgasse, conhecesse os meus sentimentos! Procurarei desconsiderar suas palavras... pois me magoaram muito! Sempre fui sincera e jamais pensei em ludibriar seu pai, mentindo sobre o que sinto...

Miguel fixou o olhar nos olhos ainda marejados de Leonor:

— Perdoe-me, não queria atingi-la com minhas observações. Lamento apenas não ter vindo antes... As coisas poderiam ter sido diferentes...

Alterada, Leonor olhou para Miguel e contrapôs:

— O que poderia ter sido diferente? A que se refere?

Miguel percebeu que suas palavras haviam ultrapassado o limite da conveniência; resolveu consertar, mudando de assunto:

— Esqueça, são asneiras que lhe estou a dizer... Diga-me: Leonardo virá vê-la hoje?

— Creio que sim, mas não mude de assunto. Diga-me a que se referia...

Miguel interrompeu da maneira mais polida possível:

— Como seu médico, lhe digo que por ora a senhora deve repousar... Essa conversa já se alongou demais... — e retirou-se.

Irrequieta, Leonor refletia. Miguel se arrependera do que dissera e por isso mudara o curso da conversa... Como havia tentado descobrir o que ele queria dizer com tudo aquilo... ele se havia retirado.

Sentia a cabeça fervilhando, o corpo doía, mal conseguia caminhar... Ainda por cima, sonhava quase diariamente com Rufino.

Estava muito cansada. Da janela de seu quarto olhou para a extensão de terra que se perdia no horizonte. De repente, estremeceu: teve a nítida sensação de que jamais sairia daquele lugar...

Sentiu que morreria ali, no local onde nascera, e que não haveria muito tempo...

Leonor desatou a chorar, permanecendo assim por muitas horas.

A doença, o temor da promessa de Rufino e a incerteza sobre os sentimentos de Miguel estavam transformando sua vida em um verdadeiro martírio.

Rufino dava cumprimento a sua promessa, atormentando a jovem, agora quase diuturnamente.

Apesar de sofrer de forma pungente, o ex-escravo não lhe dava trégua. Suportaria qualquer obstáculo até levar Leonor para o túmulo.

Era apenas uma questão de tempo...

37

A obsessão

O estado de saúde de Leonor favorecia as investidas dos planos inferiores. Sua debilidade física, aliada aos eventos trágicos pelos quais passara, traumatizando-a, criava um ambiente mental peculiar, que ensejou a aproximação de seus inimigos espirituais.

Na verdade, não se tratava só de Rufino. A jovem, assim como todos nós o fizemos, conquistara inúmeras inimizades ao longo de suas vidas e se via agora às voltas com muitos desses desafetos do passado.

Rufino se arvorara no direito de "liderar" o grupo de espíritos que desejavam "cobrar o que lhes era devido". Assim sendo, para que houvesse "ordem" no processo de vingança a Leonor, resolveram criar tarefas, onde cada um desempenharia um papel diferente, com o único intuito de tornar a vida da moça insuportável.

Sabedores dos problemas orgânicos que tenderiam a se agravar, concluíram que a empreitada não seria difícil se se mantivessem vigilantes contra os... "da luz".

Em realidade, Isadora, sua mãe, e Menmet continuavam a postos, tendo inclusive solicitado a interferência de mentores maiores. Mas o negativismo de Leonor e o remorso que lhe assaltava, em virtude do próprio trabalho das trevas, isolavam-na de qualquer ação vibratória positiva.

Ministravam-se passes espirituais, no sentido de aliviar seu sofrimento físico e dispersar fluidos deletérios, que a proximidade vibratória com seus obsessores criava; mas Leonor fixava o pensamento nos últimos acontecimentos de sua vida, principalmente em Rufino, o que atraía ainda mais a presença do escravo.

Imbuídos do desejo de cooperar no caso, Menmet e Isadora buscaram auxílio em alguém que, por sua ligação com Rufino, poderia interferir na difícil situação.

Assim, se dirigiram a uma região espiritual próxima da Terra, a fim de localizarem Florêncio. Após uma conversa inicial, Menmet foi direto ao assunto:

— Espero que o irmão esteja se recuperando a contento...

Florêncio, ainda sob o efeito da desencarnação difícil, respondeu:

— Sinto como se um grande abalo tivesse me tirado pra fora do corpo... É isso, meu irmão, já sei que morri, mas tenho ainda muita dor e uma tontura que me perturba a cabeça...

Menmet concordou e esclareceu:

— Entendo. Isso é normal no seu caso. Apesar do irmão ter modificado o rumo de seus pensamentos nos instantes finais, não podemos esquecer que cometeu alguns enganos durante a vida... Assim como todos nós! — disse, com humildade. E prosseguiu: — Sabemos que estás sendo atendido convenientemente por dedicados benfeitores, mas, antes de partires para outras tarefas, meu amigo, gostaria de solicitar um favor teu...

Surpreso, Florêncio indagou:

— Como poderei ajudar o *sinhô*? Não tenho nenhum recurso, retornei com muita dívida... Ainda *estô* muito ligado a minha última existência!

Isadora adiantou-se e acrescentou, comovida:

— Caro irmão, sabemos que és pai... Venho como mãe pedir auxílio para a filha querida que deixei na Terra...

Os olhos de Florêncio se turvaram pelas lágrimas. Sim! Deixara Rufino às portas da morte com o coração cheio de ódio e desejo de vingança. Lembrou-se de Leonor e, fixando o olhar em Isadora, perguntou:

— A moça, *Leonô,* é sua filha, não é mesmo?

— Exatamente por isso estamos aqui, Florêncio — disse Menmet. — Rufino desencarnou com o pensamento voltado para a vingança e agora exerce influência sobre Leonor, o que certamente apressará sua morte. Precisamos afastá-lo para que ela possa se recuperar e se livrar dos pensamentos destruidores que a assaltam... Está envolvida em pensamentos de culpa que o próprio Rufino inspira. Forma-se aí um círculo vicioso, do qual outras entidades se aproveitam...

Isadora deu prosseguimento:

— Desejamos que teu coração paterno enterneça o nosso infeliz irmão... Narcisa também nos prometeu auxiliar, mas no momento o estado de Rufino exige a tua presença, pois ele ainda está fortemente preso à matéria...

Emocionado ao ouvir o nome de Narcisa, o ex-escravo perguntou:

— Posso *vê ela,* a Narcisa? Será que ela me perdoou?

Isadora respondeu com serenidade:

— Não te preocupes com isso. Narcisa possui um coração experimentado nas lides da vida e o ideal voltado aos ensinamentos de Jesus. Já o perdoou há longo tempo e só espera poder reunir-se a ti e a Rufino para continuarem a caminhada. Certamente, ela detém recursos maiores que os teus, mas sua felicidade se constitui em vê-los retomarem o caminho, nas sendas do Bem...

Menmet interveio, concluindo:

— Como vês, tua tarefa é de grande importância para todos. Leonor não terá uma vida longa e disso já sabíamos, mas não queremos recebê-la de maneira precipitada. Apesar de ter modificado alguns planos, estamos confiantes de que ela ainda poderá corrigir o rumo.

Pensativo, Florêncio avaliava a situação. Não sabia ao certo se poderia realmente ajudar, mas acabou concordando:

— Muito bem. Se acham que posso *sê* útil, *vô tentá*. Conheço Rufino e sei que não vai *sê* fácil...

Despediram-se e se retiraram, confiantes de que a presença de Florêncio lhes poderia propiciar mais algum tempo.

***

Finalmente, Miguel recebeu uma resposta do famoso médico francês. Na carta, Bouillaud saudava o aluno e lamentava que a jovem tivesse contraído a doença — que ainda continuava em estudos e na qual já observara algumas coincidências entre seus portadores.

Afirmava que naquele momento não havia cura para tal moléstia e que, apesar do seu interesse pela área, não havia ainda um tratamento efetivo; sabia que o problema reumático tinha estreita relação com a enfermidade cardíaca, mas não podia precisar de que forma ela se iniciava e como isso ocorria; recomendava, ainda, que lhe fizessem sangrias e que lhe dessem chá da folha de salgueiro. Terminava se desculpando por não ter nenhuma novidade em relação ao tratamento, por enquanto.

Apesar das divergências entre a escola americana e a francesa de Medicina, a contribuição de Bouillaud foi tão apreciável que muitos dos modernos compêndios sobre febre reumática ainda se reportam ao seu trabalho pioneiro.

Após ler a carta, Miguel foi até a fazenda de Antero a fim de conversar com Leonardo.

Lúcia, curiosa, ouvia o diálogo sem entender praticamente nada.

Foi quando Miguel indagou:

— Diga-me, Leonardo, o que aconteceu com o escravo que raptou a senhora Leonor? Ouvi alguns comentários, mas parece que todos se negam a falar sobre o fato...

Leonardo respondeu, tranqüilo:

— Ao que sei, meu tio mandou matá-los. Leonor nunca falou no assunto, mas acreditamos que ele... Bem, tu deves saber, Leonor é muito frágil...

Miguel sentiu o sangue subir-lhe ao rosto. Entendia a tragédia que havia ocorrido com aquela família. Não era escravagista, detestava aquele tipo de sociedade que permitia essas atrocidades, mas, ao pensar que Rufino havia tocado em Leonor, não pôde impedir que um sentimento forte, misto de ódio e raiva, vibrasse em seu coração.

Ainda ensimesmado com o casamento de seu pai, perguntou a Leonardo:

— Tem mais uma coisa que não entendo... Por que Leonor se casou tão rapidamente com meu pai? Que eu saiba, ela não estava apaixonada...

Leonardo franziu o cenho e explicou:

— Tentei fazê-la falar antes do casamento, sempre fomos amigos... Cheguei a pensar que um dia me casaria com ela... Mas encontrei outra moça na Europa...

Lúcia entrou na conversa:

— Sempre tive algumas dúvidas, senhor Miguel. Apesar de ser amiga de Leonor, nunca me falou nada sobre esse assunto. Ficamos algum tempo sem nos ver e creio que, durante esse período, sua tia Maria Alice esteve muito próxima a ela...

Falaram por mais alguns minutos e Miguel se retirou. Algo lhe dizia que Maria Alice fora uma peça importante no casamento de seu pai com Leonor.

* * *

Logo ao chegar na fazenda do Rosário, Miguel procurou localizar a tia. Maria Alice estava em seu quarto, repousando.

Desde o retorno de José Venâncio, o comportamento da irmã de Afonso sofrera sensíveis modificações. Apática, desinteressava-se das atividades costumeiras; parecia haver perdido o encanto pela vida; andava taciturna e sem interesse em nada.

A chegada de Miguel lhe havia dado um pouco de entusiasmo, mas, como o rapaz, desde logo, se envolvera com o problema de saúde de Leonor, ela acabara voltando ao estado de espírito anterior.

A princípio, todos estranharam seu comportamento; no entanto, com o passar dos dias e as preocupações com Leonor, que absorviam todas as atenções, acabaram deixando-a de lado.

O próprio Afonso, que vivia um verdadeiro pesadelo desde que se casara, começava a temer pelo futuro de Maria Alice. Reconhecia que a irmã estava doente, sem poder precisar exatamente do quê.

Na realidade, o fator que havia desencadeado o estranho estado de Maria Alice fora o retorno de Eulália — a irmã de Isadora.

Sabia que ela acompanhara o crescimento de Leonor e que, embora residisse na cidade, freqüentava a fazenda com assiduidade, a fim de acompanhar a evolução da menina; que a própria Leonor tirava longas temporadas em sua companhia, quando Eulália lhe dava aulas de etiqueta, piano, e que lhe ministrara as primeiras letras, mas, ao vê-la ainda tão bela e culta, o ciúme começou a lhe envenenar a alma invigilante.

A indiferença que o marido passara a lhe votar desde o seu retorno e a amizade sincera e respeitosa que dedicava a Eulália a atingiram de forma tão violenta que Maria Alice corria o risco de perder o juízo.

Não conseguia entender o que estava acontecendo: sentia repulsa do marido, mas, ao mesmo tempo, ciúme ao vê-lo ser gentil com Eulália.

Sem poder esperar por outra oportunidade, Miguel foi até os seus aposentos e bateu delicadamente. Ouviu a voz de Maria Alice dizendo que entrasse.

Surpreso, o rapaz viu que Maria Alice estava com a toalete descuidada; jamais a havia visto daquela maneira e, preocupado, perguntou:

— O que está havendo, minha tia? O que se passa nesta casa, pois não estou a entender certas coisas...

Maria Alice suspirou e comentou:

— Também não entendo, Miguel. Desde que José Venâncio retornou com Leonor, passou a me ignorar, logo a mim que deixei tudo o que amava por ele... — e desatou a chorar.

Miguel, com um gesto carinhoso, afagou os cabelos da tia e disse:

— Gostaria que me contasses tudo, tia, desde o início. Pelo que sei, Leonor não simpatizava contigo, não é mesmo?

— É verdade. Tentei conquistá-la de todas as maneiras, mas não houve jeito... Ela me odiava! E eu que desejava abrigá-la em meu coração como filha... Esta foi uma grande decepção, meu querido...

Apesar do tom teatral de Maria Alice, Miguel, que conhecia o caráter dramático da tia, continuou:

— Pois sim, e então? O que tens a ver com o tal escravo e com o enlace de Leonor com meu pai?

Maria Alice se afastou um pouco. Olhou assustada para o sobrinho e obtemperou:

— O que queres dizer? O que estás a insinuar, Miguel? Por acaso vieste aumentar meu sofrimento com estas desconfianças?

— Acalma-te, tia. Não estou a te acusar de nada... Apenas desejo saber o que aconteceu antes de eu cá chegar. Penso ser muito estranho esse casamento de meu pai...

Maria Alice procurou se controlar. Resolveu contar a parte da verdade que lhe convinha:

— Está bem. Vou lhe contar... Fui eu quem comprou o escravo, insisti mesmo para que José Venâncio o adquirisse. Achei que poderia transformá-lo em um bom escravo doméstico... Mas Leonor, desde o primeiro dia, implicou com o coitado. Não podia nem vê-lo, simplesmente o detestava... Achei que eram caprichos de uma rapariga mimada...

— E então? José Venâncio o mandou embora?

— Não, isso não ocorreu. A meu pedido, meu marido resolveu deixá-lo aqui no casarão, o que contrariou muito a menina... Depois de algum tempo ele foi afastado, e no fim sabes o que aconteceu... Sinto calafrios quando estou a falar nesse negro...

— O escravo acabou por raptar Leonor e trouxe toda essa desgraça... É por isso que José Venâncio está magoado contigo... E quanto ao casamento? Como me explicas?

Dessa vez Maria Alice procurou minimizar sua participação no caso:

— Leonor sofrera uma decepção de amor, sabes como é isso nessa idade... Esperava que o primo Leonardo se casasse com ela em seu retorno da Europa! Pobre ingênua! Ao voltar, ele nem lembrava mais da "promessa" que lhe fizera. Decepcionada, acabou aceitando, a meu conselho, é verdade, a aproximação de Afonso... Achei que faziam um belo par... Não achas?

Miguel olhou para a tia e ponderou:

— Não pensas que podes ter arruinado a vida de dois seres com essa tua idéia? Eles não se amam, disso não resta a menor dúvida...

À perspicácia de Maria Alice não escapou a emoção na voz de Miguel:

— Por que me dizes isso? Por acaso não estás interessado em tua madrasta, não é mesmo?

Miguel sentiu que o sangue lhe fervia nas veias. Enrubescido, procurou esclarecer à tia:

— Como podes falar assim, tia? Sabes o quanto amo meu pai e que o sofrimento dele será também o meu! Jamais pensaria em qualquer sentimento em relação a Leonor que não seja respeito e admiração...

Maria Alice permaneceu em silêncio, observando o sobrinho. Por fim, concluiu:

— Espero que seja assim como falas. Esta moça traz desgraça a todos os que a amam...

— Isso é uma tolice! Leonor foi vítima de uma série de circunstâncias. Peço a Deus que essa enfermidade estacione e ela possa viver por muito tempo ainda...

— Sei que o que digo não é uma tolice, Miguel. Veja o exemplo do escravo! E do seu pai! Nem consumou o casamento e está prestes a ficar viúvo... E o próprio José Venâncio, que viveu a vida toda às voltas com essa rapariga...

Ao mencionar o caso de Rufino, novamente Maria Alice sentiu um arrepio lhe percorrer o corpo.

Instintivamente, caminhou em direção à janela e a fechou. Havia algum tempo que sentia um mal-estar indefinido, o peito angustiado e um sentimento de raiva e ódio contra Leonor e todos que a amavam.

José Venâncio se tornara o alvo ideal. As discussões constantes acabavam levando o infeliz fazendeiro a sair para a lida do campo, apesar do perigo que corria naqueles dias tumultuados. Ao retornar, no entanto, só tinha olhos para Leonor.

O afastamento do casal enfraquecia os laços de amizade de Afonso e José Venâncio. Aquele lar, que um dia fora o sonho de felicidade de Isadora, agora estava transformado em um campo de lutas e resgates.

Com os corações oprimidos pela ação de um espírito que se julgava um justiceiro, o sofrimento se fazia presente em todas aquelas almas.

A justiça se cumpria, não por castigo divino, mas pelo cumprimento da Lei de Ação e Reação, em que cada qual sorvia a parte que lhe cabia daquele cálice de amarguras.

A obsessão, com todas as suas dolorosas implicações, devolvia a cada um segundo suas obras.

Na realidade, todos sofriam, encarnados e desencarnados. Seria necessário que o perdão tocasse aqueles corações, para que a alvorada de um novo dia surgisse nas existências daquelas almas...

Rufino apenas começara a cumprir sua promessa...

38

Esclarecimento e auxílio

Enquanto a convivência entre Miguel e Leonor aproximava cada vez mais os jovens, as preocupações de Afonso com Maria Alice o afastavam de sua esposa.

É bem verdade que passava algumas horas ao lado de Leonor, mas a súbita transformação de sua irmã o deixava extraordinariamente inquieto.

A variação de humor, as discussões por qualquer coisa, a implicância com escravas, com Eulália e até com José Venâncio, indicavam que alguma coisa precisava ser feita.

A grande verdade é que já conhecia aquela história. Não podia acreditar que aquilo fosse novamente acontecer em sua família.

Entristecido, Afonso mandou encilhar um cavalo e saiu a trotear pelo campo. Após algum tempo, parou junto a um velho ipê e, sentando sob a frondosa árvore, começou a relembrar: "Faz tanto tempo... Pensei que jamais veria isso acontecer de novo...". Sem conseguir controlar as cenas que se desdobravam diante de seus olhos, Afonso lembrava: Miguel era um bebê quando sua primeira mulher começara a ter um comportamento estranho. Na verdade, aquilo ocorrera desde o parto. Excessivamente deprimida, às vezes não podia nem ao menos ver o filho recém-nascido. Era preciso retirar Miguel às pressas, antes que Maria Antônia tivesse uma crise de nervos.

Desesperado, Afonso pediu ajuda a Maria Alice. A dor de ver a esposa doente era grande demais e por algum tempo permaneceu sozinho a seu lado, enquanto Miguel ficava aos cuidados de sua irmã.

O tempo foi passando, com o arrefecimento de alguns sintomas; mas nunca mais Maria Antônia foi a mesma moça que um dia conhecera...

Era bem verdade que ela era um pouco caprichosa, exigente, chegando a ter acessos de cólera, quando não era atendida em seus desejos... Mas ela era tão linda, tão formosa, que Afonso não dava muita importância aos seus achaques.

Implicava, brigava com tudo e todos. Parecia que vivia em constante irritação; depois passava longos dias prostrada, quase sem forças.

Afonso tentou trazer Miguel mais para perto de si, mas tempos depois Maria Antônia teve uma crise. Tornava-se irreconhecível quando sucediam aqueles episódios. Dizia palavras desconexas, ameaçava, ria ao mesmo tempo, parecia assumir outra personalidade.

Por fim, os médicos decretaram a sua doença mental. Seria preciso afastá-la do convívio social. Por dois longos anos, Afonso permaneceu a seu lado, acompanhando o seu definhar, até a morte. Vivia praticamente isolado do filho, pois os aposentos de Maria Antônia foram localizados em outra ala da grande mansão, para que não se ouvissem seus gritos.

O pouco que Miguel conseguiu saber sobre a doença de sua mãe fê-lo escolher a carreira médica; assim procedeu no intuito de minorar o sofrimento daqueles que padeciam dessas enfermidades.

Agora, inacreditavelmente, via Maria Alice seguir o mesmo destino que sua Antônia... Não conseguia entender por que haveria de passar por aquela provação novamente. Apesar de conhecer outras religiões, se considerava católico e se perguntava: o que havia feito para que fosse tão duramente castigado?

Sempre fora um homem de princípios e, no entanto, a vida fora extremamente dura para com ele... Perdera Maria Antônia — o amor de sua vida; agora, Leonor, o anjo que parecia lhe vir trazer algum alento, estava presa a um leito com uma enfermidade cruel... E Maria Alice! Era demais para o seu coração já cansado de sofrer.

Lágrimas afloraram dos olhos cansados de Afonso. Como uma criança, soluçou compungidamente diante da perda de seus afetos mais caros. "O que ainda haverei de passar?", perguntava-se.

Temia pelo futuro. Sentia como se nuvens espessas cobrissem o destino de todos os moradores da fazenda do Rosário. Ainda a meditar, sentiu leve sonolência. Recostou a cabeça no tronco da árvore amiga que o acolhia e se entregou a um sono invencível.

Alguns minutos depois, olhou ao redor e verificou encontrar-se em local desconhecido, diante de uma grande construção. Caminhou alguns passos e notou que o prédio que divisava diante de si em nada se parecia com qualquer construção que conhecesse até então; sabia que não estava sozinho, embora não pudesse precisar, naquele instante, quem estava ali com ele.

O amigo que lhe indicava o caminho ia à frente, e Afonso resolveu segui-lo sem indagações. Depois de alguns minutos, o companheiro parou diante de pequena assembléia que se reunia em silenciosa expectativa.

Afonso se sentou junto a outras pessoas e aguardou o desenrolar dos acontecimentos.

Enquanto suave música envolvia o ambiente, um homem adentrou o recinto acompanhado por pequeno e discreto grupo; postando-se diante da tribuna saudou a todos os presentes, dizendo:

— *Meus queridos irmãos e amigos, que o Senhor da Vida nos abençoe...*

Venho até vós neste dia, com o intuito de trazer-vos algumas palavras de encorajamento diante das lutas que travais nos dois planos da vida...

Sinto-me no dever de esclarecer os vossos espíritos diante da luta que deveis travar contra um inimigo oculto, que age no recesso das mentes e dos corações, envenenando vidas e arruinando existências, sendo que muitos de vós retornastes antecipadamente, por não terem mantido a vigilância necessária quando encarnados!

Jesus, o Senhor de nossas vidas, disse: "Orai e vigiai". À primeira vista, parece-nos um conselho salutar para nos mantermos ligados aos planos superiores...

No entanto, amigos, vos afirmo que o ensinamento se reveste de uma sabedoria incomparável, que poderia ter salvo a existência de muitos ao trilharem as sendas do mundo...

Naquele momento, como se vislumbrasse outras paisagens, o olhar de Cornelius se fixou em um ponto imperceptível... E o estimado mentor continuou:

— *Agora mesmo, quando muitos de vós ainda se encontram presos às vestes carnais, é o momento de reunirdes forças contra esta calamidade que ronda os corações dos invigilantes e dos que se afeiçoam às ilusões da Terra... Contra os que não compreenderam a medida salutar da imunidade espiritual que o perdão representa em nossas vidas...*

Concito-vos a lutardes o bom combate, inspirados nos ensinos de nosso mestre Jesus, iniciando pela oração revigorante e libertadora dos fluidos deletérios que se acumulam ao redor dos que jornadeiam com irmãos acometidos pelo drama da obsessão... E continuando essa luta pela vigilância de atos e pensamentos, para que não venhamos a cair nas malhas desta rede invisível que aprisiona os corações!

Falo-vos no intuito de estardes atentos diante dessa provação que cada vez mais atingirá irmãos nossos nos dois planos da vida...

Pensais que as obsessões terminam com a morte? Enganai-vos, meus irmãos!

Nem sempre é possível libertar a mente que desencarna em desequilíbrio... Às vezes é necessário muito tempo, quiçá outras encarnações, para que os laços do ódio, por muito tempo alimentados, possam ser desfeitos...

Não podemos esquecer que tudo se resume em um problema de sintonia e nesse caso é preciso que um dos litigantes modifique seu padrão mental, para que haja a libertação!

Aos que permanecem em estudos conosco desejo que procurem o conhecimento das realidades do espírito, para que não venham a cair novamente em provações de tal monta... Os desígnios de nosso Pai se cumprem, mas a conduta diante da prova é unicamente nossa...

Buscai forças naquele que tem todo o poder! Rogai a Jesus que vos ampare, conduzindo-vos em sua carinhosa proteção...

Àqueles que retornam à carne, desejo que levem consigo os fluidos revigorantes que por ora são derramados sobre todos...

Guardai acima de tudo os ensinamentos de nosso mestre Jesus no imo dos vossos corações, entregando-vos ao seu cuidado amoroso, para que possais vencer a grande batalha contra o mal, principalmente aquele que se encontra dentro de nós mesmos!

Lutai pela vossa libertação, mas começai a luta pela reforma dos vossos pensamentos e atos...

Tende fé e perseverança pois à noite se seguirá o dia, à tempestade a bonança e às trevas escuras do nosso eu de hoje surgirá o novo homem qual radioso amanhecer...

Emocionado, Cornelius fez singela prece e encerrou a exposição.

Enquanto todos se dirigiam para o local de saída, Afonso procurou aquele que o trouxera e não o encontrou.

Ia se dirigindo para a grande porta por onde entrara, quando ouviu uma voz chamar o seu nome:

— Afonso!

Voltando-se, Afonso deparou com uma jovem mulher de traços delicados, que o olhava com tristeza. Tomado pela emoção, apenas conseguiu pronunciar seu nome:

— Maria Antônia!

A jovem se aproximou e exclamou:

— Há quanto tempo peço por esta graça! Finalmente vieste, meu querido!

Afonso segurou as mãos de sua ex-esposa e falou com a voz embargada:

— Estás curada! Pensei te haver perdido para sempre, minha Antônia!

A jovem baixou o olhar e a seguir anotou:

— Passei por dura provação, Afonso, que levou sofrimento a todos os que me cercavam... Realmente, tudo o que aconteceu estava no meu caminho, mas se eu fosse uma pessoa diferente, mais humilde, e tivesse melhores qualidades no coração, as coisas poderiam ser diferentes... Poderia ter ficado mais algum tempo...

— Queres dizer que poderias ter vivido mais? Que poderíamos ter ficado juntos por mais tempo?

— Estou aprendendo ainda muitas coisas, meu querido. Levei algum tempo para me afastar das entidades que me levaram àquela triste condição... Mas sei que contribuí para que aquilo ocorresse; devido a meu gênio, deixei que elas me dominassem... Não tive a fé necessária em Deus para lutar contra as sombras que me perseguiam...

— Não podes imaginar o que sofri durante todos esses anos! Nunca te esqueci, Antônia!

Antônia sorriu e contrapôs:

— Sei que casaste novamente... Não posso te culpar, meu querido. Entendo tua solidão... Também eu sofri cada dia destes anos, por saudade tua e de meu filho... Talvez tenha sido isso que me deu forças de lutar pelo meu restabelecimento... O desejo de ajudá-lo e de amparar Miguel mais de perto...

O rosto de Afonso foi tomado por uma sombra de tristeza. Maria Antônia continuou:

— Não tens muito tempo. O que preciso dizer-te é que passarás por uma grande prova e é preciso que resistas, Afonso! Tenha fé, confie em Deus, pois precisas amparar os que te cercam...

Afonso lembrou-se de Maria Alice e tornou:

— Estou muito preocupado com minha irmã...

Maria Antônia, com o olhar velado pelas lágrimas, prosseguiu:

— Sei do que se trata... Minha pobre cunhada segue as minhas pegadas, não é mesmo? Tens compromisso sério com Maria Alice, Afonso. Deverás ampará-la sempre, não te descuides deste encargo... Precisas partir o quanto antes, aquela casa está envolvida em sombras. Leva tua esposa contigo, é preciso que sejam cortados os laços que as unem àquele lugar... Isso poderia ajudá-las neste momento...

A jovem entidade continuou:

— Elas precisam ter fé! Diga-lhes para que não esqueçam de Deus, pois não estão sozinhas...

Afonso, que sempre fora muito religioso, perguntou:

— Como posso incutir fé naqueles corações? Elas se dizem católicas, mas parecem distantes da religião...

Maria Antônia olhou com tristeza e concluiu:

— Não há outro caminho, Afonso. É preciso ter fé! Adeus...

Naquele momento, Afonso abriu os olhos. Olhou assustado ao redor e percebeu que a noite se avizinhava.

Quando tempo dormira? Não podia precisar... Apenas sabia que havia sonhado com Antônia e que ela lhe parecia preocupada. Lembrava-se de ela lhe haver dito ser preciso ter fé... E que antes um homem falara sobre coisas estranhas, da necessidade de se precaver contra um mal intangível ou oculto, não sabia ao certo. Também recordava que o tal homem falara em Jesus... No seu poder e na necessidade de orar e vigiar.

No retorno, Afonso tinha a cabeça cheia de imagens, que desfilavam a seus olhos, algumas sem muito sentido, outras muito claras, como a de Antônia...

Uma coisa era certa: fazia algum tempo que não orava e isso estava lhe fazendo falta. Sempre tivera o hábito da oração e, com os últimos acontecimentos, se havia desligado de seus hábitos religiosos.

Talvez, pensava, aquele sonho tivera a finalidade de lhe lembrar da importância da oração nas horas difíceis... Conversaria com Maria Alice e Leonor. Tinha a convicção de que elas teriam um alívio para as suas dores e sofrimentos se buscassem consolo na prece.

Fazia muito tempo que não iam à missa e era evidente que aquela casa necessitava de um conforto espiritual.

39

O segredo de Miguel

Com as forças renovadas, Afonso procurou Maria Alice tão logo retornou.

Encontrou a irmã na sala de estar, taciturna, junto a uma das janelas do casarão. Ainda sob o efeito do sonho que tivera, iniciou o diálogo, confiante:

— Como estás, minha irmã? Pareces-me mais disposta...

Maria Alice voltou-se, com ar enfadado, e respondeu:

— Ao que me consta, tudo está como sempre... Tenho me sentido sufocada nesta casa...

Afonso procurou mudar o rumo da conversa:

— Maria Alice, lembras do nosso velho hábito de ir à missa aos domingos? Como isso te causava alegria, pois reencontrava tuas amigas... Por que não continuaste, aqui no Brasil, a freqüentar a igreja?

Maria Alice caminhou pela sala e por fim disse:

— Realmente, não sei por que me afastei de minhas rezas... Sempre me envolvi tanto com os encargos desta casa, que acabei por relegar as coisas espirituais...

— Não crês que isso te ajudaria agora? Sei que estás passando por uma fase difícil com teu marido e acho, sinceramente, que deverias buscar conforto na oração e no consolo que um sacerdote te poderia dar...

Maria Alice ficou pensativa. Afonso tinha razão. Apesar de tudo, sentia-se amparada em sua fé.

Ia concordar com o irmão, quando sentiu um calafrio lhe percorrer o corpo. Imediatamente, suas idéias se modificaram. Olhou com desconfiança para Afonso e lhe perguntou, irônica:

— Pensas que sou tola? Certamente José Venâncio pediu que me convencesses a aceitar esta situação, a me resignar com as migalhas que recebo nesta casa...

Surpreso, Afonso procurou esclarecer o mal-entendido:

— Enganas-te, minha irmã! Apenas quis relembrar o quanto as tuas orações te faziam bem... Pensei que poderiam ajudar-te... Teu marido não sabe de nada disso, se assim o pensas...

Maria Alice deu uma gargalhada e arrematou:

— Tu também és cúmplice do meu marido... Pois saibas, meu querido, que és tu quem precisa estar mais atento... A tola não sou eu! Tu és quem deve rezar mais... Intrigado com as palavras de Maria Alice, Afonso perguntou com o cenho carregado:

— A que te referes? Sinto malícia em tua voz... O que estás a insinuar?

Rufino atuava sobre Maria Alice sem saber exatamente como o processo se dava. Observara, no entanto, que a mulher era muito suscetível em captar o seu pensamento e que, com facilidade, repetia as palavras que vinham a sua mente. Satisfeito, prosseguiu, armando sua vingança:

— Não, meu irmão... Deixemos isso para lá. A verdade não requer que a mostremos... Ela se deixa mostrar. Com o tempo, saberás a que me refiro...

Perturbado, Afonso insistiu com a irmã:

— Por favor, dize-me, Maria Alice! Do que se trata? Leonor está piorando?

— Não no sentido em que imaginas...

Naquele momento inesperado, Maria Alice sentiu, em um relance, a oportunidade de se vingar de todas as humilhações e desprezo de que se via objeto por causa de Leonor. Fingindo não querer desvendar o "grande segredo", falou, reticente:

— Peço-te que me poupes dessa tarefa, Afonso. Não quero ser a causadora da tua infelicidade...

Àquelas alturas, Afonso nada mais desejava do que ouvir o que quer que fosse dos lábios de Maria Alice:

— Eu te imploro, dize-me, o que estás a me esconder... Preciso saber!

Finalmente, Maria Alice fingiu ceder pela insistência do irmão:

— Eu lamento muito, Afonso! Não desejaria por nada neste mundo ser a delatora de uma falta de tua mulher... E de teu filho...

Instintivamente, a atenção de Afonso se redobrou. A dor que pressentia fez com que seus batimentos cardíacos disparassem e um suor frio lhe banhasse o corpo. Procurando se controlar, conseguiu dizer com a voz sumida:

— Diga-me o que está acontecendo...

Maria Alice, secundada por Rufino no plano espiritual, prosseguiu, reticente:

— Sinto muito, querido... Mas desde a chegada de teu filho que venho reparando... Não achas que Miguel está diferente? Não reconheço mais o jovem sofisticado e apaixonado pela vida que criamos. Às vezes, parece-me que sofre de um mal, que, sabemos, corrói a alma... Está a cada dia mais triste e preocupado com a cura de tua mulher...

Afonso teve ímpetos de agredir Maria Alice. Como podia ousar atacar a honra de Miguel e Leonor, as duas pessoas que mais amava no mundo?

Respirou fundo e, apesar da indignação, falou:

— Acho que o teu sofrimento está a te fazer perder a razão, Maria Alice. Perdeste a noção das tuas palavras e do mal que elas podem trazer... Não admito que digas nada sobre o meu filho, que na verdade deverias defender, e de minha mulher, principalmente...

Colérica, Maria Alice respondeu:

— Não entendes! A culpa não é do meu sobrinho, pobre moço... É da tua Leonor que, não satisfeita em seduzir o pai, quis conquistar o filho...

Afonso perdeu o equilíbrio emocional e levantou a mão, quando a imagem de Antônia se desenhou em sua mente. Aniquilado, baixou o braço que nunca ferira ninguém e ia se retirar, quando Maria Alice disparou:

— Não acreditas em mim, não é? Pois então observa... Não hás de ser tão cego que não percebas os olhares...

Afonso foi direto para seu quarto. Por mais que desejasse esquecer, a calúnia de Maria Alice ecoava em seus ouvidos. Sofria antecipadamente ao imaginar que tudo poderia ser verdade.

Como não percebera nada? Seria um tolo, imbecil que não via o que estava acontecendo? Ou será que Maria Alice, no auge do despeito, inventara aquela calúnia só para se vingar de Leonor e estragar sua vida?

Como poderia saber a verdade? Não queria acreditar, não podia aceitar que os dois seres mais idolatrados por ele fossem cruéis traidores de sua confiança...

Precisava se controlar, mas o desespero era tal que, sem querer, sentia as lágrimas quentes lhe descerem pelo rosto. Odiava-se por amar tanto Leonor e por ter no filho a razão da sua vida até aquele momento...

Talvez fosse realmente um estúpido que, apaixonado por uma jovem ainda adolescente, perdera toda a noção das coisas. Para ele, Leonor sempre fora a imagem da pureza e sofrera terrivelmente quando José Venâncio lhe dissera que Rufino a maculara.

Mesmo assim, julgava conhecer a alma de Leonor e sabia que nada a conspurcaria. Aceitava-a do mesmo modo, como no dia do casamento.

Mas, agora, pela primeira vez, via a imagem doce de sua mulher se turvar. Caso se confirmassem as suspeitas de Maria Alice, certamente ele estaria ligado aos seres mais abjetos de que se tinha notícia...

Assim, enquanto Afonso lutava em um terrível drama íntimo, Rufino colhia, pela primeira vez, os frutos de sua vingança.

E, segundo imaginava, haveria muito o que fazer ainda...

***

Sem se aperceber, Afonso passou a observar o filho, especialmente quando ele estava na presença de Leonor.

Via a ruga que se formava na testa de Miguel após os exames de praxe na moça.

Já não encontrava no rosto do rapaz o sorriso espontâneo de outrora; cada vez mais, o surpreendia sozinho ou cavalgando a longas distâncias, o que não era, definitivamente, do temperamento de Miguel.

Acostumado à vida urbana e aos eventos de destaque na sociedade, não podia entender a rápida mudança no comportamento do filho; ou, melhor, começava a perceber — segundo imaginava — o motivo de tal transformação.

Com o coração magoado, Afonso sofria dolorosamente. As insinuações de Maria Alice ecoavam em seu espírito como chicotadas, que lhe abalavam dolorosamente as fibras mais íntimas.

Rufino, aproveitando-se da situação, contribuía envolvendo-o em pensamentos nocivos, que lhe dilapidavam as forças e qualquer tentativa de lutar contra aquela influência.

Lembrou-se do sonho que tivera e do pedido de Maria Antônia, e resolveu orar.

Elevando o pensamento ao alto, Afonso pediu socorro para a terrível prova de que se via objeto.

A resposta não tardou e, por algum tempo, conseguiu manter o equilíbrio e a serenidade que julgava haver perdido.

Passou a considerar como meras coincidências algumas situações em que observara o olhar envolvente que Miguel endereçava a Leonor.

As leituras, as conversas descuidadas, a música que o jovem tocava com tanto sentimento para sua paciente...

As cartas da jovem francesa, que o rapaz se negava em responder, depositando-as em seu criado-mudo...

Leonardo também tinha diminuído suas visitas, deixando Leonor praticamente nas mãos de Miguel.

"Certamente", pensou Afonso, "surgiu uma afinidade pela juventude dos dois e pelo convívio diário...". E, dessa forma, tratou de afastar qualquer pensamento menos digno que dissesse respeito aos dois jovens.

Infelizmente, o sentimento que unia Miguel a Leonor transcendia àquela existência.

Na realidade, Miguel era o jovem que pedira a Leonor, em sonho, que não se casasse... Pois já havia uma programação na espiritualidade para o encontro dos dois.

Leonor, com sua impetuosidade e a falsa ilusão de retornar para o lugar onde já vivera, na Europa, e que, inconscientemente, nunca esquecera, aceitou o enlace, ignorando a solicitação do rapaz.

Além disso, não perdoara Miguel por haver falhado, quando fora esposa de Rufino, deixando-a a sua espera e desistido da fuga.

O nó estava dado e para desatá-lo haveria de custar a renúncia do jovem casal...

Miguel, no entanto, não suportava mais a situação que se havia criado. Já não podia negar que amava Leonor. Sentia pela moça uma afeição que jamais experimentara em sua vida! "Ela é a expressão do que existe de mais belo e puro!", pensava.

Apesar da doença que lhe dificultava os movimentos e a impedia de alguns gestos, acreditava que Leonor personificava a mulher com quem sempre sonhara...

Certo dia, enquanto a preocupação com a saúde da moça ainda lhe amargurava a alma, recebeu o recado por Januária que Leonor desejava vê-lo.

Imediatamente, Miguel correu a seu encontro. Encontrou-a recostada no leito, com a aparência cansada:

— Sinto incomodá-lo, mas sinto-me exausta... Parece que meu coração se nega a bater em meu peito... — articulou Leonor, com a expressão triste.

Angustiado, Miguel resolveu auscultar o coração da moça. O olhar preocupado e a respiração opressa do rapaz chamaram a atenção de Leonor:

— Estou tão mal assim, doutor? — tentou gracejar a jovem.

Miguel dirigiu um olhar apaixonado para Leonor. Não conseguia evitar que suas emoções se extravasassem, pois sabia que a morte do seu grande amor se aproximava.

Leonor, perturbada, voltou a perguntar:

— Por favor, digam-me, estou piorando, não é mesmo?

Miguel baixou o olhar e, sem disfarçar a emoção, evitou lhe dizer a verdade:

— Houve um agravamento, mas eu já contava com isto... Nada que não possamos tratar...

Leonor olhou para Miguel e, sem acreditar no que ouvia, exigiu:

— Por favor, diga-me a verdade, Miguel... Vou morrer, não é mesmo?

Miguel não conseguia articular nenhuma palavra. Não queria mentir, mas não tinha coragem suficiente para dizer o que realmente estava acontecendo. Procurando recuperar o equilíbrio emocional, afirmou:

— Nada te irá acontecer, Leonor. Procura ficar calma e repousar o máximo possível...

— Não posso viver o resto de minha vida desta forma... É insuportável... Ao menos posso saber se um dia poderei ter uma vida normal?

Miguel titubeou, mas respondeu:

— Claro que sim... Ainda serás muito feliz, Leonor!

— Então por que me olhas desta maneira? Sinto que não dizes o que pensas...

Miguel passou os dedos sobre o cabelo desalinhado e respondeu:

— Jamais poderia conhecer meus pensamentos, senhora... — disse em tom misterioso.

Aguçada pela curiosidade, Leonor insistiu:

— Tens algum segredo? Algo que não posso saber? — perguntou com curiosidade.

Notando a perturbação do rapaz, resolveu arriscar, com o coração acelerado, temendo a resposta que poderia ouvir:

— Trata-se de alguém que deixaste na França, não é mesmo?

Ignorando suas palavras, Miguel se aproximou e, sentando no leito da moça, falou, enquanto a observava com carinho:

— Tenho, sim, um grande segredo, e, se eu o revelasse, faria a infelicidade de muitas pessoas que amo...

— E eu, não poderia saber? Quem sabe poderia ajudá-lo?

Miguel riu e retornou:

— Principalmente tu não deves saber! E também não me poderás ajudar...

Intrigada, Leonor insistiu:

— Sabes que sou tua amiga e da minha lealdade. Não entendo teus motivos para agires assim...

Miguel se aproximou da moça e falou, insinuante:

— Tens certeza de que não entendes? Ou não queres entender?

Perplexa, Leonor tentava concatenar as idéias. O que Miguel lhe estaria tentando dizer?

Notava que, desde sua chegada, o rapaz tinha excessivos cuidados com ela... Mas imaginou se tratar de zelo profissional; depois vieram os olhares, as frases de duplo sentido, as pequenas delicadezas...

Será que o segredo de Miguel se referia a ela e não a outra moça?

Temerosa do que poderia ouvir, fingiu não entender as últimas palavras de Miguel:

— Não sei do que falas... Deves estar caçoando de mim...

Miguel segurou suas mãos e pronunciou:

— Jamais faria isso! És muito cara ao meu coração...

Retirando as mãos com delicadeza, Leonor sussurrou:

— Acho que deves ir agora, Miguel...

— Tens medo do que posso te dizer? Por acaso, sentes o mesmo?!

Com os olhos marejados pelas lágrimas, Leonor implorou:

— Saia, por favor, Miguel!

Ciente de que o segredo que guardara de todas as formas havia sido revelado e sem poder mais conter o sentimento que extravasava de seu coração, Miguel prosseguiu:

— Não posso mais, Leonor! Preciso falar... Caso contrário, sufocarei com esse sentimento...

— Perdeste o juízo?! Não posso nem quero saber do que tens a me dizer... — disse Leonor, chorando, e, em uma atitude infantil, procurando tapar os ouvidos.

Miguel se aproximou e, segurando-lhe os braços, para que Leonor o escutasse, insistiu:

— Teu desespero só me revela uma coisa, Leonor: sentes o mesmo! Tu também me amas!

— Não temos esse direito! Sou a esposa de teu pai! Isso é um absurdo! Não podemos... — disse Leonor, chorando.

Encorajado, Miguel prosseguiu, enquanto lhe afagava os cabelos sedosos:

— Como pode haver erro em um amor assim? Como podemos ser culpados de carregarmos no coração um sentimento tão puro? És o mais precioso bem que alguém poderia almejar na vida, Leonor! O que sinto por ti é tão grande e forte que me faria lutar contra tudo e contra todos!

Naquele momento, sem que os dois percebessem de onde vinha, uma voz se manifestou, no silêncio que se fez:

— ... Mesmo contra teu pai? — ouviram, estarrecidos.

Miguel e Leonor se voltaram e reconheceram o olhar irônico e maldoso de Maria Alice. A mulher de José Venâncio observara a entrada de Miguel nos aposentos da enteada e resolvera aguardar os acontecimentos. Como o sobrinho demorasse e ela julgasse ter ouvido a voz alterada de Leonor, resolveu entrar em silêncio.

Na verdade, Maria Alice já imaginava o que encontraria, pois tinha certeza dos sentimentos dos dois jovens; trazia, entretanto, o coração tisnado por pensamentos malsãos, influenciados, em parte, por Rufino, e também frutos de sua própria perversidade.

Certa de que os pegaria em flagrante, sentia naquele momento o gosto da vitória por desvendar o crime hediondo que, segundo julgava, os jovens haviam cometido.

Surpresos, eles tentaram explicar o que as aparências definitivamente desmentiam:

— Estás enganada, minha tia! Houve um equívoco nas minhas palavras...

Sorrindo, zombeteira, Maria Alice fulminou:

— Oh, sim, meu caro sobrinho! Apenas dizias que lutarias contra tudo e contra todos... Bem, posso saber por quê? O que te é tão caro e precioso que te levaria a lutar dessa forma?

Miguel, desconcertado, não sabia o que dizer. Leonor resolveu intervir:

— Não se trata do que a senhora está pensando... Miguel me falava de um amor que deixou na França...

— Ah! Então é isso! Será que eu me enganei? E por que tantas lágrimas, minha enteada? Por que te comoveste tanto com o amor que meu sobrinho sente por outra...?

Apesar de tudo, Miguel ainda confiava na tia. Maria Alice fora, na verdade, a única imagem de mãe que tivera. Era-lhe profundamente grato pela educação e os cuidados que ela lhe dedicara. Notando a gravidade do assunto, resolveu apelar aos seus bons sentimentos:

— Talvez estejas certa, tia. Peço-lhe apenas que não tires conclusões apressadas sobre o nosso comportamento. Jamais fizemos nada que nos envergonhasse e em nenhum momento desrespeitei meu pai...

Indiferente às palavras do rapaz e satisfeita por ver Miguel se dar por vencido, Maria Alice tornou:

— Isso é uma vergonha descarada! Não admito que, sob o meu teto, vocês pratiquem essa infâmia!

— Peço que me ouças, tia. Não me conheces mais? Não sabes que jamais magoaria o meu pai ou a senhora?

Maria Alice olhou para Miguel e retrucou:

— Conheço a ti o suficiente para saber que foi ela que te seduziu... Cheguei a me afeiçoar a Leonor, mas, pelo que vejo, me enganei terrivelmente! Traidora!

Leonor, perplexa diante de tudo o que ouvia e percebendo o alcance daquelas acusações, tentou se defender:

— Eu devia saber que fingias quando me impeliste a me casar com Afonso! Como fui tola em seguir os teus conselhos... Querias era livrar-te de mim, pois sabias que iríamos embora daqui... Que poderias conduzir meu pai ao teu bem-querer... Talvez o levando a se afastar também...

Naquele momento, Miguel se ergueu e, caminhando em direção à tia, inquiriu-a, sob forte emoção:

— Havias-me dito que nada tinhas a ver com esse casamento! Eu devia imaginar! Eis a explicação para essa união descabida...

— Cala-te, Miguel! Não sabes o que dizes... Como podes acreditar em uma mulher que trai o marido descaradamente... com o próprio enteado!

Miguel, tomado de indignação, disse em tom quase imperceptível:

— Quem se deverá calar de agora em diante é a senhora! Eu juro que se comentar o que aqui se passou me obrigará a esclarecer a meu pai os motivos de tão engenhoso casamento... Mesmo sabendo que faria a infelicidade de todos...

Tomada pela cólera, Maria Alice ainda lançou um olhar irado contra os dois e saiu.

Após a triste cena que se passou em seus aposentos, Leonor teve um agravamento significativo.

Afonso, alheio ao que ocorria, não entendia o súbito agravamento da moléstia. Insistia com o filho para que se fizesse alguma coisa. Seu sofrimento era imenso.

Todos oravam na esperança de Leonor ver nascer mais um dia em sua vida.

40

Uma promessa

Naquela noite, o estado de Leonor se havia agravado muito. Com muita febre, delirava, demonstrando intenso sofrimento.

O afastamento parcial do corpo denso fazia com que a moça se apercebesse mais da realidade espiritual.

As palavras proferidas por Maria Alice haviam atingido sua sensibilidade e, apesar de serem injustas, repercutiram em sua consciência.

Sabia que deveria ter evitado a declaração de Miguel. No íntimo, contudo, também partilhava daquele sentimento e, não podia negar, as palavras do rapaz lhe caíram no coração como um bálsamo reconfortante.

Sentia-se culpada por permitir que se criasse aquela situação. Sua curiosidade acabara por instigar Miguel a se revelar.

Por tudo isso, quando Maria Alice a chamou de traidora, verificou que, se as palavras de Miguel não tivessem sido interrompidas pela tia, ela poderia ter sucumbido ao sentimento que não mais controlava.

Sim! Era uma traidora! Enganara Afonso, pois nunca o amara...

Apesar de todo o amor que ele lhe havia dedicado — e pelo que, diga-se de passagem, nunca lhe cobrara nada —, ainda assim quase o traíra com o próprio filho!

De repente, começou a ouvir longinquamente a palavra que não cansava de repetir:

— Traidora! Traidora!

Rufino e seu séqüito a cercavam e, formando aterrorizante coral, repetiam em uníssono:

— Traidora! Traidora!

Muitas vezes, acordava aos gritos, interrompendo o sono delirante de forma abrupta.

Em uma dessas ocasiões, quando José Venâncio, Afonso, Miguel e Leonardo se encontravam a seu lado, Leonor perguntou:

— Onde está Rufino? Nunca mais o vi... Vendeste-o, não é verdade, meu pai?

Temendo dizer a verdade, para não perturbá-la ainda mais, José Venâncio respondeu:

— É verdade, minha filha. Vendi os dois há muito tempo... Esquece esse assunto e repousa, precisas descansar...

Leonor se recostou nos travesseiros e adormeceu novamente. Rufino, contudo, não a abandonava e algumas horas mais tarde, quando Leonor jazia perturbada junto ao corpo, se aproximou, dizendo, colérico:

— É mentira! Mentira! São *tudo mentiroso*... Ah! esse sinhozinho vai se *vê* sem sua menina... Ah! Logo virei te *buscá* para *acertá* nossas *conta*... Sua traidora!

Leonor assustou-se, reconhecendo o ex-escravo, mas, certa de que fora vendido e que não lhe queria mal, indagou:

— Por que me chamas dessa forma, Rufino? O que te fiz eu?

— Ainda pergunta, *mardita*? *Acabô* com a minha vida, sua ingrata! Mentirosa! Mentiu até *pro* Florêncio, que nunca te fez nada... O que foi que tu *disse pro* teu pai, pra ele nos *torturá* daquele jeito?

Sem saber o que dizer, Leonor tentou se explicar:

— Estás enganado! Nunca disse nada sobre ti! Aliás, esse assunto foi proibido por meu pai...

— *Tu mente! Tu mente*! Pra mim, pra todos, *pro* próprio marido... marido! Coitado, não sabia quem era a sinhazinha *Leonô*! Eu te odeio, sabia? Te odeio!

Ao dizer as últimas palavras, Rufino aproximou o seu rosto da face desfigurada da jovem. No mesmo instante, Leonor acordou gritando:

— Deixe-me em paz!

O som de sua voz ecoou pela casa toda. Januária, que permanecia a seu lado, lhe afagou os cabelos e, passando um lenço umedecido sobre o seu rosto suado, falou:

— Calma, meu anjo! Minha sinhazinha do coração dessa pobre escrava, *num* se entrega... Tem que *lutá*... Pede pra Deus *cuidá* da sinhazinha...

Aos poucos, Leonor foi se acalmando e voltou a dormir. Postadas ao seu lado, Januária e Eulália passaram a noite toda orando. A medida ajudou bastante a Leonor, que finalmente conseguiu conciliar um sono tranqüilo.

Quando o dia amanheceu, Leonor acordou exausta, com a cabeça pesada. Esperou todos se levantarem e, quando José Venâncio veio vê-la, fez um pedido que consistia em uma promessa que fizera ao primo, Leonardo, antes de se casar:

— Pai, antes que eu parta, desejo fazer um pedido ao tio Antero e à tia Francisca... Peça que venham sem demora...

José Venâncio, apesar da fleuma do gaúcho corajoso e valente, sentiu que ia sucumbir. Enxugando rapidamente as lágrimas que começavam a cair, falou com a voz embargada:

— Não diga isso ao teu pobre pai, Leonor! Não suportaria...

Leonor segurou a mão do pai, que lhe acariciava o rosto, e, beijando-a, declarou:

— Te amo muito, meu pai. Sempre foste o grande amigo e companheiro da minha vida. Jamais te iria magoar ou fazer sofrer... Mas deixemos de lado essa conversa e chama os meus tios, pois preciso falar-lhes...

Jose Venâncio mandou a mensagem a Santa Ana. Tão logo receberam a notícia, Antero, D. Francisca, Lúcia e Leonardo acorreram ao chamado.

Quando entraram no quarto, Leonor pediu que Antero e D. Francisca se aproximassem de seu leito. A seguir, respirou fundo e ponderou:

— Meus tios, há muito fiz uma promessa e é hora de fazê-la cumprir... Sei que não me negarão esse último pedido...

D. Francisca desatou a chorar e Antero limpava as lágrimas que lhe caíam dos olhos. Atentos, continuaram a ouvir:

— Bem... Trata-se de Leonardo. Talvez não saibam, mas meu primo conheceu na Europa uma bela moça, que lhe tocou o coração...

Surpresos, Antero e D. Francisca se olharam. Leonor prosseguiu:

— Não se assustem, pois a jovem é brasileira; o que ocorre é que pertencia a uma família de posses a quem a infelicidade visitou... Perderam tudo e a pobre moça foi morar em Portugal, trabalhando como dama de companhia de rica senhora...

Antero, que se mantivera calado até aquele momento, resolveu interferir:

— Por que não nos disseste nada, Leonardo? Quem é essa jovem?

Leonardo se aproximou e, emocionado, comentou:

— Pensei que Leonor tivesse esquecido desse assunto... Pobre prima, que em uma hora dessas ainda pensa em mim... Mas é verdade, meu pai e minha mãe... Conheci Cândida em Portugal e não tenho dúvidas de que é a mulher que desejo para minha companheira na vida...

Antero, preocupado, inquiriu:

— Conheces ela o suficiente para pensares em casamento? Não te estás precipitando?

— Tenho certeza, meu pai, de que é uma jovem sem igual... Sei que aprenderão a estimá-la, quando a conhecerem melhor...

Antero meditou alguns minutos e depois perguntou, incisivo:

— Tens certeza de que não se trata de uma aproveitadora?

— Sei que não é. É uma moça honesta e digna, a quem o destino pregou uma peça. Posso lhes afirmar que se trata de uma moça exemplar...

Antero se voltou para D. Francisca; enxugando as lágrimas, a boa mulher disse:

— Está tudo certo por mim... Será mais uma filha no meu lar...

Satisfeita, Leonor olhou para os tios e agradeceu com um sorriso, afirmando:

— Mais uma vez agradeço a Deus por ter tido vocês em minha vida... — Voltando-se para Leonardo, confirmou:

— Eu não te havia dito que falaria com eles antes de partir? Pois está cumprida a promessa!

Penalizados com o estado da sobrinha, Antero e D. Francisca a abraçaram carinhosamente. Amavam-na como a uma filha e a idéia de sua partida lhes era dolorosa demais.

Lúcia não conseguia disfarçar o sofrimento. Afastara-se um pouco da prima, pois passara uns tempos em Porto Alegre e não imaginava como a doença havia progredido.

Conhecera na capital um jovem advogado, que lhe ocupava todos os pensamentos; naquele período, recebera notícias de Leonor pelas cartas da mãe.

Ao retornar, quis ir vê-la, mas Leonardo achou que o estado de Leonor inspirava cuidados e havia muitas pessoas ao seu redor; Lúcia poderia ir visitá-la, mas rapidamente.

Foi quando chegou o pedido de Leonor para que os tios e primos fossem a seu encontro. A surpresa com o estado da prima tinha emudecido os lábios de Lúcia.

Antes que se retirassem, Leonor lhe estendeu a mão em um gesto fraterno. Lúcia se aproximou e, abraçando a prima com carinho, lhe disse:

— Não posso acreditar, Leonor, que vais nos deixar... Como vou poder continuar sem as tuas brincadeiras bobas? E os teus sonhos de viajar pelo mundo, conhecer os mais lindos bailes? E a ópera? Como fica tudo isso?

Leonor sorriu com tristeza e contemporizou:

— Tu farás tudo isso por mim... Quem sabe se não estarei junto a ti? Lembras-te da nossa promessa de que a primeira que morresse mandaria um sinal? Pois já podes ir esperando...

Lúcia desatou a chorar. Conformada, Leonor tentou consolá-la:

— Não é justo que chores assim por mim! Estás sendo uma tola... Sempre achei que não viveria muito. Por favor, Lúcia, prometa-me que não deixarás a minha partida estragar os teus planos de casamento...

Lúcia enxugou as lágrimas e exclamou com doloroso acento:

— Não posso pensar em minha felicidade quando nos deixas em plena juventude! Sinto-me culpada por ter encontrado a felicidade justo agora que partes...

Leonor olhou melancólica para a prima e, estendendo a mão na direção da sua cômoda, falou com delicadeza:

— Lúcia, tu conheces o meu porta-jóias, não é mesmo? Pois quero que pegues aquele colar que tanto gostas, o que tem um coração de rubi, presente de mamãe...

Lúcia ia dizer que não podia aceitar, mas Leonor a interrompeu, dizendo:

— Sempre soube que seria teu e não teria nenhuma alegria em deixar para outra pessoa...

Lúcia se levantou e, indo em direção à cômoda, abriu pequena caixa incrustada de pérolas e localizou a preciosa jóia. Ao pegá-la, olhou para D. Francisca, como se necessitasse a sua anuência. Sua mãe lhe sorriu e aprovou:

— É tua, minha filha... Era de Isadora. Assim farás tua prima feliz...

As emoções fortes vividas por Leonor naquela manhã a deixaram profundamente fatigada.

Miguel, percebendo que a jovem necessitava de repouso, pediu gentilmente que a deixassem a sós.

Todos, exceto Miguel e Afonso, saíram, deixando o quarto em absoluto silêncio.

O médico se aproximou a fim de examinar a moça e, depois de auscultar o seu coração, aconselhou:

— Deves evitar estes excessos... Precisas poupar o teu coração...

Afonso se aproximou e, beijando-lhe a fronte, animou-a, com carinho:

— Tenho muita fé, minha querida... Ainda acredito na tua melhora...

Leonor sorriu e, observando Miguel, que se afastara, confessou:

— Já não tenho essa esperança... Sinto-me exausta, o ar me falta...

Afonso lhe afagava os cabelos, enquanto explicava:

— Quero que partas comigo, buscaremos recursos fora daqui... Não vou aceitar perdê-la dessa forma...

Sem poder evitar o constrangimento, Miguel procurava desviar o olhar. Afonso, vendo que o filho se esquivava da cena onde revelava todo o carinho que sentia pela esposa, indagou:

— Não vejo por que te afastares, meu filho. És um homem e não há nada de mal em que eu acaricie minha esposa...

Miguel respondeu um tanto abruptamente:

— Não se trata disso, meu pai. Apenas quero poupar Leonor de maiores emoções...

— Talvez tenhas razão. Vamos deixá-la repousar sossegada.

Afonso beijou Leonor e ambos se retiraram.

Enquanto caminhavam pelo corredor da grande casa, Afonso perguntou:

— O que realmente pensas do caso de Leonor? Deve haver alguma esperança...

O jovem médico revelou no olhar toda a sua impotência para resolver aquele caso. Pensou alguns minutos e considerou:

— O caso de Leonor é muito delicado. Tenho verificado diversas arritmias, o que mostra que o coração está deveras comprometido...

— Não há nada que possamos fazer? Mandaremos buscar o teu professor lá de Paris...

Miguel meneou a cabeça:

— Isso seria impossível. Ele está empenhado em seus estudos sobre essa doença mesmo. O que posso lhe adiantar, meu pai, é que tudo o que foi possível foi feito... Mas infelizmente a doença continuou progredindo...

Naquele momento, para surpresa de Afonso, os olhos de Miguel se encheram de lágrimas. Tentando represar seus sentimentos, o rapaz pediu licença para se retirar, mas Afonso o segurou pelo braço e indagou, preocupado:

— O que está acontecendo, Miguel? Estas lágrimas são pelo teu malogro como médico ou já te afeiçoaste tanto a Leonor?

Diante da dúvida que o pai revelava, Miguel o fitou com gravidade e obtemperou:

— Não posso responder tua pergunta, meu pai. Não há resposta para uma insinuação desse tipo...

Afonso se deu por vencido e concluiu:

— Perdoa-me, Miguel. O caso é que não sei se suportarei perdê-la... Não tenho revelado a ninguém a dor que me invade, mas tem sido muito difícil...

Comovido, Miguel se viu no dever de consolar o pai pela perda da mulher que também amava. Examinando o próprio sofrimento, conseguiu dizer:

— Também lamento por Leonor, meu pai. Ver alguém tão jovem e bela, dotada de tantos predicados singulares, partir dessa forma tem me feito pensar sobre a minha própria profissão...

— O que dizes? Pensas em abandonar tua carreira?

— Ainda não decidi o que farei... Mas não vejo nenhum mérito em ser médico e não poder ajudar as pessoas... Ter que deixar alguém como Leonor morrer, pela impotência de uma ciência incapaz de detectar a origem de um mal como este...

Enquanto falava, Miguel ia se inflamando e, sem perceber, começava a deixar o seu segredo a descoberto.

Uma pequena sombra começava a se instalar no coração de Afonso.

A idéia de que Miguel poderia abandonar a profissão que tanto amava era um sinal de que, talvez, Maria Alice tivesse alguma razão em suas desconfianças.

Novamente, o coração de Afonso abrigava a incerteza e o ciúme...

41

A VERDADE

Desde o seu retorno, Leonor tornara-se o centro das atenções. Os demais convivas da casa dedicavam todos os cuidados à jovem.

Os escravos haviam recebido ordens expressas de José Venâncio para que nada faltasse à sinhazinha.

O próprio José Venâncio se distanciara de seus ideais separatistas e de sua luta contra o governo imperial; já não ligava para as supostas injustiças que julgava infligirem contra o povo gaúcho. Nada mais tinha importância a não ser Leonor.

Com o progressivo desinteresse de Maria Alice pelas rotinas domésticas, Eulália foi assumindo silenciosamente estes encargos.

Administrava desde o cardápio das refeições até a organização das tarefas diárias dos escravos.

Todos esqueciam de Maria Alice; a começar pelo próprio José Venâncio, que via seu segundo casamento ruir desastrosamente.

A situação difícil em que se encontrava a província, com uma série de injustiças na questão tributária e sendo sempre relegada a segundo plano, mantendo-se praticamente isolada do resto do país, criava um ambiente tenso e não prescindia de alguém como José Venâncio na linha de frente para defender os interesses do Rio Grande; contudo, o fazendeiro não conseguia se afastar do leito da filha e negligenciava os interesses de sua terra.

Muitos já falavam que a revolução era iminente e que não demoraria nada para que eclodisse; os mensageiros iam e vinham, trazendo notícias; José Venâncio, que de outra feita seria o primeiro a defender os interesses farroupilhas, não desejava nada além de salvar a filha amada.

Diante desse quadro, o despeito, a inveja e o ciúme começaram a tomar vulto no íntimo da jovem senhora.

Rufino, por seu lado, não perdia a oportunidade de envenená-la cada dia mais... E um plano começou a se desenvolver no cérebro doentio de Maria Alice.

Certa de que Leonor desconhecia o fato da morte de Rufino e sabendo do amor que existia entre a enteada e seu sobrinho, a infeliz mulher começou a esboçar alguma coisa que pudesse devolver-lhe o amor de José Venâncio e, ao mesmo tempo, terminar com aquela que considerava a destruidora de sua felicidade.

Aproveitando-se de um momento em que Januária se afastara do quarto e Eulália se encontrava às voltas com a organização doméstica, entrou silenciosamente.

Leonor repousava, um pouco agitada; depois de se virar na cama, repentinamente deparou com Maria Alice, que a observava estranhamente.

Intrigada, quis saber o motivo daquela visita. Maria Alice se aproximou e colocou o seu plano em ação:

— Sabes, querida, estive pensando... Acho que já está na hora de saberes a verdade...

Leonor procurou se ajeitar no leito e questionou, desconfiada:

— Verdade? A que te referes? Do que estás falando?

Aproximando-se um pouco mais e se postando diante de Leonor, continuou:

— Não concordo com o procedimento de teu pai! Se dependesse de mim, há muito saberias o que realmente ocorreu...

Não cabendo em si de curiosidade, mas ao mesmo tempo temendo que Maria Alice lhe estivesse envenenando a alma, Leonor retorquiu:

— Fala logo o que te trouxe aqui... Não quero ser molestada com tuas mentiras...

Incomodada com a posição que passara a ocupar em sua própria casa, Maria Alice desfechou:

— Sempre soube que odiavas o tal negro... Rufino... Mas, francamente, não deverias ter feito o que fizeste...

Surpresa, Leonor perguntou:

— Não sei do que estás falando! Jamais fiz nada a ele! Felizmente ele e Florêncio foram vendidos... Se é a isso que te referes, não te entendo! Seria a melhor coisa que lhes poderia acontecer...

Maria Alice deu uma risada estentórica e replicou, com manifesta maldade:

— Vendidos? Foi isso o que te disseram? Ah! A pobre Leonor não pode saber de nada... Tão doentinha... Tão coitadinha... Sabes o que mais? Não te disseram por que tu podes morrer a qualquer hora...

Extremamente pálida, o rosto porejado de suor e a voz sumida, Leonor indagou:

— Sei que te deleitas com o mal que estás me infligindo... Mas termina logo com esse tormento, peço-te... O que aconteceu com Rufino e Florêncio?

Maria Alice rodopiou ao redor do leito, indo de um lado a outro, e falou, com satisfação:

— Mentirosa, traidora! Assim como traíste Afonso, que te amava loucamente, traíste a confiança de Rufino e Florêncio! A verdade é que destróis a todos que te amam... Inclusive a teu próprio pai!

Exasperada, Leonor tentou — como era de seu costume — tapar os ouvidos para não ouvir as acusações de Maria Alice. Sua madrasta, no entanto, se aproximou e, segurando-lhe os braços, impediu-a de fugir à avalanche de acusações que derramava sobre ela:

— Tens que ouvir tudo! Traidora! Teu pai mandou matar os negros...Tenório os surrou quase até a morte, e depois, como se não bastasse, deixou-os apodrecer ao relento, sendo até comidos pelos cachorros selvagens... Jamais vi tanta barbárie!...

Ao ouvir as palavras de Maria Alice, Leonor ficou perplexa. Chorando de forma incontrolável, exigiu a presença de José Venâncio.

Preocupada com as conseqüências de seu gesto, Maria Alice ia se retirando quando Miguel entrou no recinto.

Ao ver Leonor em estado de choque, voltou-se contra a tia e perguntou, descontrolado:

— O que fizeste, tia? Como entraste aqui, sabes que não és bem-vinda!

Com os olhos arregalados, com uma expressão de desatino, Maria Alice retrucou:

— Eu tinha que contar a verdade, para ter o amor de José Venâncio de volta...

Temendo pela saúde mental da tia, Miguel a afastou do quarto e procurou atender a Leonor:

— Por favor, minha querida, diga-me, o que houve?

Com os olhos marejados de lágrimas que não caíam, Leonor se abraçou em Miguel e gritou:

— Eles os mataram, Miguel! Eles os mataram!

— Quem? De quem estás falando?

— De Rufino e Florêncio! Não era necessário tirar a vida deles... Rufino nunca me fez mal e Florêncio era um bom homem... Por que fizeram isso?

Miguel tentava elaborar uma resposta, quando Afonso e José Venâncio adentraram o quarto.

Tão logo ouvira os gritos de Leonor, Eulália mandara chamá-los imediatamente.

Com extrema dificuldade, Leonor, tentando se levantar do leito, disparou contra o pai:

— Por que os mataste, pai? E por que me mentiste dessa forma? Sabes que vou morrer e me deixas partir com esse remorso?

Pego de surpresa, José Venâncio procurou se defender:

— Calma, Leonor! Olha o que dizes! Sim, os mandei matar para vingar tua honra...

Leonor desatou a chorar inconsolavelmente. Quando conseguiu falar, disse ao pai:

— Rufino jamais tocou em mim, pai! Entendeste mal... E Florêncio era um homem bom, livre, que só quis ajudar Rufino...

Afonso resolveu intervir:

— Não deves defender esses negros, Leonor! Sabemos que Rufino te desrespeitou...

Voltando-se para Afonso, Leonor argumentou:

— Não desejava vê-los nunca mais em minha vida, é verdade, mas nunca os acusei de nada...

Diante da situação delicada que se criara, todos permaneceram em silêncio. José Venâncio esperou Miguel medicar a filha e, vendo-a mais calma, declarou, decidido:

— O que está feito, está feito! Não podemos mudar o passado; ademais, esses negros deviam ser mesmo castigados exemplarmente... Tinha que dar essa resposta à sociedade! Não poderia deixá-los ir sem prejudicar minha reputação. Além disso, a impunidade criaria ensejo para novas tentativas do mesmo teor. De hoje em diante, esse assunto está encerrado, entenderam?

Todos concordaram que o melhor mesmo seria esquecer o ocorrido.

Leonor, no entanto, sabia que jamais poderia sepultar no íntimo de si mesma a terrível idéia de que fora a responsável pela morte de Rufino.

Em suas recordações, vinha-lhe à mente o dia em que o enganara, fingindo aceitar, a pedido de Joana, acompanhá-lo até a fronteira... Apesar de ser prisioneira e lhe parecer lícito tentar fugir, aquilo a incomodava sobremaneira.

De repente estremeceu. Lembrou-se da promessa que ele lhe fizera... De persegui-la, mesmo depois da morte!

As idéias surgiam como uma enxurrada em sua mente. Relembrou que, fazia algum tempo, sonhava constantemente com o ex-escravo.

Arrepiou-se ao ver nitidamente em sua tela mental a imagem de Rufino ensangüentado, expelindo um odor fétido e lhe chamando de "traidora"!

Indefinível mal-estar tomou conta de Leonor.

Chorando muito, pediu a todos que se retirassem, com exceção de Januária.

Com o semblante benevolente que lhe era peculiar, a escrava aconchegou sua sinhazinha em seu colo de inumeráveis filhos, alguns realmente seus, outros adotados ao longo da vida; acariciando os cabelos de Leonor, sussurrou-lhe ao ouvido:

— *Num* adianta *chorá*, *fia*... *Vamo rezá pro* Rufino te *perdoá*... Ele te amava; há de *perdoá* a sinhazinha...

* * *

A proximidade de Januária, com suas emanações amorosas adquiridas em longas e dolorosas jornadas pela Terra, permitia à espiritualidade um ensejo havia muito esperado.

Tinha algum tempo que Florêncio procurava se aproximar do filho, que lhe ignorava totalmente a presença.

Acompanhado por Menmet e Isadora, o ex-escravo esperava pacientemente o momento adequado para interferir na vingança cruel que Rufino impingia ao espírito enfraquecido de Leonor.

Ao ouvir as palavras de Januária, ditas com tanto amor e confiança, Rufino notou que algo diferente lhe tocava o íntimo.

Esquecera-se por completo de seus afetos mais queridos; jamais dedicara um pensamento sequer à lembrança da mãe e do pai, que conhecera já nos últimos momentos de sua vida.

A sede de vingança fora tão voraz, que olvidara a tudo e a todos. Naquele momento, entretanto, por um instante, recordou as derradeiras palavras de Florêncio: "... Tu tem que *perdoá* a moça... Ela é ingênua, não mediu as *conseqüência* do seu feito...".

"*Perdoá*? Como é isso possível? Não, ela não pode *ficá* livre de jeito nenhum. Falta pouco pra eu *vê* ela completamente sob o meu domínio...", pensava.

Mas a idéia voltava, retumbava em sua mente, sempre. Em determinado momento, Rufino abriu os olhos desmesuradamente. Esfregou-os com vigor; não podia acreditar no que via.

De pé, à sua frente, Florêncio o observava com aspecto muito sério. Rufino foi ao seu encontro sem poder esconder a surpresa:

— Pai! Desde quando tu *tava* aqui? Pensava em ti nesse momento... Pai! Há muito tempo só vejo essas *gente horrível* ao meu redor... Pensei que já *tava* no inferno e nunca mais te veria...

Florêncio meneou a cabeça e falou com gravidade:

— É, filho... Eu também me enganei em muita coisa. Tenho aprendido muito e entendido o porquê de tanto sofrimento em nossas *vida*... Consegui me libertar um pouco, mas vejo que ainda te prende à idéia de vingança...

Rufino se empertigou e retrucou, amargurado:

— Sei que tu não *concorda*... Mas não posso *abri* mão desse direito! É a única coisa que me *restô*, pai! A vingança dessa traidora!

Florêncio falou em tom paternal:

— Filho, tu *falô* há pouco no inferno... Se *continuá* perseguindo essa moça, *vai abri* mão da tua libertação! Esse inferno que tu *tá* vivendo é fruto do teu comportamento... Tenta ao menos *esquecê* um pouco... Pra um dia *pode perdoá*...

Rufino se afastou, enraivecido. Voltando-se para o pai, contrapôs em tom agressivo:

— Se tu *veio* aqui tentando me *afastá* de *Leonô*, *perdeu* teu tempo... Ela é minha presa e não deixo *ela* é nunca...

Com tristeza, Florêncio intentou ainda dissuadi-lo de suas idéias de vingança. Ponderando as próprias palavras, retorquiu:

— Rufino, tu *teve* outras *vida*. O suplício da escravidão te foi dado pra que tu *buscasse* na humildade o reerguimento do teu espírito... Leonor já te pertenceu, sim, mas tu *maltratou ela* com teu ciúme e com a tua prepotência... Levou a pobre a cair em erro, e ainda hoje *cobra* a infidelidade que tu mesmo *provocô*...

Rufino ficou lívido. Sem saber como, imagens lhe vinham à mente, rápidas, mas cheias de vida e emoção.

Via semblantes conhecidos, com outras formas físicas. Realmente, sua tirania e egoísmo haviam levado Leonor ao desespero e à tentativa de fuga imprevidente.

Orgulhoso e rico, desdenhara os que lhe serviam com lealdade, considerando-os inferiores e tratando-os como animais.

Confuso, Rufino não sabia o que dizer. Sabia que se tratava dele mesmo; só não entendia como...

Criavam-se, naquele momento, as condições necessárias para a esfera espiritual superior agir.

De repente, ouviram a voz de Leonor, que chamava por Rufino.

Adormecida, a jovem procurava o seu perseguidor no intuito de rogar-lhe o perdão, a fim de ter mais paz...

Muito enfraquecida física e espiritualmente, Leonor buscava a remissão de suas faltas diante da morte iminente.

Despertando daquele estado especial e particular em que se encontrava, Rufino, ao vislumbrar Leonor, sentiu o antigo despeito retornar e aproximou-se, ameaçador:

— Em breve tu *vai tá* aqui!... *Vô cumpri* a promessa! Não *vô* te *deixá* nunca!

Apavorada, Leonor tentava se explicar:

— Eu não sabia, Rufino! Tens que me perdoar!... Vou morrer! Rogo que me perdoes, por favor!

— Nunca! Chega de *falá* em perdão! Tô cansado disso! Tu *vai morrê* e eu *vô tá* te esperando, pra *acertá* as nossas *conta*...

Leonor se prostrou aos pés do seu algoz e implorou:

— Perdoa-me! Perdoa-me, Rufino! Nunca aceitaria a morte de alguém por minha causa... Houve um grande mal-entendido...

Rufino tinha conhecimento do engano ocorrido, mas aproveitava os bons sentimentos de Leonor para subjugá-la ainda mais:

— *É* a culpada por muita desgraça... Logo teu marido vai descobrir quem tu *é*... A santinha Leonor! Ingrata e traidora, isso é o que tu *é*!

Chorando muito, Leonor retornou ao corpo, acordando em prantos. Extenuada, via seu fim se aproximar, e a idéia de morrer com tamanha culpa a apavorava.

Miguel procurava acalmá-la, proporcionando-lhe o único alívio de que era capaz naqueles dias terríveis.

Como Leonor sentisse fortes dores na cabeça, ele a confortava, afagando seus cabelos sedosos e aliviando o seu mal-estar.

Envolvida nos fluidos deletérios emanados por Rufino, Leonor sentia em seu corpo frágil todos os padecimentos que o ex-escravo experimentava. Uma sensação de infelicidade e desesperança absolutas tomava conta de suas forças, fazendo com que ela duvidasse da existência mesmo de Deus e colocando-a nas mãos daquele que deveria evitar a todo custo.

Curiosamente, observamos, nesse caso, uma ligação vibratória semelhante à verificada entre os médiuns e os espíritos sofredores por ocasião de trabalhos mediúnicos assistenciais organizados por casas espíritas, com o intuito de esclarecer as almas necessitadas. A diferença é que a ligação em questão dava-se em total desequilíbrio e sem a permissão voluntária do encarnado.

Leonor definhava a olhos vistos. Recusava qualquer alimentação. Sentia-se espreitada, vigiada por Rufino, e buscava alívio em Januária e Miguel.

Portadores de virtudes espirituais consideráveis, aquelas almas amigas lhe proporcionavam fluidos confortadores naquele momento extremo.

Apesar da boa vontade de Afonso, a afinidade que ligava sua jovem esposa a seu filho começou a fazê-lo desconfiar de que algo mais sério ocorrera entre os dois.

Rufino trabalhava com afinco para que a cena final daquele drama se desenrolasse.

42

Lágrimas por Leonor

A ligação psíquica que se estabelecera entre Leonor e Rufino inviabilizava um socorro mais efetivo à jovem.

Menmet e seus auxiliares continuavam a postos, mas o remorso que atormentava a moça a deixava em condições de peculiar vulnerabilidade ao domínio de Rufino.

Nesse caso, tornava-se difícil o auxílio, pois a própria vítima se apegava a seu algoz. Ao identificar a facilidade com que exercia o seu fascínio sobre Leonor, Rufino tornou-se mais ardiloso e passou a exercer uma influência devastadora sobre a organização psíquica e física da jovem.

Isadora e sua mãe permaneciam incansáveis junto a Leonor; em oração, procuravam desvencilhá-la dos fluidos deletérios que se iam acumulando em seu perispírito. A teia fluídica em que Rufino a encarcerara, no entanto, demandaria longo tempo para desfazer-se.

Conformados e submissos com o desenrolar dos acontecimentos, Menmet aconselhou:

— Nosso propósito maior é amparar Leonor, independentemente do caminho que tenha escolhido. A faixa psíquica em que cristalizou sua mente voluntariamente cria grandes dificuldades a nossas ações; nossa missão exigirá muito trabalho e equilíbrio, a fim de que possamos proporcionar-lhe as condições de recuperar sua consciência de espírito livre e imortal...

"Por algum tempo, permanecerá jungida ao nível de afinidades que sua atual condição lhe angariou... Mantenhamos nossa fé e confiança ilimitadas na bondade divina e no amparo de nosso mestre Jesus, rogando a este amigo que nossa Leonor retome o equilíbrio devido e retorne ao aprisco divino.

O ambiente favorável criado pela ação direta da prece poderá auxiliá-la decisivamente nos momentos finais; mantenhamos a serenidade. O momento é por demais grave e precisamos nos confiar ao amparo misericordioso do Senhor...

Unamos nossos esforços, na certeza de que chegará o dia em que nossa amada irmã se erguerá para a sua redenção espiritual...

Os laços que nos ligam a ela fazem nosso coração confranger-se diante de seu destino na atual encarnação... Mas não devemos esquecer que, acima de tudo, Leonor é filha de Deus e tem o espírito livre para fazer suas escolhas...

Aceitemos este momento com a certeza de que nossa amada irmã e filha um dia despertará...

Por hora, devemos estar atentos, pois o momento do desenlace se aproxima..."

Enquanto Menmet dava algumas orientações a dois enfermeiros presentes, Isadora e sua mãe, muito emocionadas, oravam, rogando o amparo divino naquela hora derradeira.

O estado físico da moça piorava minuto a minuto e o ambiente no casarão era de absoluto desespero.

Sem poder esconder por mais tempo a dor que o oprimia, Miguel montou em um cavalo, galopando sem rumo em direção ao campo, pois precisava sair para dar vazão a sua angústia.

Depois de andar por alguns minutos, desceu do cavalo e, dando alguns passos incertos, deixou-se cair de joelhos. Enlouquecido pela dor, clamou aos céus:

— Por que, Senhor, me fizeste encontrar Leonor? Se jamais a poderia ter ao meu lado, por que a colocaste em meu caminho? Só para que eu a visse partir? Por que conhecer um grande amor, para em seguida perdê-lo?

As perguntas sucediam e uma aparência de derrota e prostração tomava conta de Miguel. Lutava para esconder a dor que o sufocava, mas chegara a seu limite. Sentia que ia enlouquecer. Precisava falar com alguém, desabafar.

Mas, quem? Quem poderia conhecer seu segredo sem levantar qualquer suspeita de adultério em relação a Leonor?

Quem acreditaria que, em nenhum momento, ele se valera de sua condição de médico para se aproximar da jovem com intenções indignas?

De repente, lembrou-se de Lúcia. A prima de Leonor era a sua confidente e, por certo, saberia lhe ouvir com a discrição necessária.

Rumou imediatamente para a fazenda de Antero.

Ao chegar, foi recebido com alegria por D. Francisca. Verificando o nervosismo do rapaz, a boa senhora perguntou:

— O que há, meu rapaz? Estás com a aparência fatigada, com olheiras...

Miguel respondeu com franqueza:

— Minha senhora, tenho buscado de todas as formas ajudar Leonor, mas acho que fracassei...

D. Francisca procurou consolá-lo, apesar de ter os olhos cheios de lágrimas:

— Não deves ficar assim, meu filho... O caso de Leonor foi decidido por Deus... A doença dela é muito grave...

— Sim, mas eu queria ter podido fazer algo mais... Sinto-me um fracassado!

Naquele instante, Lúcia entrou na sala e, cumprimentando Miguel, foi inteirada por D. Francisca do que estava ocorrendo.

Penalizada, aconselhou com brandura:

— Não te deves culpar, Miguel. Fizeste o que estavas ao teu alcance...

Miguel olhou para Lúcia e comentou:

— Gostaria de trocar algumas palavras com a senhorita... Seria possível?

Percebendo que se tratava de um assunto particular, D. Francisca pediu licença, ao que Miguel convidou Lúcia para saírem, a fim de tomarem um pouco de ar.

— Preciso falar com alguém... Acho que vou enlouquecer!

Lúcia olhou para o jovem e procurou tranqüilizá-lo:

— Do que se trata? Podes confiar em mim... Sempre fui a melhor amiga de Leonor.

— Foi por isso que vim... Estou desesperado, senhorita Lúcia! Não estou perdendo apenas uma paciente ou a segunda esposa de meu pai, mas... o grande amor de minha vida! — disse Miguel com a voz embargada.

Depois da confissão, passou as mãos pelos olhos úmidos.

Lúcia, que já percebera os sentimentos do rapaz, procurou confortá-lo:

— Sim, eu sei. Havia notado, já há algum tempo, o sentimento que os une... Também sei que jamais fariam algo que magoasse o senhor Afonso...

— Era tão evidente assim? Achas que alguém mais percebeu?

— Não te preocupes... Todos estão envolvidos com a saúde de minha prima. Sei o quanto deves estar sofrendo e partilho de tua dor... Também amo muito Leonor...

— Sim, mas tu podes lamentar abertamente, enquanto eu tenho que calar, esperando que meu coração se despedace... Além disso, sou médico, não posso demonstrar minhas emoções...

— Entendo o teu drama, mas precisas ser forte neste momento, para que ninguém desconfie de tua dor. Irias macular a memória de Leonor se qualquer suspeita fosse levantada...

— É verdade. Estou tentando dissimular de todas as formas, mas o fato é que a minha tia Maria Alice já sabe, e meu pai começa a desconfiar...

Lúcia empalideceu e aconselhou, preocupada:

— Deves ter muito cuidado com tua tia... Sei que a aprecias, mas ela sempre detestou Leonor e não hesitará em lhe fazer mal...

— Não estarás exagerando? Será que minha tia seria tão pérfida em se vingar de alguém que está à beira da morte?

Lúcia fez sinal positivo com a cabeça:

— Lamento lhe dizer, mas sei que ela não levará em conta a situação de Leonor; minha prima sofreu muito desde a sua chegada e, pelo que sei, a senhora Maria Alice não está muito bem... Parece que todos ficaram doentes desde que aquele escravo morreu...

— A senhorita acredita em assombrações? — perguntou Miguel, incrédulo.

Lúcia respondeu com firmeza:

— Quem mora nessas fazendas não pode deixar de acreditar... Ouvem-se coisas inimagináveis, especialmente nas senzalas...

— Talvez seja possível... Não sei. Mas não quero importuná-la mais... Agradeço a sua atenção.

— Antes que partas, quero lhe entregar uma coisa... Aguarde um momento.

Curioso, Miguel resolveu aguardar. Alguns minutos depois, Lúcia voltou e lhe entregou o colar com o rubi que Leonor lhe dera.

— Não posso aceitar, senhorita Lúcia... Foi o presente que Leonor lhe deu antes de... — Lúcia o interrompeu:

— Sei que na verdade ela gostaria de dá-lo ao senhor... Mas como justificaria este presente? Um coração de rubi! Seria uma confissão, não é mesmo?

— Tens razão. Seria constrangedor para ela... Agradeço-lhe de todo o coração... Creia que guardarei este presente como uma dádiva valiosa...

Despediram-se e Miguel retornou à fazenda.

Lá ele era aguardado para satisfazer um estranho pedido.

***

Ao chegar, Miguel se dirigiu imediatamente ao quarto de Leonor. Para sua surpresa, a moça estava mais consciente. O trabalho desenvolvido na espiritualidade fizera com que ela se livrasse daquele torpor que a envolvera desde que soubera da morte de Rufino.

Muito magra e pálida, estendeu a mão sobre os lençóis e disse:

— Não ouso falar dos meus sentimentos... Por respeito a teu pai... Mas sei que partirei em breve e não posso negar o que já sabes...

Miguel se aproximou, solícito, e, segurando a delicada mão de Leonor, colocou sua mão sobre os lábios da moça e afirmou:

— Não será preciso, meu amor. Sei que me amas também...

— Sim, amo-te e preciso te contar algo... Algum tempo antes de me casar com teu pai, sonhei com um jovem pedindo-me para não levar adiante aquele casamento... — Leonor fixou olhar em Miguel e finalizou: — Eras tu... Acho que se tivesse aceitado esse conselho, tudo poderia ter sido diferente...

Emocionado, Miguel procurou desconsiderar o alvitre do sonho, e declarou:

— Isso não importa... Quero que saibas que permanecerei fiel a ti... Para sempre. Já decidi que não terei outro amor em minha vida...

Leonor sorriu tristemente e perguntou:

— E Isabelle? Teu pai me falou das cartas que não respondeste... Não convém fazermos promessas neste momento... Por certo não poderemos cumpri-las! A vida te mostrará outros caminhos... Com o tempo serei apenas uma lembrança!

Sem poder esconder seu desespero, Miguel se aproximou e tornou, com a voz embargada:

— Não te posso deixar partir, Leonor! A vida não terá mais sentido para mim...

Duas grossas lágrimas rolaram pelo rosto de Leonor, e ela afirmou com dificuldade:

— Talvez seja melhor assim... Como conviveríamos com esta situação? Jamais magoaria Afonso...

Miguel concordou com a cabeça e prosseguiu:

— Sei o quanto és nobre em teus sentimentos, minha querida... Já eu, não sei se poderia fazer o mesmo... Renunciar a ti seria muito difícil, não te poderia ver casada com meu próprio pai!

— Peço-te que mantenhas esse assunto entre nós... Afonso não nos poderia compreender, infelizmente... Seria doloroso para mim, saber da sua infelicidade...

Deslizando suavemente sua mão sobre os cabelos de Leonor, Miguel concordou:

— Será como quiseres. Nada falarei, se isso te fizer feliz...

Leonor deu um longo suspiro. Já carregava muitas culpas e não suportaria ser a causa de maiores tristezas. Ela, então, deixou que ele soubesse a respeito de seu pedido.

Expressando preocupação, tentou demovê-la de seu intento com extremo cuidado, para não magoá-la:

— Sinto muito, mas não concordo com nenhum passeio. Estás muito debilitada; qualquer esforço poderia...

— ... Ser fatal? Ora, que tolice! Apenas me faria viver um ou dois dias a mais... Não vou abrir mão desse desejo...

Naquele instante, Afonso entrou no quarto, acompanhado de Maria Alice.

A perturbada mulher não os poupou com suas insinuações:

— Ora, vejam só! Parecem dois pombinhos fazendo juras de amor...

Miguel se levantou e obtemperou, enraivecido:

— Será que não respeitas Leonor nem nesta hora difícil? O que pensas ganhar com essas acusações? Teu marido não te amará mais por isso, tenha certeza... Pelo contrário...

Afonso, estranhando o tom de voz do filho, interveio:

— Calma, Miguel! Tua tia não sabe o que está dizendo... Não é mesmo, minha querida? — propositalmente, Afonso se dirigiu a Leonor.

Esta, que a tudo escutava, falou, preocupada:

— Realmente, tu não me deves julgar pelas palavras de tua irmã. Nunca te dei motivos para qualquer desconfiança a meu respeito...

Afonso se aproximou de Leonor e, beijando-lhe a fronte, declarou:

— És o ser mais puro que conheço... Sei que não me enganarias... — o tom de dúvida de Afonso deixou um pesado silêncio no ar.

Miguel procurou mudar a direção perigosa que o assunto tomava:

— Leonor deseja dar uma volta pela fazenda... Se depender de mim, eu desaconselho esta providência. Ela está muito debilitada...

Preocupado, Afonso voltou-se para Leonor:

— Estás mesmo pensando nisso? Acho que Miguel tem razão, não deves abusar de tuas forças...

Maria Alice, visivelmente influenciada por Rufino, entrou na conversa:

— Quem sabe se ela for até o túmulo do negro ela não terá mais paz? Talvez ele até possa perdoá-la...

Dessa vez, foi Afonso quem a censurou:

— Chega, Maria Alice! Estás perturbada, saia daqui! Não quero mais vê-la no quarto de Leonor... Só a fazes piorar!

Tomada de cólera pela atitude do irmão, que também a admoestava por causa de Leonor, falou precipitadamente:

— Ah! É assim, meu irmão? Depois de tudo o que fiz por ti, me retribuis dessa forma!? Se não fosse por mim não estarias casado com essa rapariga!

Afonso e Miguel se voltaram e o primeiro a interpelou:

— O que dizes? O que tens a ver com o meu casamento?

Maria Alice prosseguiu:

— É a mais pura verdade! Tu deves a mim esse casamento! Foi eu quem mandou Rufino atacá-la na estrada... E depois te disse para ir salvá-la... Viraste um herói para a mocinha por minha causa! Depois foi fácil convencê-la a desposar-te...

Afonso passou as mãos pelo rosto em uma atitude de desespero. Quis atingir Maria Alice com um tapa, mas Miguel o segurou.

Atraído pelas vozes alteradas, José Venâncio entrou no quarto. Lívida, Maria Alice recuou.

Ao indagar o que ocorria, a resposta foi o silêncio absoluto. Impaciente, José Venâncio falou, agitado:

— Quero saber o que está acontecendo! Digam-me imediatamente, exijo uma resposta!

Afonso estava envergonhado. Não podia imaginar que a irmã tivesse participado de um ato tão ignominioso. Acabara de saber que Leonor se casara com ele por um capricho de Maria Alice, que criara um estratagema para impressionar a moça.

Estava aniquilado. Não conseguia fitar Leonor, tal a humilhação que sentia.

Miguel, mais ponderado, e avaliando os sentimentos paternos, convidou José Venâncio a se retirar para falarem mais à vontade.

José Venâncio olhou para Leonor e, notando o sofrimento da filha, decidiu que resolveria o assunto ali mesmo.

Voltou-se para Maria Alice e indagou abruptamente:

— O que tens a ver com isso? Por que não querem me dizer logo o que está acontecendo?

Miguel tomou a dianteira e esclareceu:

— Não sei ao certo, senhor José Venâncio, mas, pelo que entendi, a minha tia exerceu um papel indevido no casamento da senhorita Leonor com meu pai...

— Como? O que está dizendo?

— É a verdade! — disse Afonso. — Lembras do dia em que Rufino atacou Leonor na estrada?

— Sim, é claro. O desgraçado atacou Leonor justamente no dia em que ela ia à casa de meu irmão...

— Pois bem — prosseguiu Afonso, amargurado. — Não foi o acaso que levou Rufino até Leonor... Foi Maria Alice quem o instruiu a atacá-la, para que eu pudesse salvá-la e assim aumentar a admiração de Leonor por mim...

José Venâncio parecia não entender o que ouvia. Sempre desconfiara da participação de sua mulher naquele casamento, mas não podia imaginar que ela chegaria a tanto.

Encolerizado, dentes cerrados, balbuciou para Maria Alice:

— Confirmas o que acabo de ouvir? Mandaste o negro atacar minha filha? Não pensaste no perigo em que colocaste Leonor?

Maria Alice tremia enquanto falava:

— Não pensei nisso... Era só para ajudar no casamento. A tua filha sempre foi um obstáculo a nossa felicidade, José! Queria vê-la ao lado de meu irmão, que a amava e a faria feliz...

— Mentira! — bradou José Venâncio. — Não estavas preocupada com a felicidade dela... Querias vê-la longe daqui, para poderes agir conforme teus intentos sórdidos...

— Afinal de contas, tudo deu certo... Não sei por que te exaltas assim — disse a mulher, de forma leviana.

— Deu certo? Trouxeste a completa infelicidade a duas pessoas e achas que tudo deu certo? Olha para o teu irmão! Olha para Leonor! Vês a que ponto chegaste?...

Preocupado com Leonor, Miguel solicitou que todos se retirassem, para que a moça repousasse.

Abraçando carinhosamente a filha, José Venâncio falou:

— Perdoa-me, querida! Perdoa o teu pobre pai, que não impediu que fizesses esta tolice! Eu deveria ter imaginado que essa união irrefletida tinha sido planejada com algum objetivo escuso... Perdoa-me, filha!

Chorando muito e preocupada com Afonso, que ficara em uma situação muito delicada, Leonor tentou argumentar:

— Não me peças perdão, pai! Não fizeste nada para me magoar... Estão todos esquecendo que aceitei Afonso por esposo... Não fui obrigada a nada, foi escolha minha!

Afonso se aproximou de Leonor e sussurrou:

— Eu estava tão apaixonado que não percebi que não me amavas... Achei que o teu entusiasmo juvenil era o sinal de que me querias...

Leonor sofria ao extremo. Sabia que aquele homem lhe dedicara o melhor dos seus sentimentos e não poderia ser a causadora de sua infelicidade. Olhou para Miguel, como pedindo perdão pelo que ia dizer, e tornou:

— Não te maltrates assim, Afonso! Jamais disse que não te amava... Aceitei com muita felicidade a ventura de ser tua esposa...

Um raio de esperança surgiu no olhar de Afonso. Segurando as mãos de Leonor, perguntou, ansioso:

— Aprendeste a me amar? Terei tocado de alguma forma o teu coração?

Leonor respondeu com sinceridade:

— És muito caro para mim... Apesar de tudo o que passamos, posso dizer que a tua lembrança sempre me trouxe felicidade.

Mais conformado, Afonso beijou sua esposa e se retirou, com a alma dilacerada.

José Venâncio abraçou a filha carinhosamente. Foi quando Leonor lhe disse:

— Pai, sei que não me negarias um pedido nestas circunstâncias...

José Venâncio concordou:

— Farei tudo o que for possível para te atender, minha filha...

Com os olhos úmidos, Leonor continuou:

— Sabes o quanto me martirizo, desde que soube da morte daqueles escravos... Não desejava isso para eles...

Curioso, José Venâncio comentou:

— Não tiveste culpa nenhuma... Houve um mal-entendido... Depois, eles mereciam mesmo morrer...

— Não penso assim... Isso me intranqüiliza, sonho com Rufino... Ele disse que me perseguiria mesmo depois de morto.

— Não entendo... Ele arruinou a tua vida e tu tens remorso por sua morte.

— Nunca gostei dele, mas não queria que morresse daquela forma... Sei que o enganei e, apesar de detestá-lo, queria que ele soubesse que eu não tive nada a ver com sua morte. Mas isso não é possível... Então, pensei, quem sabe se tu poderias libertar alguns escravos...

— O quê? Estás chasqueando comigo, Leonor? Escravos custam dinheiro, são um investimento caro, não posso libertá-los assim...

— Peço-te, por favor, pai... Assim eu partiria com a alma mais leve... Seria uma forma de tentar remediar o mal que já foi feito...

José Venâncio olhou para Leonor com infinita tristeza. A sua menina estava morrendo, não havia outra realidade.

Sentindo-se impotente diante da situação, e sabendo que não lhe poderia negar o último pedido, asseverou:

— Está bem. Farei a tua vontade, filha. Mas não me peça mais nada, viu? Sabes que não sei te dizer não...

Leonor sorriu e, abraçando o pai, permaneceu assim por longo tempo, unida ao ser que sempre lhe fora tão caro.

A respiração ofegante, as batidas irregulares do coração denunciavam ao destemido José Venâncio que a hora de Leonor partir se aproximava...

A dor que lhe atingia a alma valorosa emudecia seus lábios trêmulos pela emoção; como raras vezes em sua vida, deixou que lágrimas abundantes vencessem a fortaleza interior que imaginava possuir.

Deixava toda a valentia e coragem de lado e permitia que a dor lhe invadisse os recessos da alma por completo, sem resistência, lamentando sua impotência diante da perda daquela que sempre fora a sua razão de viver.

***

Quando o dia amanheceu Leonor já não tinha consciência de seu estado.

Na espiritualidade, o trabalho era incessante, no sentido de amparar-lhe os últimos momentos na Terra.

Apesar de apresentar um certo alívio com as últimas providências que tomara, Leonor havia construído laços fortes com seu perseguidor, e isso certamente atrapalharia a aquisição de seu equilíbrio imediato após seu desencarne.

A comoção era geral. Desde a senzala até as fazendas vizinhas, todos lamentavam a morte iminente da sinhazinha Leonor.

Prostrados, junto a seu leito, José Venâncio e Afonso permaneciam petrificados pela dor.

Miguel, que não podia expressar seus sentimentos como desejaria, sentia que o laço mais forte que o prendia à Terra estava prestes a se partir.

Já era madrugada quando Leonor finalmente partiu.

Amparada por Menmet e Isadora, que se dispuseram a acompanhá-la nos processos de reajuste espiritual, levou consigo o apogeu da fazenda do Rosário...

Em poucos anos de vida, Leonor havia preenchido com sua presença a existência de inúmeras criaturas, que viam nela a razão da própria vida.

Com sua morte, todos morreram um pouco.

***

José Venâncio enterrou a filha em um túmulo próximo ao de Isadora.

Com a esposa, havia enterrado todos os seus sonhos de amor, mas ela lhe deixara um bem inestimável, verdadeiro tesouro que lhe sustentara os dias.

Com a morte de Leonor, o fazendeiro perdeu seu amor pela vida e, após expulsar Maria Alice da fazenda, entregou todos os seus negócios nas mãos de Antero, seu irmão.

D. Francisca continuou a vir periodicamente diligenciar as atividades domésticas com os escravos; pode-se afirmar, no entanto, que nunca mais a fazenda foi a mesma.

Desesperado pelo sofrimento e negando a existência de Deus, morreu alguns anos depois, crucificado pela saudade de seus dois grandes amores.

A fazenda do Rosário se tornou, na verdade, o túmulo, em vida, de José Venâncio.

Nem mesmo o amor ao Rio Grande foi suficiente para dar um alento ao infeliz fazendeiro; alguns dias mais tarde, Bento Gonçalves lideraria os rebeldes e tomaria Porto Alegre, que, apesar de tudo, nunca se rendeu...

A Revolução durou dez longos anos, culminando com um acordo de paz que consolidou a permanência da província Rio-grandense dentro do Brasil, mas reforçou os espírito de luta e busca pela justiça deste povo.

Pouco tempo depois, Januária partia, redimida e com a alma iluminada por uma vida de lutas e dedicação ao próximo, em sua condição de escrava.

Antes de retornar a Portugal, Afonso se dirigiu ao túmulo de Leonor, a fim de despedir-se.

Surpreso, encontrou junto à sepultura, coberta de flores, Miguel, ajoelhado em silêncio, enquanto lágrimas lhe rolavam pelo rosto.

Com tristeza, confirmou aquilo que sempre soubera:

— Sempre a amaste, não é mesmo? Maria Alice tinha razão...

Miguel se voltou com os olhos úmidos e comentou:

— Minha tia apenas queria macular a memória de Leonor, que desconhecia os meus sentimentos. Quanto a mim, sempre a amei, desde o primeiro momento...

Afonso perguntou, amargurado:

— E se tudo tivesse sido diferente? Se ela não tivesse morrido? O que fariam?

Miguel respondeu enfaticamente:

— Quanto a mim, não sei... Talvez partisse; mas mesmo se, por acaso, ela viesse a me amar, jamais aceitaria uma traição, disso tenho certeza.

— Vou partir com tua tia amanhã cedo... E quanto a ti? O que pretendes fazer?

— Ficarei no Brasil... Pretendo deixar a Medicina.

— O que estás dizendo? Enlouqueceste, por certo!

— Perdi o entusiasmo pela profissão... Quero me dedicar à vida religiosa...

Preocupado, Afonso tentou argumentar com o filho:

— Entendo como te sentes, mas não podes tomar uma decisão dessas em cima destes tristes fatos... O que aconteceu com Leonor foi uma fatalidade... E o teu consultório?

— Faça o que achares melhor... Peço que respeites minha decisão, que é definitiva. Não desejo voltar à vida mundana... Quero buscar conforto em Deus e, se for possível, minorar o sofrimento alheio.

Afonso sabia que não haveria o que contrapor à decisão de Miguel.

O filho sempre tomara decisões irrevogáveis e, no estado de alma em que se encontrava, não teria o que dizer.

Nunca imaginou que o sentimento de Miguel por Leonor fosse tão forte. Via com tristeza aquele homem jovem, que recém se iniciara na profissão, tomado de dor e desgosto por uma vida que mal começava...

Mas ele o compreendia profundamente. Não havia mais nada a dizer.

Também ignorava o que seria de seus dias dali em diante. Provavelmente tomaria conta de Maria Alice, cuja perturbação se acentuara com a morte de Leonor.

E... aguardaria os dias.

Viveria da lembrança de alguns momentos fugazes, quando duas mulheres haviam desempenhado papéis fundamentais em sua vida: Maria Antônia, em sua juventude, e Leonor, já na idade madura.

Ambas haviam preenchido sua existência de alegria e esperança.

Viveria da saudade daquelas duas almas que lhe perfumaram e coloriram a vida, e tornaram seus dias, sem sombra de dúvida, muito mais belos...

O tempo passou... Cerca de trinta anos mais tarde, em uma pequena comunidade do interior do Brasil, desencarnava, ignorado do mundo, mas amado pelos humildes, o padre Inácio.

Ninguém sabia nada sobre sua origem, apenas que era português de nascimento e tinha grandes conhecimentos de Medicina; socorria a todos quantos lhe buscassem, especialmente os mais simples.

Havia sido encontrado morto, depois de longa moléstia.

Encontraram em uma de suas mãos um colar, um rubi em forma de coração...

Por respeito, apesar do valor da jóia, os representantes da comunidade resolveram enterrá-la junto com os despojos do padre.

Certamente ela lhe deveria ser muito cara ao coração...

43

O DESPERTAR DE VIVIAN

Fazia alguns dias que Vivian se encontrava no coma induzido, mas, apenas em poucos minutos, tivemos a oportunidade de rever, em detalhes, os fatos de uma encarnação passada sua, mergulhando em suas lembranças como em um filme, tal qual vos narramos.

Mas a história ainda não terminou... É preciso continuar!

Menmet se aproximou e, procurando nos deixar à vontade para desenvolvermos nosso trabalho, comentou:

— Como vês, a história de Leonor prosseguirá em Vivian... Já viste o passado, agora convido-te a partilhar conosco o presente... E o futuro...

Curioso, resolvi perguntar:

— Leonor e Rufino reencarnaram outras vezes no período entre aquela encarnação e esta?

— Leonor precisou retornar mais de uma vez... Em encarnações curtas, destinadas a enfraquecer os laços psíquicos que a prendiam a Rufino...

— Ele não reencarnou, então?

— Na verdade, nosso amigo permaneceu com a mente cristalizada na encarnação que viveu como escravo; a Leonor, por seus méritos, e com o intuito de libertá-la do jugo de seu algoz, foi dada a oportunidade de "ocultar-se" nas vestes carnais, impossibilitando, pelo menos temporariamente, a atuação obsessiva e destruidora de Rufino. Infelizmente, meu caro, esses processos demandam longo tempo, até que possam desfazer-se por completo; lutamos muito para chegar até aqui e, embora nossa tutelada tenha tido uma trégua até o presente momento, nesta encarnação, a hora do reajuste já soou.

— Quer dizer que Rufino ainda voltará a perturbar Vivian? E quanto a Miguel?

— É bem provável que Rufino retome a sua vingança. Como dizia, Vivian necessitava de um período mais tranqüilo ao lado de Miguel, agora reencarnado como Theo. Nosso prezado irmão acrescentou ao seu cabedal espiritual aquisições preciosas nos campos da paciência, resignação e fé.

"Ainda no século passado, sob o amparo misericordioso de seus protetores, na condição de sacerdote, amealhou recursos significativos, dedicando-se aos semelhantes; não devemos esquecer, também, que, como médico, pôde oferecer o lenitivo do alívio e da cura aos sofredores que o buscavam...

Desiludido das coisas da Terra, após a partida de Leonor pudemos assisti-lo satisfatoriamente. Com muito esforço e sacrifício ele conseguiu construir novos e abençoados valores, sedimentados na fé cristã e no trabalho ao semelhante..."

— Podemos dizer, então, que a morte de Leonor trouxe benefícios a Miguel, ou Theo?

— De certa maneira, sim. Mas isso ocorreu pelo fato de Theo ter escolhido um caminho, digamos assim, que o afastara de inúmeras tentações que certamente o envolveriam... Bem, creio que é chegada a hora de acompanharmos o despertar de Vivian...

— Ela se lembrará da vida que teve como Leonor?

— Não como fatos concretos... Acredito, de qualquer forma, que essas memórias, trazidas de seu subconsciente na atual encarnação, lhe serão muito úteis daqui a algum tempo...

Aproximamo-nos do leito de Vivian. Assim como a equipe médica que ali estava reunida, aguardamos, ansiosos, os primeiros sinais de que Vivian retornaria à consciência.

A medicação vinha sendo diminuída havia alguns dias, para que a atividade cerebral fosse voltando aos poucos.

O leve tremor nas pálpebras e o movimento involuntário das mãos nos mostravam que não demoraria muito para que pudéssemos rever o olhar... aquele olhar que nos lembraria, inequivocamente, Leonor.

Sem poder explicar por que, nos sentíamos ligados à bela filha de José Venâncio. Conhecer sua vida, seus sonhos e esperanças, e finalmente sua desgraça, havia criado um elo de simpatia e amizade de nossa parte, que não podíamos desdenhar.

A Misericórdia Divina nos oferece caminhos diversos e misteriosos, nos levando à descoberta de laços de fraternidade e amor, que, em nossa pequenez espiritual, mal poderíamos imaginar...

Tão logo Vivian abriu os olhos, a equipe médica assumiu o controle da situação, procurando conversar e inteirá-la de tudo o que havia ocorrido.

Vivian apenas respondeu algumas perguntas, balbuciando monossílabos, até que falou o nome de Theo.

Alguns dos instrumentos que estavam ligados ao seu corpo foram desligados e, após avaliação cuidadosa, a moça foi considerada fora de perigo.

Imediatamente, o médico responsável se dirigiu à pequena sala onde a família aguardava, aflita.

Assim que apareceu na porta, todos correram ao seu encontro.

O médico pediu calma e foi logo contando as boas novas:

— Felizmente, ela está bem! Vivian retornou do coma e já conversamos com ela...

O pai de Vivian indagou, angustiado:

— Haverá seqüelas, doutor? A parada cardíaca não afetou seu cérebro?

— Como disse, tudo correu bem. Não detectamos, até agora, nada de anormal...

— Poderemos ver minha irmã, doutor? — perguntou Rodrigo, esperançoso.

O médico explicou, reticencioso:

— Ainda não posso liberar a visita para todos... Precisamos ir com calma; ela mencionou o nome do marido, Theo...

Prontamente, Theo se aproximou, perguntando:

— Posso vê-la, doutor? Ela disse mesmo o meu nome?

— Sim, poderá vê-la, mas rapidamente, está certo? Não quero que ela se exalte de forma nenhuma...

— Terei o maior cuidado. Quero apenas vê-la, ficar a seu lado... — afirmou Theo, emocionado.

Atendendo ao convite do médico, Theo o acompanhou para o interior do hospital.

Rodrigo, o irmão de Leonor, reclamou, desapontado:

— Ela poderia ter lembrado de algum de nós, não é mesmo?

Marina, a mãe de Vivian, se aproximou do filho e comentou com carinho:

— Querido, ele é o marido dela... Ocupa um lugar especial em seu coração. Além disso, o que importa é que ela esteja bem, esteja viva! Devemos agradecer a Deus por esta graça...

Rodrigo olhou para o ainda belo rosto da mãe e concordou:

— Eu sei, mãe, estás com a razão. O bem maior, que é a vida dela, foi preservado. Eu só queria poder vê-la, só isso...

Marina sorriu, tranqüila, e aconselhou:

— Deixa disso, filho. Estás com um pouquinho de ciúme, eu sei, mas isso não é necessário. Tão logo ela retorne para casa, poderás ficar a seu lado o tempo que quiser...

Rodrigo contrapôs, contrariado:

— Se o Theo deixar...

Marina afagou os cabelos do filho e convidou os demais para darem uma volta; os últimos momentos tinham sido de ansiosa expectativa e todos se encontravam exaustos.

Felizmente, o pior havia passado...

***

Enquanto seguia o médico, uma avalanche de emoções tomava conta do coração de Theo.

Nunca entenderia o que havia acontecido no dia do acidente. Vivian jamais sairia com um tempo daqueles, a não ser que houvesse um motivo muito sério...

Ela havia se referido à necessidade de lhe falar com urgência... Mas o que haveria de ser?

Sempre falavam tudo um para o outro, não possuíam segredos... Jamais ocultara nada da mulher, pois a considerava sua maior felicidade.

Quando a conhecera, na Universidade americana, duvidava de que aquela jovem esbelta pudesse lhe dar atenção... Naquele tempo, apesar de já fazer dois anos que ele morava por lá, possuía poucos amigos. Sua rotina se reduzia aos estudos, alguns passeios pelos parques, bibliotecas e os laboratórios da Universidade...

Sua formação em Agronomia havia criado o ensejo de manter um contato mais direto com a nova bolsista, também brasileira, e que completava o doutorado em Veterinária.

A afinidade profissional, o amor pela terra e os animais logo foi enriquecido por uma grande atração, não apenas física, mas anímica... "Se eu não fosse estudar no exterior, talvez nunca a encontrasse...", pensava. "Sou paulista e ela gaúcha, e fomos nos encontrar tão longe! Parece coisa do destino, meu Deus! Se ela morresse, certamente eu não poderia continuar vivendo... Coisa estranha!", pensou Theo, "tenho a nítida sensação de que já perdi Vivian... De algum modo, é como se soubesse que um dia ela me deixou... Como pode ser isto?".

O choque psíquico ocorrido pela possibilidade de perder Vivian de alguma forma reativou parte da memória espiritual de Theo. Na verdade, o registro da morte de Leonor continuava vivo, latente, como se aquela dor por ele experimentada, quando fora Miguel, nunca houvesse arrefecido.

Fatos que nos marcaram fortemente uma existência permanecem em nosso inconsciente e podem, realmente, ser acionados diante de uma situação similar.

Assim que se aproximaram do quarto para o qual fora transferida, o médico se afastou, procurando deixar o casal a sós.

Lentamente, sentindo o coração disparar, Theo se aproximou de sua mulher.

Tocou levemente o rosto de Vivian em um gesto que lhe era comum e, com indescritível emoção, viu a jovem abrir os olhos.

Com a cabeça enfaixada e muita dificuldade em se movimentar, Vivian apenas pronunciou:

— Theo...

O rapaz colocou as mãos em seus lábios para evitar que ela se cansasse e ordenou a seguir:

— Não diga nada, meu amor... Você precisa descansar...

Duas grossas lágrimas rolaram pelo rosto da moça. Aflito, Theo adiantou-se:

— Sei que você deseja falar, mas é preciso ter paciência, minha amada... Ficarei a seu lado o tempo que for preciso...

— E os outros? Mamãe, papai, Rodrigo e... — Theo a interrompeu, esclarecendo:

— Estão todos aguardando por você... Sofremos muito nestes dias, minha querida...

— Quero ir embora, Theo...

— Precisará ficar ainda algum tempo aqui, meu amor. Deverá se fortalecer e aceitar as recomendações do médico para que possa retornar o quanto antes para casa...

Vivian olhou para o rosto do marido e, com extremo esforço, perguntou:

— Você ainda me ama, Theo?

Emocionado, o rapaz respondeu com sinceridade:

— Meu anjo, você tem idéia do que está me perguntando? Se eu amo a vida, a felicidade, a alegria de ter a mulher mais adorável do mundo... Claro que te amo, você é tudo para mim, sabe disso...

Vivian baixou o olhar e permaneceu em silêncio. Não poderia acreditar que Theo estivesse mentindo, realmente ele estava sendo sincero. Nunca lhe dera motivos para qualquer desconfiança, mas quando lembrava daquele telefonema...

Theo beijou seu rosto repetidas vezes. A seguir, acariciou-a com a mão e pediu:

— Quero que você se comporte, sim? Prometa que fará tudo o que for preciso para auxiliar no tratamento... Precisamos de você, Vivian; eu, seus pais, seus irmãos, todos estamos esperando por sua recuperação...

Vivian concordou com a cabeça. Precisava reunir forças para continuar vivendo e poder esclarecer as dúvidas que um simples telefonema despertara em seu cérebro.

Na realidade, alguém muito conhecido da moça se aproximava aos poucos.

O antigo desafeto retornava do passado e, ainda sequioso de vingança, vinha cobrar, mais uma vez, aquilo que considerava justo.

Ah! Se a humanidade pudesse imaginar as cenas que se desenrolam nas dependências de um hospital, no outro plano da vida...

Além dos médicos, enfermeiros e trabalhadores de nosso plano, observam-se cenas pungentes de antigos desafetos, que estabelecem uma batalha de vida e morte, buscando o que eles falsamente acreditam se tratar do "acerto de contas".

Sim, meus amigos, Rufino sentira que poderia agir novamente, o que significaria dizer que haveria muito trabalho pela frente...

44

Inadiável conversa

O restabelecimento de Vivian deu-se lenta e progressivamente. Havia dias em que se observavam as boas disposições da paciente e seu desejo de ir logo para casa, mas esses momentos eram interrompidos por inexplicáveis períodos de tristeza e prostração.

Marina, sua mãe, preocupada com aquela situação, resolveu tentar conversar com a filha, com o intuito de ajudá-la. Havia se ausentado por algumas horas e, ao retornar, percebeu que a filha havia chorado.

Após abraçá-la carinhosamente, falou com bondade:

— Minha filha, tu sabes o quanto és querida por todos nós. Não há dia em que eu não peça a Deus por tua felicidade... Mas a cada dia que passa te vejo mais triste, ensimesmada... O que está acontecendo, Vivian?

Vivian volveu o olhar para a mãe e respondeu:

— Também não sei, mãe. Sinto-me infeliz, sozinha... Além disso, acho que Theo não me ama mais...

Compreensiva, Marina tornou:

— Entendo que acabaste de passar por uma situação difícil, mas é justamente isso o que me preocupa... Deverias dar graças a Deus por teres sobrevivido ao acidente, e, o que é importante, sem seqüelas... Quanto a Theo, trata de tirar essas idéias de tua cabecinha, pois são totalmente sem fundamento... Teu marido te adora!

— Sempre pensei dessa forma, mas, de uns tempos para cá, acho que ele está diferente...

— Não deixe essa desconfiança crescer em teu coração, Vivian! Theo tem demonstrado a mesma dedicação de sempre...

— Não sei, mãe... Essas viagens constantes nos afastaram muito...

Marina aconselhou, sensata:

— Querida, isso faz parte do trabalho dele... Teu pai não podia mais assumir alguns encargos e os delegou a ele, que é mais jovem e os executa muito bem... Tu deves pensar em te restabeleceres, para voltares logo para casa...

Vivian ficou pensativa e comentou:

— Estive pensando se não seria bom passarmos algum tempo aqui com a Fernanda... Rodrigo achou uma boa idéia...

Marina pensou um pouco e exclamou:

— Que estranho! Tu nunca gostaste desta cidade... Nem queria visitar tua irmã...

— Não sei o que está acontecendo, mãe. Tenho vontade de andar por alguns lugares que sei que são aqui, entende? Não sei explicar, mas é como se já os conhecesse... Mas, ao mesmo tempo, sinto enorme opressão e tristeza...

Pequeno calafrio percorreu o corpo de Marina. A mãe de Vivian possuía desenvolvidas suas faculdades mediúnicas e, como já havia pressentido, o problema da filha apresentava algumas características peculiares.

Procurando ligar os pensamentos às falanges do Cristo, Marina retornou:

— Tu deves evitar pensamentos negativos, que te causem melancolia e desânimo, minha filha. Deus não te deu mais esta chance de viver por nada, não é mesmo? Desprezar esta bendita oportunidade de permanecer na Terra, com todos os recursos de que dispões, seria perder um precioso tempo...

As palavras de Marina calaram fundo no coração de Vivian; no entanto, nunca fora muito ligada à religião de sua mãe.

Sabia que ninguém morria, que de alguma forma o espírito continuava; mas daí a falar com os mortos ou saber o que existe do outro lado, existia grande diferença...

Além do mais, não admitia que Deus, sendo tão bom, pudesse deixar os que já morreram se intrometer em nossas vidas...

Contrariada, respondeu à mãe:

— Já sei, tenho que ser grata a Deus, perdoar e fazer o bem a todos... Mas ninguém pensa assim neste mundo, mãe... É olho por olho e dente por dente...

— Não devemos moldar nossa conduta pela maioria inconsciente. Cada um deve responder por si...

Vivian desviou o assunto para o ponto que lhe interessava:

— Afinal, o que você acha de eu e Theo ficarmos aqui por algum tempo? Talvez eu me sinta melhor, faça alguns passeios... Dizem que tem algumas fazendas antigas que recebem hóspedes... Acho que iria adorar visitar uma delas...

Novamente, Marina sentiu ligeiro mal-estar. Sua sensibilidade acurada percebia a presença de um espírito sofredor no ambiente. Serena, ponderou:

— Acho que precisas te distrair, mas antes precisas ficar em condições de aproveitar esses passeios... Deverás te fortalecer física e espiritualmente, para tirares o melhor proveito...

Considerando que Marina havia concordado, Vivian continuou:

— Não vejo a hora de sair deste hospital. Falarei com Theo para ficarmos alguns dias na casa de Fernanda... Acho que vou me sentir muito bem!

Conhecendo a determinação da filha, Marina resolveu aceitar suas disposições. Preocupava-se com o aspecto espiritual de Vivian, pois já reconhecera que sua sensibilidade mediúnica necessitava de orientação segura e conhecimento.

Desde tenra idade, Vivian apresentava condições psíquicas especiais, que fizeram Mariana procurar auxílio em um Centro Espírita.

Vivian tinha dificuldade para dormir, chorava muito, era uma criança irritadiça, não se alimentava e tinha poucas amizades.

Com o passar do tempo, o tratamento espiritual, que consistira em passes e água fluidificada, trouxera os resultados esperados.

Marina prosseguiu nos estudos da Doutrina Espírita, identificando-se com seus princípios e tornando-se valorosa colaboradora.

Apesar de aceitar os novos conceitos e apoiar a esposa, Henrique, seu marido, não apresentava ainda maior interesse pelo assunto e apenas acompanhava Marina.

Com esforço e dedicação, ela procurou transmitir aos filhos os princípios que passaram a lhe nortear a vida e, apesar do respeito que todos dedicavam à Doutrina, apenas Fernanda seguira os passos da mãe.

Atenta e preocupada com o destino de Vivian, Marina resolvera abordar assuntos mais amenos. Precisaria redobrar a vigilância e orar muito, pois sabia que a filha necessitaria de auxílio espiritual. Registrara, por meio da vidência, o espírito de um escravo muito próximo a Vivian. Não sabia como, mas identificava naquele irmão alguém que já causara muito sofrimento a sua filha.

Sua memória espiritual fora ativada e Marina, que não era ninguém além de Isadora reencarnada, reconhecia, inconscientemente, a presença do pertinaz algoz de sua filha do coração, contra cuja influência tanto havia lutado antes de voltar ao plano físico.

***

A idéia de permanecer na cidade não agradara a Theo.

Assim como Vivian, nunca demonstrara muita simpatia pelo local; Theo preferia retornar a Bagé, cidade próxima, onde residia na fazenda de seu sogro.

Como a saúde da esposa ainda requeresse cuidados, e sabendo que ela ficaria na companhia dos familiares — especialmente da irmã —, com quem tinha muita afinidade, Theo procurou omitir sua contrariedade e concordou com a sugestão. No íntimo não entendia a súbita mudança no comportamento de Vivian. Fernanda convidara-a várias vezes para passar alguns dias em sua companhia, mas Vivian sempre arranjava alguma desculpa e evitava a ida àquela cidade.

Em função disso, a família normalmente se reunia na fazenda do casal Henrique e Marina, nas ocasiões festivas.

O desejo de Vivian permanecer na cidade era, no mínimo, estranho. O que a teria feito mudar de idéia?

Com esta pergunta insistente em sua cabeça, Theo deliberou ter uma conversa séria com Vivian.

Assim, após sair do hospital, tão logo se instalaram na confortável residência de Fernanda, Theo se aproximou de Vivian e, após acariciar-lhe suavemente o rosto, introduziu o assunto:

— Precisamos conversar, Vivian. Estão acontecendo algumas coisas que não entendo...

Vivian olhou com seriedade para Theo e respondeu prontamente:

— É verdade! Existem algumas coisas que precisam mesmo ser esclarecidas...

O tom da resposta da esposa desconcertou Theo. Não esperava uma reação tão hostil.

Vivian prosseguiu:

— Aliás, parece que nossa conversa foi adiada por uma eternidade... Se não fosse aquele acidente, as coisas já poderiam estar mais claras...

Theo resolveu esclarecer o motivo que o levara àquela conversa:

— O que está acontecendo, Vivian? Não consigo entendê-la mais... Queria apenas saber o porquê dessa decisão de ficar nesta cidade de que você nunca gostou...

Vivian retrucou, magoada:

— Pensei que estivesse mais preocupado com a nossa situação... Com o nosso casamento...

Theo, confuso, se aproximou, tentando segurar-lhe as mãos. Vivian se retraiu e o rapaz questionou, angustiado:

— Nosso casamento? Mas o que há de errado, se a cada dia a amo mais?!

Vivian deu uma risada irônica e argumentou:

— Ama uma mulher no estado em que estou? Pensa que ainda não me olhei no espelho? Se antes já me traías, imagina agora...

Desesperado, Theo se aproximou e, segurando Vivian pelos braços, perguntou:

— Como pode me acusar de traição, Vivian? Sempre fui fiel, nunca pensei em outra mulher!

— Chega, Theo! Não quero ouvir mentiras!

Theo rebateu, alterado:

— De onde você tirou essa idéia? Sabe que eu a amo acima de tudo...

Vivian começou a chorar e, entre lágrimas, falou do peso que lhe invadia a alma, desde aquele infeliz telefonema atendido por ela:

— Ora, Theo! Não se faça de tolo... Quando você foi a São Paulo esqueceu de levar seu celular, lembra?

— Sim, só me lembrei disso quando entrei no avião...

— Pois então... No dia anterior à sua chegada, atendi a uma chamada... Era uma mulher, parecia aflita e dizia que tinha um assunto urgente para falar com você...

Theo ficou pensativo. Não se lembrava de ninguém, principalmente mulher, que tivesse algo tão urgente para lhe falar.

Após alguns segundos, ponderou:

— Ora, Vivian! Você não pode suspeitar de mim apenas por uma ligação deste teor! Talvez nem fosse para mim a ligação...

— Era, sim! Disse o seu nome, e, o que é pior, quando viu que não era você, desligou imediatamente...

— Sinceramente, não sei do que se trata... Você não tentou retornar a ligação?

— Retornei, mas sempre caía na caixa postal...

Theo se aproximou devagar e procurou apelar ao bom senso da esposa:

— Entendo que é uma situação perturbadora, mas você não pode esquecer tudo o que vivemos por causa de uma tolice dessas...

— Eu quase perdi a minha vida por essa tolice, Theo! Foi como se tudo tivesse desmoronando... Como vou poder acreditar em você daqui por diante?

— Você está me condenando por antecipação! Está partindo do princípio de que sou culpado! Não tenho como me defender... Isso é uma loucura, meu Deus!

Theo se afastou, passando nervosamente as mãos pelos cabelos. Vivian observava o marido e, sentindo certo remorso, contemporizou:

— Também não sei o que pensar, o que fazer... Por isso resolvi ficar aqui. Sinto uma ligação com este lugar, como se algo me prendesse aqui... Não quero ir embora agora.

— Mas e nós, e a fazenda? Seu pai contratou um veterinário para cuidar dos animais enquanto você se recupera... Mas aguarda o seu retorno...

— Theo, preciso pensar... Talvez consiga esquecer aquele telefonema...

Theo olhou fixamente nos olhos de Vivian e, com a sinceridade que lhe era característica, afirmou, convicto:

— Não posso negar que o fato de você ter duvidado de minha fidelidade me tenha decepcionado muito, Vivian. Talvez você não me ame como eu imaginava... Tenho a impressão que a amo desde sempre e jamais duvidaria de sua palavra... Mas prometo que vou lhe provar que não fiz nada de que possa me arrepender. Depois veremos como ficam as coisas...

Assim dizendo, Theo se retirou. Vivian ainda o chamou, pedindo que ficasse, mas o rapaz resolvera retornar para casa.

Desolada, a moça se atirou sobre a cama e chorou por longas horas.

45

Discórdia e desunião

Os desentendimentos com Vivian não seriam motivo suficiente para justificar o afastamento de Theo. O rapaz a amava e, a despeito de tudo, permaneceria ao lado da esposa, que considerava o seu maior e mais importante bem.

Ocorre que Henrique, pai de Vivian, necessitava da presença do genro para tratar de assuntos urgentes. O momento era o pior possível, mas não havia o que fazer: Theo teria que retornar.

Marina e Vivian ficariam hospedadas na casa de Fernanda e Álvaro, seu marido, até que a convalescente pudesse voltar para casa.

Rodrigo, o irmão mais velho, que viera de Bagé, preocupado com a prostração da irmã, procurou aproveitar o tempo para ficar mais perto de Vivian.

Desde criança, Rodrigo não escondia sua predileção por Vivian, apesar de Marina ensinar que todos se deveriam estimar da mesma forma.

A moça retribuía o afeto na mesma intensidade, sem deixar de demonstrar, também, grande afinidade com Fernanda.

No dia seguinte, Rodrigo veio logo cedo visitar a irmã. Aguardou que Vivian se levantasse e, tão logo ela entrou na sala, veio direto a seu encontro, abraçando-a com imenso carinho.

A manifestação de afeto de Rodrigo sensibilizou Vivian e fez com que ela derramasse sentidas lágrimas. Pressuroso, Rodrigo aconchegou Vivian em seus braços e perguntou:

— O que está havendo, minha irmã? Diga-me o que te preocupa, que eu darei um jeito...

Vivian retrucou com rapidez:

— Não está acontecendo nada, Rodrigo. Eu estou meio triste depois de tudo o que aconteceu... É bobagem minha. Você me conhece, sabe que eu sou chorona mesmo...

Rodrigo olhou desconfiado para Vivian e comentou:

— Teu marido não andou aprontando nada, não é mesmo? Não sei por que, mas não confio nele...

Vivian tomou a defesa de Theo:

— Por favor, Rodrigo, não julgue Theo dessa forma... Ele nunca deu motivos para você pensar assim dele... São coisas minhas.

Naquele momento, Fernanda entrou na conversa:

— Ando preocupada mesmo, Rodrigo. Ela está com umas idéias estranhas... Quer que eu a leve àquelas fazendas antigas...

Surpreso, Rodrigo exclamou:

— É verdade? Mas tu nunca quiseste nem sequer ouvir falar daquelas histórias! Lembra quando nossa avó contava aqueles "causos" dos escravos que viviam naquelas fazendas? Tu saías correndo, tapando os ouvidos, não queria saber de nada...

Vivian concordou com a cabeça e prosseguiu:

— Não sei direito o motivo, mas sinto uma atração inexplicável por esses lugares... Parece que nunca deveria ter saído daqui...

— Mas nunca viveste aqui!... Apenas me vinhas visitar de vez em quando, por muito custo — disse Fernanda, fingindo estar incomodada.

O assunto prosseguia, até que Marina se aproximou e falou aos filhos:

— Queridos, esse é um assunto delicado, não devemos nos ligar mentalmente a lugares onde já houve tanto sofrimento... A cidade é muito bonita; se Vivian quiser, poderemos fazer belos passeios em outros locais...

— Mãe, eu quero conhecer essas fazendas... Tenho a impressão de que já as conheço... — retrucou Vivian enfaticamente.

Fernanda e Marina se entreolharam e, para dar um fim ao assunto, a primeira concordou:

— Está certo, teimosa! Quando estiveres melhor, iremos todos fazer esse passeio... Dizem mesmo que é belíssimo... Nunca me interessei em fazê-lo, mas sempre é tempo, não é?

Rodrigo tinha ficado ensimesmado. Marina, ao perceber, se aproximou do filho e indagou:

— O que houve, meu filho? Parece que estás preocupado...

— Não sei, mãe, mas também não acho uma boa idéia ir a estes lugares. Sinto uma certa angústia só de pensar nesse assunto... Que estranho tudo isso! Achas que temos alguma coisa a ver com essas fazendas?

Marina refletiu e respondeu ao filho:

— Não tenho a menor dúvida, meu querido. Nossa Vivian está buscando alguma coisa do passado. Tenho sentido ser este o momento de um grande acerto de contas, e temo que isso signifique que haverá ainda em nossa família muito sofrimento.

Ao ouvir a mãe, Rodrigo sentiu o coração se confranger. Abraçou-a e pediu mentalmente a Deus que os protegesse.

Apesar do perfeito entendimento que reinava entre Vivian e seus familiares, o mesmo não se podia dizer em relação a Theo e Rodrigo. As diferenças entre os dois pareciam ter recrudescido após o acidente. Não raramente, Rodrigo culpava o cunhado pela infelicidade da irmã.

Theo não sabia a que atribuir aquela má vontade gratuita do cunhado. Parecia que, quanto mais ele procurava ser gentil, mais Rodrigo se prevenia contra ele.

A situação tornava-se insustentável. Vivian não conseguia mais esconder o fato que havia desencadeado tantas desventuras para a família.

Ao saber do telefonema que transtornara a irmã e quase a fizera perder a vida, Rodrigo, em um acesso de cólera, culpou o cunhado:

— Eu sempre soube! Sempre soube que eras infiel, e que um dia a magoaria!...

Theo, surpreso, se defendeu:

— Você não pode acusar assim, Rodrigo! Eu não fiz nada! Vivian é que anda com estas idéias há algum tempo! Isso não é de agora... Já faz uns meses que ela me vigia, anda sempre desconfiada...

Quanto mais Theo procurava se defender, mais Rodrigo se encolerizava:

—Também pudera! Ela devia ter lá seus motivos! Nunca estiveste à altura dela...

— Não entendo você... Acho que você se preocupa demais com a minha mulher... Isso é assunto meu e dela!

Rodrigo ia responder, mas Marina entrou na sala e interrompeu a discussão. O rapaz se retirou, enraivecido, e Theo saiu a fim de respirar um pouco de ar puro.

Marina, por meio de sua sensibilidade mediúnica, pôde perceber os fluidos escuros e densos que ficaram no ambiente. "Felizmente", pensou, "Fernanda e Álvaro fazem sempre o culto do Evangelho no lar! Poderemos, de alguma forma, auxiliar nossos irmãos que se encontram em sofrimento!".

Fernanda era a filha que continuara, na idade adulta, seguindo a orientação religiosa da mãe.

Apesar da indiscutível afinidade de Marina com Vivian, esta última se distanciara muito das questões espirituais da vida, envolvendo-se exclusivamente com o trabalho, sem dar ouvidos aos conselhos da mãe.

Theo, ao contrário, procurava se ligar a Deus, mas não encontrava respostas convincentes a algumas questões que lhe torturavam a mente; ao conhecer a sogra, e notando sua atitude de serenidade ante os problemas da vida, interessou-se em conhecer mais de perto os ensinamentos da Doutrina Espírita.

Como não encontrasse apoio em Vivian, que reclamava constantemente de suas ausências, acabou por deixar de lado o assunto, reservando apenas algumas horas para leitura e, quando havia oportunidade, assistir às palestras públicas ministradas no centro espírita que Marina freqüentava.

Evitava, dessa forma, os conflitos com Vivian, os quais, nos últimos tempos, se haviam tornado constantes.

Aquela situação era um tanto incompreensível, pois, apesar de tudo, eles se amavam. Como podiam viver sob o estigma da dúvida e da desconfiança, se realmente se queriam profundamente?

Marina meditava em silêncio. Conhecia a filha e notava a diferença em seu comportamento dia a dia.

O próprio genro, que sempre fora paciente e compreensivo com os caprichos de Vivian, parecia estar magoado e, às vezes, não conseguia esconder sua irritação...

"Estou vendo dois seres amados destruindo um laço que possivelmente tenha custado muito aos nossos protetores construir... É preciso fazer alguma coisa antes que seja tarde demais!", pensou Marina.

Aguardou Fernanda chegar do trabalho e introduziu o assunto:

— Minha filha, tu és a única que me seguiu os passos em termos religiosos... Estou preocupada com tua irmã... Acho que estamos diante de um problema que transcende os aspectos físicos...

Fernanda respondeu com convicção:

— Sei sobre o que estás falando, mãe. Tenho sentido algo diferente em Vivian, especialmente nesse desejo de ficar aqui e procurar aquelas fazendas... Imagina! Ela sempre detestou esses lugares...

— Sim, é verdade. Também noto a diferença de tratamento que ela vem dispensando a Theo... Sabemos que ela adora o marido, mas, de uns tempos para cá, tem implicado com ele, anda desconfiada...

Fernanda ficou pensativa. Marina a interpelou:

— Em que tu estás pensando? Existe algo que eu não saiba?

A moça respondeu:

— Não sei... Talvez tu já saibas do tal telefonema a que Vivian atendeu... Isso foi o estopim de tudo...

— Ela já me falou, mas não acredito que isso tenha maior significado... Não posso crer que Theo a tenha traído...

Fernanda continuava com a expressão carregada. Marina questionou:

— Acreditas mesmo que ele tenha outra pessoa? Não posso conceber essa idéia...

Fernanda respondeu, preocupada:

— Acho praticamente impossível, minha mãe. Gosto muito do Theo, creio que ele não faria isso; mas o problema é Rodrigo...

— O que tem Rodrigo a ver com esta história? — perguntou Marina, aflita.

Fernanda prosseguiu, apreensiva:

— Ora, mãe, tu sabes a ligação que ele tem com Vivian... Sempre se adoraram... Acho que é por isso que ele não gosta muito do Theo. Tenho a impressão que ele sente como se Theo a tivesse roubado dele... E ele está apoiando Vivian em tudo, principalmente contra o Theo...

Marina deu um longo suspiro. Percebia que as causas daquela situação se encontravam em um tempo longínquo, provavelmente em uma encarnação passada.

Firme em sua fé, dirigiu-se à filha:

— Vamos aproveitar o culto do Evangelho no lar para pedir auxílio aos nossos mentores, filha. Acho que estamos diante de uma situação que vai requerer muita oração e amparo espiritual. Pressinto — continuou Marina — existir um passado de muito sofrimento envolvendo os nossos amados... E que estamos diante de bendita oportunidade de resgate!

46

A GRANDE DOR

As preocupações de Marina não eram infundadas. A recuperação de Vivian era lenta, pois emocionalmente ela se encontrava verdadeiramente arrasada.

Infinita melancolia invadia sua alma. Sem saber explicar a razão, sentia-se cada dia mais distante de tudo e de todos.

Perdera o interesse pelas coisas que sempre foram objeto de sua atenção.

Descuidava-se da aparência, procurava isolar-se e chorava por longas horas, totalmente desesperançada quanto ao futuro.

A ausência de Theo piorava a situação; desejava a presença do marido, mas, quando o encontrava, inesperadamente, sem qualquer motivo aparente, pedia lhe que a deixasse só.

Alimentava-se mal, comendo apenas o necessário para se manter viva; emagrecera assustadoramente, debilitando seu já bastante frágil corpo.

Sentia-se sem perspectivas, como se a própria vida a tivesse abandonado.

Não foram poucas as vezes em que a infeliz idéia do suicídio lhe veio à mente. Nessas oportunidades, travava uma luta intensa consigo mesma, na tentativa de fazer com que as orientações recebidas desde a infância, sobre a continuidade da vida além do túmulo, falassem mais alto e a impedissem de praticar o abominável ato.

Já ouvira falar dos terríveis sofrimentos pelos quais passavam os suicidas e sentia verdadeiro horror ao pensar que aquilo poderia acontecer com ela.

Seus pensamentos não pareciam mais partir de sua mente; tinha a impressão de que algo ou alguém a impeliam para sua própria destruição.

Era como se um sentimento de culpa a atormentasse diuturnamente, sem saber exatamente por quê.

Muitas vezes, reconsiderava sua atitude com Theo, mas não era isso exatamente o que a torturava.

Era algo maior, que não sabia explicar; sentia como se Deus a tivesse abandonado.

Permanecia longas horas sem forças, inerte, como se suas energias estivessem sendo "sugadas" e ela fosse impotente para impedir esta estranha sensação.

Na verdade, de nosso plano, verificávamos que Vivian trouxera para essa encarnação condições favoráveis ao desencadeamento de uma grave moléstia espiritual. Tratada na Terra como um transtorno do humor, estávamos frente a frente com o que atualmente se denomina depressão.

Sem menosprezar o aspecto físico do distúrbio, cujas descobertas em nível de neurotransmissores muito têm contribuído no auxílio aos nossos irmãos sofredores, não podemos deixar de abordar o problema da dimensão e pela perspectiva que temos hoje como espírito desencarnado.

Não é o corpo que adoece e sim o espírito; este é quem traz a tendência e a necessidade de resgate, que é transmitida às células orgânicas, criando, dessa forma, a patogenia que predisporá o indivíduo ao desenvolvimento da doença.

Ao vibrar em faixas mentais inferiores, afastadas das zonas do equilíbrio e de Deus, criam-se as condições necessárias para que irmãos sofredores desencarnados, na maioria das vezes ligados a nós por vínculos do passado, se aproximem, estabelecendo conosco laços solidificados no ódio e no desejo de vingança.

Muitas vezes, espíritos inclinados ao mal aproveitam essas oportunidades para exercitar seus maus pendores. Formam-se, assim, simbioses espirituais que apenas a medicação e os recursos da Terra não conseguem derrubar.

Torna-se, então, necessário o auxílio espiritual, por meio da renovação dos fluidos em desequilíbrio de que o enfermo é portador, com a administração de toda uma terapia apropriada à situação.

O passe, por exemplo, verdadeira transfusão de energias benéficas, quando parte de um coração voltado à fraternidade e ao amor ao próximo, revigora e fortalece o indivíduo sofredor, além de atuar nos plexos captadores de energias benéficas, regularizando o seu funcionamento.

Vivian se encontrava novamente na situação de vítima de Rufino.

Marina compreendeu que, se não agisse com rapidez, perderia novamente essa luta.

***

Percebendo que o caso se tratava de uma obsessão, Marina convidou a filha diversas vezes para assistir, junto a Fernanda e o marido, ao culto do Evangelho no lar.

Obstinadamente, Vivian se recusava. Até mesmo Theo, que possuía outra formação religiosa desde a infância, assentiu em participar.

Chegado o momento da referida reunião, após a prece inicial conduzida por Álvaro, marido de Fernanda, foram lidas algumas mensagens de cunho evangélico; a seguir, Álvaro abriu ao acaso o *Evangelho Segundo o Espiritismo* e, após ler um pequeno trecho, pediu gentilmente que a sogra comentasse o tópico em questão.

A lição, que na verdade havia sido escolhida por Menmet, de nosso plano, foi o "Perdão das Ofensas".

Marina concentrou-se por alguns minutos e, inspirada pelo amigo espiritual, fez breve explanação sobre a necessidade que temos de perdoar aos que nos ofendem.

Lembrou que a morte não é o fim, e que, se cultivarmos desafetos ao longo da vida, certamente os manteremos na vida espiritual.

Que na condição de criaturas falíveis como somos, lutando ainda com grandes dificuldades do sentimento e ainda muito distantes dos ensinamentos de Jesus, de amar ao nosso próximo, somos igualmente necessitados do perdão.

Considerou que, no passado, certamente agíamos de forma egoísta, voltados para os nossos interesses, e que por certo magoamos e ferimos a muitos; salientou a necessidade e o dever de perdoarmos sempre, para que também fôssemos dignos de ter desculpadas as nossas falhas tão constantes.

De forma simples e acessível, Marina continuava:

— Para ter valor, o perdão deve ser sincero... Devemos sentir em nossos corações que não guardamos nenhuma mágoa, nem desejos de vingança ou reparação...

Finalizando o pequeno comentário, Marina concluiu, dirigindo-se quase diretamente aos espíritos que ali se encontravam, em faixas de sofrimento:

— Meus irmãos! Todos buscamos a felicidade... Por que nos entregarmos a sentimentos de vingança, que apenas nos trazem maior sofrimento? Quem se pode dizer feliz, se busca no ódio a recompensa de sua desdita? Devemos nos lembrar de que o único sentimento que traz a felicidade é o amor! É ele que vige em todos os orbes do Universo e nos faz entrever a ventura que um dia todos sentiremos, unidos fraternalmente uns aos outros!

"Lembrem-se da passagem evangélica, quando a multidão quis apedrejar a mulher adúltera... Quais foram as palavras de nosso mestre Jesus? 'Atire-lhe a primeira pedra aquele que estiver isento de pecado...'

Esse sábio ensinamento deve repercutir em nossas consciências, nos mostrando que, antes de aplicarmos a nossa justiça falível, devemos nos voltar para os nossos próprios erros...

Portanto, o perdão é um imperativo em nossas vidas, se quisermos alcançar a felicidade..."

Emocionados, todos permaneceram calados por algum tempo.

A seguir, Álvaro fez uma ligeira prece, agradecendo a presença de todos, inclusive dos espíritos ali presentes, e encerrou o culto.

Após o término da reunião, Theo, um tanto confuso, resolveu perguntar:

— A senhora sabe que não entendo muito de sua religião, mas acha possível que Vivian esteja sob o domínio de algum espírito?

Marina fixou o olhar lúcido em Theo e respondeu:

— Tu sabes que tenho em ti um verdadeiro filho, Theo... E por isso vou ser o mais franca possível: minha filha tem um antigo desafeto que já a prejudicou muitas vezes... não quero isentá-la de culpa, mas creio que é chegado o momento de auxiliarmos a este pobre espírito...

Theo não conseguia entender o ponto de vista de Marina. Resolveu questionar:

— Mas se ele a está prejudicando, por que o considera um "pobre espírito"? Ele não deveria estar no inferno ou coisa assim... Afinal de contas, ele é mau!

Marina sorriu, compassiva, e tornou:

— As coisas não são bem assim... Seria muito fácil se infligíssemos sofrimento a alguém que julgássemos "maus" e depois de sua morte ele fosse para o inferno e nós nos víssemos livres dele, não é mesmo? Na verdade, o que ocorre é que esse "alguém" continua no outro lado da vida a nos cobrar nossas atitudes menos felizes... E às vezes por muito tempo!

Inconformado, Theo continuou com dúvidas:

— E Deus? Como ele permite isso? Não posso aceitar... Sempre acreditei que Deus, os anjos, sei lá... nos protegessem do mal...

Marina prosseguiu:

— Tudo isso é verdade, mas para que isso aconteça é preciso que mereçamos, não é mesmo? Se não fosse dessa forma, aí sim teríamos uma verdadeira injustiça... E não podemos conceber um Deus nestas condições...

— Como assim? A senhora sabe tanto quanto eu que Vivian nunca fez mal a ninguém, que é uma pessoa maravilhosa!

Marina se aproximou e disse com carinho:

— Esta conversa levará muito tempo... Se quiseres, outro dia a retomaremos. Por ora, procure ficar o mais possível com a minha filha... Sei o quanto a tua presença lhe faz bem...

Theo concordou com a sogra. Precisava saber mais sobre aquele assunto, mas precisava aproveitar o tempo que permanecesse ali para ficar ao lado de Vivian.

Na semana seguinte, faria uma viagem que havia muito vinha adiando.

***

Com a partida de Theo o estado depressivo de Vivian se agravou.

Rodrigo e Fernanda, apreensivos, conversaram com Marina, pois viam a irmã definhando, e já se notava claramente o início de um processo de alienação mental.

Marina foi até o quarto da filha e, resoluta, determinou:

— Minha filha, sei que a dor que te atormenta é inexprimível, mas tu precisas reagir! Não podes perder tua vida dessa forma, sem lutar!

Vivian se aproximou da mãe e, abraçando-a, desfez-se em lágrimas. Marina a conduziu até o leito e fez com que deitasse, colocando sua cabeça sobre seu colo.

Inspirada pela presença amorosa de Menmet, aconselhou:

— Filha querida! Mais uma vez te encontro às voltas com grande sofrimento espiritual! Precisas voltar teu coração a Deus e rogar pelo socorro que tua alma necessita...

A moça respondeu, entre soluços:

— Estou desesperada, minha mãe! Perdi meu marido, que era o grande amor da minha vida! Sinto-o distante, como se não me amasse mais... Além disso, sinto uma angústia constante, uma dor no peito que me sufoca... Não consigo pensar nem em Deus nem em nada... Só sei que sofro terrivelmente! Isso parece não ter fim...

Marina, que a tudo ouvia atentamente, procurou lembrar à filha que ela não estava sozinha e todos estavam empenhados em ajudá-la. Vivian prosseguiu com suas queixas:

— Até mesmo meu pai me abandonou! Ele, que sempre me deu tanta atenção...

— Estás enganada, Vivian. Teu pai divide com Theo as responsabilidades da fazenda e não pode abandonar tudo por tua causa neste momento... Apesar disso, telefona todos os dias, extremamente preocupado contigo...

Enquanto falava, Marina acariciava os cabelos da filha, procurando transmitir-lhe fluidos renovadores, que ajudassem a mudar o teor mental de seus pensamentos.

Repentinamente, Vivian perguntou:

— Achas que devo procurar um médico? Será que estou ficando louca? Tenho pensamento estranhos, visões... Às vezes, tenho até impressão de que sou observada por alguém...

Marina se concentrou, rogando auxílio da espiritualidade, e tornou:

— Minha querida, não alimentes pensamentos desse tipo... Sabes muito bem que as doenças da mente são, na verdade, doenças da alma... Muitos dos nossos irmãos que se encontram em clínicas psiquiátricas são enfermos espirituais e, se não buscassem auxílio apenas na medicina terrena, poderiam ter grande êxito em sua recuperação...

— Mãe, isso não tem nada a ver com espíritos... Sinto dores de cabeça horríveis e o meu corpo às vezes dói tanto que é como se eu estivesse sendo vítima de algum tipo de tortura...

Marina balançou a cabeça e prosseguiu:

— Sabes que não falto com a verdade, Vivian, e tenho motivos suficientes para te afirmar que estás com um sério problema espiritual; se não o resolveres o quanto antes, poderás sucumbir novamente...

— Novamente? Como sabes que eu já passei por isso? Estranho, também tenho essa impressão... Parece que tudo está se repetindo, tudo exatamente do mesmo jeito...

— Falei sem pensar, mas isso só prova que este problema é antigo em tua existência de espírito... Talvez já tenhas caído em virtude do mesmo obsessor... Quem sabe?

— Para dizer a verdade, tanto faz para mim. Não tenho mais esperança no futuro... Agora é só aguardar o meu divórcio e esperar o fim...

Aflita, Marina retrucou com seriedade:

— Vivian! Não podes falar dessa forma! Quem pensas que és para desprezar a vida que Deus te deu para tua evolução, para progredir e agir pela tua felicidade e dos que te cercam? Como podes ser tão egoísta, Vivian? Não pensas nos que te amam, em mim, teu pai e irmãos que te adoram? Isso sem falar no teu marido, que se afastou pelas dificuldades que tu mesma interpuseste entre vocês, desde aquele telefonema... Desprezas, assim, o nosso amor?

As palavras de Marina calaram fundo no coração da moça. Realmente, estava sendo muito egoísta! Não havia pensado nos que a amavam, só queria livrar-se de tudo e parar de sofrer.

Lembrava-se vagamente de alguém já lhe ter dito isso em algum lugar... Parecia-lhe estranho, mas era como se, após o acidente, tivesse sonhado com um lugar muito belo, onde vira algumas pessoas conhecidas... Sua avó Rosália, um homem com roupas estranhas...

Envergonhada com sua atitude, dirigiu-se à mãe, desculpando-se:

— Perdoa-me, mãe! Não tinha a intenção de magoá-la... Fui egoísta, reconheço, mas é porque estou desesperada... Não tenho ânimo para lutar!

Marina olhou para a filha e fez com que ela assumisse um compromisso:

— Muito bem, entendo. Mas, se queres vencer esta dificuldade, terás que ter coragem! A cruz só é dada aos que têm condições de carregá-la... A tua prova não é maior que as tuas forças! Peço-te, então, que, primeiro, aceites ir a um médico, tratar da tua saúde física. É necessário fortalecer o corpo, para lutares com a sombra que te persegue...

— Talvez tenhas razão... É uma sombra, mesmo. Mas por que alguém me perseguiria dessa forma? Nunca fiz mal a ninguém...

Marina sorriu, compreensiva:

— Ah, minha querida! Se as coisas fossem assim tão fáceis! Esta deve ser uma dívida antiga e alguém do teu passado veio te cobrar...

— Está certo, vou fazer o que dizes. Não quero morrer, assim, jovem...

— Aceitarás assistir ao culto do Evangelho junto a nós? Isso te faria um grande bem...

Vivian relutou por um momento e, por fim, aquiesceu:

— Está bem, mas não me peças mais nada... Faço isso por vocês, não por mim...

Marina observou o semblante da filha, que, apesar da magreza e desleixo, mostrava os resquícios de seus belos traços.

Sabia que aqueles processos obsessivos levam algum tempo para serem sanados; normalmente, o primeiro obstáculo é a própria "vítima", que se acomoda àquela situação, negando-se a procurar o auxílio necessário.

Através da influência do espírito obsessor, distorce a realidade, interpretando de forma errônea toda e qualquer tentativa de assistência.

Muitas vezes, se aferram à medicina terrena, julgando como resultado de "auto-sugestão" o socorro providencial que a misericórdia divina estende a suas criaturas.

Agradecendo a Deus, nossa amiga volveu instintivamente o olhar para o céu e, após beijar o rosto de Vivian, procurou Rodrigo e Fernanda, para lhes transmitir a boa notícia.

O primeiro passo havia sido dado. Agora, era preciso caminhar...

47

O ENCONTRO DE THEO

Theo havia deixado a cidade com enorme preocupação a atormentar-lhe o pensamento.

Não sabia como encontraria Vivian no seu retorno. Aliás, não sabia de mais nada... Sua vida havia se transformado totalmente desde o acidente da mulher.

Parecia que tudo tinha ruído estrondosamente e nada mais restara...

Ficara, ainda, é certo, o amor que sentia por Vivian. Tinha certeza de que jamais amaria uma mulher daquela forma... Tinha que reconhecer, no entanto, que ela estava doente. Precisava de auxílio, mas se negava a buscá-lo. Temia perdê-la pela sua teimosia e por estar acostumada a ser o centro das atenções, fazendo com que os outros se rendessem a seus caprichos.

Mesmo assim, amava-a! "Não adiantava", pensava, jamais teria outra mulher.

Rodrigo, o irmão de Vivian, acusava-o de infiel e de ser o culpado de tudo.

"Que loucura", refletia, "ele mesmo ser o culpado pelo sofrimento da mulher que amava! Só podia ser idéia daquele tosco mesmo!" A antiga animosidade entre os dois se revelava de forma clara para nós no outro plano da vida: Rodrigo era a reencarnação de Afonso!

Após a separação ocorrida em virtude da morte de Leonor, Afonso retornara para Portugal e Miguel, como sabemos, se tornou padre.

Somente alguns anos depois, Afonso respondeu às cartas que o filho lhe mandava constantemente. A dúvida, que nunca fora plenamente esclarecida sobre o que teria realmente ocorrido entre Miguel e Leonor, permanecera na memória espiritual de Afonso.

Quando retornou como irmão da ex-esposa, transformou o afeto de marido em um carinho fraternal intenso, só que, com a chegada de Theo na vida de Vivian, sentiu-se novamente preterido e a antiga mágoa ganhou vida.

Tinha sentimentos ambíguos em relação a Theo. Às vezes, via nele um irmão, sentia um afeto sincero; em outras ocasiões, no entanto, chegava a odiá-lo.

No fundo, Theo havia tomado dele a irmã que sempre adorara. Tinha a certeza de que Vivian não seria feliz com ele e, segundo o seu entendimento, acertara!

Theo pensava, enquanto o avião se afastava do aeroporto. Lá de cima, entre as nuvens, tinha o olhar perdido em um ponto do espaço. "Se fosse outro, já a teria deixado!", refletia. "Será que sou um fraco, que não consigo viver longe de uma mulher?", perguntava-se. "Desde o nosso primeiro encontro, nunca mais consegui esquecê-la!"

Assim, Theo ia tentando entender o que tinha acontecido em sua vida. Naquele momento, as lembranças assomavam a sua mente e Theo começou a rever fatos antigos, quase esquecidos.

Estando de passagem por São Paulo, havia algum tempo, acabou reencontrando uma antiga colega da juventude. Juliana era uma jovem bonita, alegre, que se havia instalado no interior de São Paulo.

Naquela ocasião, os dois participavam de um evento ligado à área profissional em que atuavam. Certa feita, distraído em um momento de intervalo das atividades programadas, alguém chegou pelas suas costas e tapou seus olhos, divertindo-se.

— Adivinha quem é? Se você acertar, pagarei seu almoço!

Theo não conseguiu adivinhar quem era, não reconhecera nem ao menos a voz, mas um detalhe lhe era familiar: o perfume. Reconheceria aquele perfume em qualquer canto da Terra, pois sabia muito bem que Juliana era a única mulher que conhecia que o usava.

Rindo, Theo segurou as mãos da moça e virou-se, dizendo:

— Só podia ser você, Juliana! Agora terá que me pagar um bom almoço!

A moça sorriu, feliz, e, segurando o braço do ex-colega, falou, animada:

— Vou levá-lo a um lugar especial! O que você acha de comer comida francesa?

Theo fez um ar de quem não gostava muito e reclamou:

— Você sempre com essas manias "chiques"! Só vou avisando que estou louco de fome...

Juliana riu e tornou:

— Então vamos para um lugar menos requintado. Ah! Já sei! Vamos para o outro lado da cidade... Lá você poderá saciar sua fome...

Dessa forma, dirigiram-se para o restaurante escolhido por Juliana. Após chegarem, tomaram um drinque e começaram uma conversa amena. Depois de alguns goles, Juliana arriscou:

— Soube que você se casou lá no sul... Ela é veterinária, não é mesmo?

Theo sorriu e respondeu, brincando:

— Sim, e é uma bela veterinária...

— Humm! Está apaixonado! Quem diria você, Theo, se apaixonar assim por alguém... Não me havia dito que jamais amaria alguém, para não sofrer?

Theo brincou com o dedo no gelo da taça e respondeu:

— Devo-me dar por vencido no que se refere ao amor. Nunca pensei que viveria algo assim...

— Ai, Theo, estou ficando com inveja! Diga-me, como é a sua mulher?

Theo, sem perceber o intuito de Juliana, foi falando:

— É uma moça bonita, talentosa, ciumenta e muito especial! Mas, e você, Juliana, casou-se afinal com... — Theo havia esquecido o nome do noivo de Juliana.

— Luís Augusto. Casei e já me descasei, graças a Deus! Durou muito pouco tempo, não tínhamos nada em comum...

Surpreso, Theo comentou:

— Não me parecia isso... Sempre achei que formavam um belo casal.

— Não brinque dessa forma, Theo! Você sempre soube quem eu sempre amei...

Theo não escondeu o seu constrangimento e retrucou:

— Ora, Juliana, isso foi há tanto tempo... Tínhamos saído recentemente da escola...

A moça baixou o olhar e, voltando a fixá-lo em Theo, arrematou:

— Você sabe melhor do que ninguém que o amor não tem tempo para acontecer... Nunca amei o Luís Augusto e só me casei com ele depois que soube do seu casamento...

Theo parecia não acreditar. Como sua amiga e colega podia ter alimentado por tanto tempo um sentimento que, para ele, não significara nada além de uma aventura sem maiores conseqüências?

Jamais soubera da intensidade dos sentimentos de Juliana. É verdade que ela sempre fora sua companhia mais constante na faculdade, em festas, nos passeios, mas sempre acreditara que ela o tinha esquecido e que permanecera apenas um sentimento de amizade.

Juliana segurou com delicadeza a mão de Theo e falou, envolvente:

— Pensei que poderia esquecê-lo... Mas cada vez que o revia, tinha uma nova "recaída"... — ela sorriu e continuou: — Quase não acreditei que era você quando o vi... Está mais bonito, mais maduro...

Percebendo que ela ainda alimentava alguma esperança, Theo procurou esclarecer:

— Sinto muito por tê-la feito sofrer, Juliana! Jamais poderia imaginar que aquela aventura tivesse tido tanta importância para você...

— Foi muito importante, e não foi só uma aventura para mim; quando vi que nunca o esqueceria, resolvi me separar. De que me adiantaria estar casada com um homem que não amava? Tive que aceitar que você era o homem da minha vida...

Theo a interrompeu, tentando evitar que a conversa tomasse rumos constrangedores:

— Juliana, precisamos voltar para o congresso... Falaremos outro dia, se quiser...

— Por mim, não voltaria para lá... Ficaria o dia todo aqui, com você...

— Não seria certo. Vamos retornar...

Assim, Theo e Juliana retornaram para o local onde se realizava o evento.

Durante todo o resto da tarde, Juliana procurou se reaproximar do rapaz, fazendo comentários e lembrando fatos do passado, quando eram estudantes em início da faculdade.

Theo não podia negar que ela era uma bela companhia; era espirituosa, inteligente e muito bonita. Precisava afastá-la para que ela não alimentasse nenhuma esperança a seu respeito.

Achava que Juliana deveria estar se sentindo só, e que, ao encontrá-lo, faria de tudo para retomar aquilo que ela pensava ser amor, mas que ele não poderia corresponder de forma alguma.

Voltaram para o hotel em que estavam hospedados e combinaram de se encontrar no jantar, para conversarem um pouco mais.

Mais tarde, enquanto Juliana escolhia o vestido que melhor lhe caía, Theo ligava para Vivian. Dizia estar com muita saudade e que não via a hora de se reencontrarem.

Vivian perguntou se ele havia encontrado algum colega, para não ficar muito sozinho, e Theo, relutante, dissera:

— Não, Vivian, não tem ninguém que eu conheça... São todos muito jovens, recém-saídos da faculdade.

Despediram-se com palavras carinhosas.

Era a primeira vez que Theo, sem saber por que, mentia para Vivian.

48

Lembranças

As lembranças do passado insistiam em invadir o pensamento de Theo, muito claras e intensas.

Naquela noite, encontrara-se com Juliana para jantar.

A princípio, Theo não se preocupou, pois tratava-se de um jantar entre dois velhos amigos e companheiros da juventude.

Na medida em que relembravam o passado, percebeu que Juliana buscava, na realidade, uma reaproximação.

Sem pestanejar, esclareceu a moça a respeito dos seus sentimentos e do momento feliz que vivia em seu casamento.

Um pouco decepcionada, ela se desculpou, dizendo que chegara a acreditar que o destino os unira novamente.

Utilizando um recurso não tão incomum em algumas mulheres, falou com a voz embargada:

— Peço que me perdoe, Theo. Como sabe, estou só e, mesmo que indiretamente, você foi, de certa forma, a causa da minha separação, daí pensei que...

Theo a interrompeu, preocupado:

— Calma aí, Juliana. Você está querendo justificar o seu comportamento me culpando por suas decisões inconseqüentes?

Juliana respirou fundo e prosseguiu:

— Não quero discutir com você, Theo, mas a verdade é que eu nunca o esqueci... Achei que Deus nos tinha dado outra oportunidade com este reencontro...

Juliana baixou o olhar, deixando que seus longos cílios encobrissem seus belos olhos castanhos.

Theo procurou logo esclarecer a situação:

— Lamento, sinceramente, por este equívoco. Você sabe que sempre a considerei como minha melhor amiga; só que, quando nos separamos, eu tinha a intuição de que iria encontrar alguém especial...

— Ama tanto assim sua mulher? Será que você não está com ela só porque ela é rica?

Com o semblante fechado, Theo redargüiu:

— O que você pensa que eu sou? Um aventureiro, atrás de dinheiro fácil?... Acho que todo o tempo em que estivemos juntos não serviu para que me conhecesse melhor...

— Desculpe-me, não devia ter dito isso... Como disse antes, não quero discutir com você... Quem sabe um dia voltaremos a nos encontrar, em outra situação, não é mesmo?

Theo afirmou, convicto:

— Pois você pode ter certeza de que, no que se refere ao meu amor por Vivian, nada terá mudado! Pretendo morrer ao lado de minha mulher...

Juliana engoliu em seco e completou:

— Bom, você mesmo disse que ela é ciumenta... Sabe como é, essas moças são um tanto temperamentais... desconfiam de tudo!

— Nunca dei motivos para ela duvidar de mim. Temos muita confiança um no outro...

— Está bem, desisto! Vou partir para outra... Acho que nosso encontro serviu para isto: fazer com que eu o tire da cabeça... Prometo tentar esquecê-lo...

— Assim está melhor... Esta é a Juliana que eu conheço... Divertida, alegre.

— Não queria perder o contato com você... Quem sabe um dia poderemos nos falar novamente... você poderia me dar o número de seu celular?

— Claro que sim. Anote aí... — e Theo passou-lhe o número com solicitude.

Juliana anotou e, sorrindo, provocou:

— Quem sabe se algum dia você não terá que me socorrer, se eu estiver com muita saudade...

Theo levou na brincadeira e sorriu:

— Não brinque com essas coisas. Quero que vá um dia conhecer Vivian... Irá gostar dela. Vocês devem ter a mesma idade... Além disso, ela é uma ótima profissional, poderão trocar algumas experiências...

— Quem sabe? Pode ser que eu até vá lá pessoalmente conhecer essa sua mulher maravilhosa... — comentou Juliana com ironia.

Como já a conhecia, Theo resolveu encerrar a conversa. Juliana tinha exagerado no vinho e só iria provocá-lo dali por diante.

Despediram-se e cada um seguiu seu caminho no dia seguinte.

Voltando de suas lembranças, como que despertando de um sonho, Theo ouviu a voz do piloto, avisando que já estavam sobrevoando São Paulo.

Minutos mais tarde, ele tomava um táxi em direção à residência de seus pais.

***

Apesar do congestionamento, Theo chegou antes do tempo previsto.

Foi recebido com grande alegria por sua mãe, Tereza, e pelo pai, João Carlos, que o aguardavam com grande expectativa.

Tereza abraçou o filho por várias vezes e, preocupada, foi logo perguntando:

— Como está Vivian? Coitadinha... Falei com ela ontem, mas achei que está um pouco desanimada...

Theo pesou as palavras ao responder:

— É verdade, mãe, ela ainda está se recuperando. O acidente foi muito grave, você sabe, ela quase morreu...

— Eu sei, meu filho... Orei muito por ela. Ela vai precisar muito de você; e acho que você não deve demorar muito por aqui, não é?

Theo conhecia muito bem a mãe: ela queria, na verdade, saber se por causa de Vivian ele ficaria pouco tempo com ela. Sorrindo, respondeu:

— Acertou, mãe. Não posso me demorar, mas a senhora entende, devo estar perto de minha mulher...

João Carlos abraçou o filho e procurou encorajá-lo:

— Se precisar de qualquer coisa, me avise. Estamos à disposição, inclusive se quiserem ficar uns tempos aqui em nossa casa, será um prazer...

Theo agradeceu e falou com sinceridade:

— Agradeço por tudo o que fizeram por nós... Suas ligações nos incentivando nos dias mais difíceis foram muito importantes para mim. Vivian também é muito grata por tudo... Só que agora quero almoçar, de preferência aquela comidinha gostosa de minha mãe...

Tereza sorriu, satisfeita, e se fez de rogada:

— Ora, Theo, você deve comer tanta coisa boa e sofisticada por aí que nem vai notar minha comida...

Theo abraçou a mãe e, beijando-a, falou, carinhoso:

— É verdade. Lá no sul tem muita coisa boa... Mas nunca encontrei nada como o seu tempero. Isso é o que faz a sua comida especial...

Tereza riu muito e falou, preocupada:

— Você emagreceu... Vou dar um jeito nisso!

Todos se dirigiram para a cozinha, lugar onde normalmente faziam as refeições.

Conversaram por longo tempo sobre assuntos diversos, até que Tereza perguntou:

— Você vai hoje para Ribeirão Preto? Por que não descansa e vai amanhã pela manhã, bem cedinho?

Theo ia responder que tinha pressa, que não podia ficar; mas, ao ver aquelas duas pessoas que dedicaram suas vidas para que ele tivesse a oportunidade de estudar, viajar, ser o que ele era, não teve coragem. Enquanto Tereza e João Carlos aguardavam, expectantes, por sua resposta, ele completou:

— Fico até amanhã para matar as saudades...

A vibração de alegria comoveu Theo. Vivian o absorvia muito e ele se descuidara um pouco dos pais. Isso devido à vida atribulada, às viagens, aos compromissos sociais; sobrava pouco tempo para conviver um pouco mais com eles.

Theo sentiu leve remorso e resolveu que assim que Vivian melhorasse ele iria trazê-la para ficar um pouco com seus pais.

Eles eram pessoas simples, mas, quanto a isso, não haveria problema.

A única coisa que o preocupava, no momento, era ver a mulher totalmente recuperada e que suas vidas voltassem à normalidade.

Tranqüilo, dirigiu-se ao seu quarto para descansar. No dia seguinte precisaria visitar algumas fazendas no interior, para tratar de negócios.

Aquele quarto limpo e confortável era o porto seguro de onde saíra um dia, cheio de sonhos e esperanças, e agora, mais velho e experiente, era onde desejava encontrar um pouco da paz que sua alma perdera nas lutas do caminho. "Ah!", pensou, "é bom estar de volta a esta casa!"

***

No dia seguinte, Theo levantou cedo e foi direto para a cozinha.

Encontrou Tereza tirando uns pãezinhos do forno e sentiu logo o aroma caseiro que ficara perdido na memória de sua infância:

— Mãe, você ainda faz esses pãezinhos? Pensei que nunca mais sentiria esse cheiro...

Tereza sorriu e explicou, contente:

— Faço de vez em quando e sempre me lembro de você. O seu pai não pode comer, você sabe, por causa dos triglicerídeos, precisa fazer dieta. Fico feliz por ver que ainda se lembra destas coisas simples...

— Ora, mãe! Eu continuo sendo o mesmo Theo que saiu daqui há alguns anos. Mudei alguns hábitos, é verdade, mas, na essência, continuo o mesmo... Tenho saudades desta casa...

Tereza aproveitou a oportunidade de estar a sós com o filho e arriscou:

— Como está o seu casamento? Tenho a impressão de que alguma coisa mudou depois do acidente...

Theo olhou surpreso para a mãe e respondeu, relutante:

— Está tudo bem. Acho que vai levar algum tempo para Vivian se recuperar totalmente, mas sei que ela vai ficar boa e tudo voltará ao normal...

— Não sei... Acho que há algo errado. Meu instinto materno me diz que você está infeliz e que a situação é grave!

Theo tentou mudar o rumo da conversação, mas Tereza insistiu:

— Diga-me, Theo, sou sua mãe... O que realmente está acontecendo?

Theo pensou alguns instantes e esclareceu, com ar preocupado:

— Não sei ao certo... Ela está muito diferente. Acho que o acidente foi um choque muito forte para ela... Não quis retornar para casa, está até agora na casa da Fernanda...

Uma ruga de preocupação apareceu na testa de Tereza. O momento era delicado e sabia que o filho estava sofrendo. Com muita sutileza, aconselhou-o:

— Theo, todos os casais passam por períodos difíceis, e é nessas ocasiões que podemos aferir a intensidade do amor. Não tenho a menor dúvida quanto aos seus sentimentos em relação a Vivian, mas você deverá ter muita paciência com ela agora...

— Eu sei, mas às vezes fica difícil. Não sei o que ela quer... Discute comigo por qualquer coisa... Tenho a impressão de que deseja me ver longe...

— Não creio que realmente queira isso. Ela está confusa, acredito mesmo que esteja deprimida. Já pensaram em procurar um médico?

— Sim, na próxima semana, Marina e Fernanda a levarão a um especialista. Ela está muito magra, enfraquecida, deve estar precisando de alguma vitamina.

— Acho que é o mais certo. Depois disso, você terá que ajudá-la de outra forma... Recuperar a alma de sua mulher.

— Sei disso, mãe. Assim que eu conseguir convencê-la, iremos a um psiquiatra...

Naquele exato instante, João Carlos entrou na cozinha. Tinha o costume de caminhar para exercitar o coração. Desde que sofrera um enfarto do miocárdio, havia dois anos, seguia as orientações médicas religiosamente.

Dizia se sentir melhor, agora, com sessenta e quatro anos, do que aos quarenta; emagrecera, mudara os hábitos alimentares e se exercitava com freqüência.

Admirado, Theo comentou:

— Pai, tenho a impressão de que você está mais moço! Parece mais forte, com mais vida...

João Carlos riu e comentou, orgulhoso:

— É a pura verdade! Sinto-me muito bem agora... Acho que viverei mais uns cinqüenta anos...

Todos riram. Theo iniciou as despedidas e rumou novamente para o aeroporto.

Tinha muitos encargos e problemas a resolver no interior do Estado.

Quando ele já ia saindo, sua mãe lhe falou:

— Theo, faz tempo que você trocou o número do seu celular?

— Sim, mãe. Deve fazer uns três meses... Vivian me deu um telefone novo de aniversário. Por quê?

— Aconteceu algo estranho... Lembra aquela moça que estava sempre com você, desde a faculdade? Não lembro o nome dela... é... Júlia ou algo assim...

Imediatamente Theo se lembrou de Juliana. Curioso, indagou da mãe:

— Sei de quem se trata, é Juliana. Mas o que tem ela?

Tereza relatou o que havia ocorrido:

— É que há uns dois meses ela ligou, tentando falar com você. Eu disse que você não morava mais aqui, que estava no sul. Ela, então, me disse que precisava falar urgentemente com você, só que o número que tinha estava errado...

— Sim, e daí?

— Bem, ela parecia angustiada, estranha... E me disse que era urgente, que tinha que falar com você... Acabei dando o seu novo número...

Theo ficou pensativo. O que levaria Juliana a procurá-lo na casa de sua mãe, se ela sabia que ele mão morava mais ali? O que será que ela queria?

Ensimesmado, pensou ainda por algum tempo no assunto.

Depois resolveu esquecer. Provavelmente Juliana queria lhe pregar alguma peça, coisa que era bem do seu feitio.

* * *

Tão logo chegou a Ribeirão Preto, Theo foi visitar algumas fazendas com as quais ele e o sogro tinham negócios.

Após tratarem de questões financeiras, ele resolveu dar uma olhada especial em uma delas. Estava implementando um projeto que visava à geração de energia na fazenda através de componentes orgânicos. Sabendo que naquele local haviam desenvolvido uma solução semelhante, se interessou em procurar o responsável.

Ao chegar ao lugar indicado, o proprietário, de forma cordial, o convidou:

— Venha, vou lhe apresentar a nossa engenheira agrônoma...

Theo o acompanhou. Depois de andarem alguns metros, chegaram a pequeno escritório, no lado oposto ao que se encontravam. Francisco bateu levemente na porta. Ouviram uma voz feminina mandando-os entrar. Imediatamente, Theo reconheceu sua antiga companheira de juventude: Juliana.

A moça deu um grito quando o viu, parado à sua frente. Sem conseguir dizer nada, Juliana se atirou em seus braços, dando-lhe um forte abraço.

Theo tentou se desvencilhar e, segurando os braços da amiga, delicadamente retirou-os de seu pescoço. Juliana, ainda sob o impacto da emoção do momento, declarou, com o rosto afogueado:

— Mais uma vez, o destino nos aproxima...

Francisco, o proprietário, que a princípio não entendera nada, deu um sorriso malicioso e afirmou:

— Muito bem, acho que não serão necessárias apresentações... Pelo visto vocês já se conhecem muito bem... Até mais! — e, dizendo isso, se retirou.

Theo, extremamente constrangido, reclamou:

— Juliana, por que você fez isso? O que Francisco vai pensar de nós?!

Juliana deu de ombros e retrucou:

— O que ele pensa não me interessa. O que realmente me interessa é você! Por que não me ligou? Quase enlouqueci por sua causa...

Enquanto Juliana se aproximava, Theo procurava se esquivar, mantendo-a a uma distância conveniente.

Aborrecida, a moça tratou de tranqüilizá-lo:

— Calma, Theo... Não tenho nenhuma doença contagiosa nem vou atacá-lo...

— Sei disso, Juliana, mas prefiro me prevenir... De você, pode se esperar tudo...

Juliana sorriu, maliciosa:

— Você tem medo de mim? Acha realmente que sou perigosa?

Theo fingiu não ouvir e resolveu mudar de assunto:

— Francisco me falou do excelente trabalho que você está fazendo com a biomassa... Estou interessado no assunto. Será que podemos conversar sobre isso?

Juliana fez um gesto que revelava toda sua contrariedade:

— Está certo, Dr. Theo. Se for só isso que o interessa, vamos lá. Sempre gostei das formas alternativas de produção de energia e esta é uma delas...

Assim, Juliana deu algumas explicações e convidou Theo para ver alguns dos seus experimentos.

Procurando ser o mais profissional possível, Theo fingia não ver as insinuações da moça, seus olhares, as suas palavras de duplo sentido. Em determinado momento, Juliana parou a sua frente e declarou, resoluta:

— Você sabe que quase morri por sua causa?

Theo olhou para ela sem entender. Julgando tratar-se de mais uma de suas brincadeiras, reclamou:

— Acho que você não deve brincar com essas coisas. Sei bem o que significa perder alguém e não gostaria de ser o responsável pela morte de quem quer que seja...

Juliana tornou-se séria. Olhando detidamente para o rosto de Theo, continuou:

— Não é brincadeira, Theo. Deve fazer uns dois meses, talvez... Não sei ao certo...

— Do que você está falando? Pode me explicar melhor? — disse Theo, preocupado.

Juliana deu alguns passos e convidou Theo para dar uma volta pela fazenda. Interessado em saber de que se tratava, Theo a acompanhou.

Depois de alguns minutos, Juliana começou:

— Logo após o nosso encontro naquele congresso, comecei a pensar em muitas coisas. Refleti bastante e cheguei à conclusão que durante todos estes anos você nunca saiu completamente do meu pensamento...Theo, eu sempre amei você!

Enquanto falava, Juliana colocou os braços em torno do pescoço do rapaz. Constrangido, ele os retirou delicadamente e ponderou:

— Estranho você só ter se dado conta depois que me casei, não é mesmo?

Juliana prosseguiu:

— Não foi bem assim... Depois que nos separamos, me senti menosprezada e quis lhe mostrar que poderia ser amada por outro homem... Que você não era o único... Sei lá, essas coisas de orgulho ferido.

Theo ia dizer alguma coisa, mas Juliana continuou:

— Nunca tive tanta certeza dos meus sentimentos como naquele dia. Resolvi ligar para falar com você, ouvir sua voz, mas você havia trocado o telefone...

— Já sei o resto... Você ligou para a minha mãe, não é mesmo? Ela lhe deu o meu número e você concluiu sensatamente que isso não levaria a nada...

— Engano seu! Liguei e, para minha desgraça, sua querida mulher atendeu... Eu não estava bem, tinha bebido um pouco... E tomado uns comprimidos. Pude ouvir bem a voz de sua Vivian e, juro, tive vontade de lhe dizer que ela era uma intrusa, que se não fosse ela você estaria comigo!

Enquanto ouvia o desabafo de Juliana, Theo ia empalidecendo. De repente tudo começava a fazer sentido! Sim, havia descoberto o que acontecera no dia do acidente de sua mulher. Fora Juliana quem ligara, desesperada, e causara toda aquela desgraça em sua vida.

Theo não podia mais ouvir a voz de Juliana. Voltou-se para ela e gritou, enraivecido:

— Você não sabe o que fez! Quase destruiu a minha vida! Juliana, como você pôde?!

Assustada, ela tentou se defender:

— Não sei ao certo o que eu disse... Só sei que estava desesperada! Theo, eu amo você!

— Pare com isso de uma vez por todas! Sabe muito bem que amo minha mulher e não a trocaria por nada neste mundo! Ela quase morreu por sua causa e ainda continua doente pela sua atitude inconseqüente!

— Eu juro que não sabia... Deveria ter lembrado que você tinha dito que ela era ciumenta...

— Talvez tenha sido por isso mesmo que você tenha ligado... Deveria ter falado com ela, dito quem era, podia ter esclarecido a situação. Deixou Vivian cheia de dúvidas, atormentada com a hipótese de uma traição. Fui acusado por todos, até meu cunhado se julgou no direito de me acusar...

Juliana se calou. Havia ido longe demais.

Pela primeira vez em sua vida tinha que reconhecer que ultrapassara o limite. Procurando acalmar o ânimo de Theo, contou-lhe:

— Fui parar no hospital e quase morri também... Pensei em ligar outra vez, mas acabei desistindo. Pedi que minha mãe ligasse, então, mas ela me dissuadiu da idéia... Aconselhou-me a esquecê-lo, e eu, pela primeira vez, achei que ela estava com a razão...

Theo passou as mãos pelos cabelos, nervoso, em um gesto que lhe era peculiar. Lembrava-se muito bem daqueles dias em que estivera no hospital.

Nunca imaginara que sentiria tamanho desespero ao pensar na morte de Vivian. Não entendia como, mas parecia estar vivendo ali, naquele momento, aquele horrível sentimento de perda...

Sua personalidade passada, como Miguel, ressurgia em seu inconsciente e lhe fazia reviver a perda de Leonor... Era como se, mais uma vez, a mulher que amava partisse, deixando-lhe apenas a dor e a saudade... Procurando acalmar-se, falou pausadamente:

— Juliana, você não tem idéia do que aconteceu em minha vida por causa desse telefonema! Ao menos agora tenho uma explicação para tudo...

Com lágrimas nos olhos, Juliana tentou se desculpar:

— Perdoe-me, Theo! Não pensei que faria tanto mal assim... Sei que agora está tudo perdido para mim...

— Não sei ainda se posso perdoá-la... As coisas ficaram muito difíceis para mim depois disso tudo. Nunca lhe dei esperanças, não entendo por que insistiu tanto...

— Você sabe que eu não desisto... facilmente. Fui convidada para fazer um curso no exterior... Acho, agora, que vou aproveitar a oportunidade.

Theo olhou para ela e falou maquinalmente:

— Adeus, Juliana!

— Nunca me perdoará?

— Já lhe disse, quem sabe um dia...

Theo retomou o caminho da fazenda e se dirigiu para o seu carro.

Queria voltar o quanto antes a fim de poder esclarecer o que tinha ocorrido no trágico dia do acidente.

49

O PASSADO RESSURGE

Enquanto Theo se preparava para o retorno a São Paulo, Marina, com a concordância dos filhos, resolveu acompanhar Vivian até um médico.

Após verificar as condições clínicas da paciente, o médico constatou que Vivian se encontrava muito debilitada e necessitaria fazer alguns exames; orientou Marina no sentido de buscar uma terapia apropriada, pois não tinha dúvidas: Vivian estava com uma severa depressão.

De nosso plano, víamos com crescente expectativa o desenrolar daquele drama.

Para nós, era clara a atuação de Rufino sobre o veículo físico de Vivian. Assim como ele envolvera Leonor, apressando-lhe a morte, continuava a perseguir a infeliz jovem.

"Como se resolveria aquela situação?", perguntávamo-nos. "Conseguiria o antigo perseguidor obter vitória novamente sobre sua vítima?"

Menmet, que me captara os pensamentos, se aproximou e esclareceu:

— Não devemos nos preocupar com a vitória desse ou daquele irmão nesse momento; todos são sofredores e infelizes, e somente a dádiva do amor poderá restaurar o que o ódio destruiu.

— Mas o que poderemos fazer para ajudar?

— Precisamos trabalhar e confiar na misericórdia divina. Rufino já apresenta sinais de enfraquecimento em seus intentos de perseguição... Em breve soará o toque da libertação desses irmãos... Felizmente, existem os elos que unem os dois planos da vida, que facilitarão as nossas ações.

Curioso, resolvi me manter calado, apenas observando.

Naquela noite, Fernanda e Marina se dirigiram para o centro espírita que aquela costumava freqüentar.

Enquanto um grande número de pessoas assistia à palestra pública, os médiuns, reunidos em diversas salas, realizavam o sublime mandato de intermediar a comunicação entre os dois planos da vida.

Marina escutava, emocionada, a preleção evangélica, enquanto Fernanda contribuía com suas faculdades psíquicas no auxílio aos sofredores.

Tudo corria normalmente, até que uma das médiuns, na sala onde Fernanda se encontrava, pouco antes do encerramento das atividades, escreveu algumas palavras rapidamente:

Querida filha,

Que a Paz de Jesus te envolva, amada do meu coração!

Olho para os tempos idos e te vejo pequenina, correndo para os meus braços...

Assim foi em terras distantes, em recantos longinqüos do nosso passado... E em todos os lugares em que a misericórdia divina o permitiu!

Mas agora, minha querida, o tempo conspira contra nossos propósitos! Precisas acordar para as verdades do Espírito, se quiseres vencer em tua jornada na Terra!

Algumas oportunidades já perdeste, por excesso de teimosia... Portanto, está em tuas mãos a decisão de vencer ou ser vencida...

Não trago apenas as flores do meu carinho paternal, mas o desejo de que despertes, definitivamente, para tua tarefa principal nesta vida!

Precisas readquirir o rumo dos teus passos, o norte de tua existência...

Não te entregues ao coração sofredor que a ti se uniu há algum tempo e que necessita de teu perdão para prosseguir... Para que também te possa perdoar!

Reage com fé e confiança e vencerás!

Nunca estarás só, minha filha!

Sê forte e aceita a verdade luminosa que surge em teu caminho para tua ascensão a uma vida melhor, plena de realizações e felicidade, porque tal verdade está sedimentada na Lei de Amor de nosso Pai!

Rogo a tua presença neste templo abençoado, para que inicies tua libertação!

Convida o companheiro dedicado para que te acompanhe nessa nova jornada... E encontrareis o ideal para o qual já vos encontrais preparados para abraçar...

Aguardamos, filha, tua vinda, como uma resposta às preces daquelas que te antecederam na fé, nossas irmãs Fernanda e Marina, para que trabalhemos juntos na tua definitiva recuperação.

Teria muito ainda a te dizer, mas não podemos exorbitar dessa dádiva misericordiosa que recebemos de Jesus...

Com muito carinho e afeto, do teu pai, mentor e amigo de sempre,

Menmet

Ao término da sessão mediúnica, a experiente médium leu a mensagem que acabara de psicografar.

Tomada de emoção, Fernanda não conseguia conter as lágrimas, que caíam em seu rosto em profusão.

A diretora dos trabalhos, espírito experimentado nas lutas da vida e também profunda conhecedora dos dramas humanos, falou com serenidade ao grupo:

— Nosso humilde grupo de orações tem conseguido estender grande benefício aos que sofrem, nos dois planos da vida... A mensagem que nossa irmã Clara acaba de receber nos exigirá ainda maior disciplina e comprometimento com a causa que abraçamos...

"Confio em todos no que concerne aos cuidados necessários para bem executarmos a nossa tarefa... Leituras edificantes, cultivo do Evangelho em nossas conversas e pensamento e atos voltados ao bem, para nos ligarmos com os nossos mentores espirituais...

Esta é uma rotina que, apesar da dificuldade de a executarmos no nosso dia-a-dia, é essencial para o sucesso de nossa tarefa...

Agradeçamos ao Pai de misericórdia infinita pela graça que nos concedeu e unamos o nosso pensamento em uma prece, para que a nossa irmã Fernanda possa obter sucesso na incumbência que recebeu..."

Assim, com uma prece fervorosa, a irmã Cleonice encerrou as atividades naquela noite.

***

No trajeto de volta à sua casa, Fernanda contou à mãe o que acontecera, mostrando-lhe a mensagem recebida.

As lágrimas assomaram aos olhos de Marina; depois de inteirar-se do conteúdo da carta mediúnica, exclamou, emocionada:

— Quanta misericórdia, minha filha! Finalmente Vivian poder-se-á restabelecer, com o esclarecimento da entidade que a perturba...

Fernanda concordou e, cheia de esperanças, comentou:

— Acho que sim, mãe. Vivian está recebendo uma grande oportunidade... Espero que saiba apreciá-la...

— Tenho muita fé e, além do mais, ela já está cansada de tanto sofrer... Falarei com ela para que atenda ao pedido de seu mentor...

Quando chegaram em casa, Marina e a filha trocaram algumas palavras com Álvaro e Vivian. Mais tarde, após o jantar, Marina se aproximou de Vivian e introduziu o assunto:

— Querida, preciso falar a sós contigo... Podes dar uma atenção a tua mãe?

Vivian concordou, surpresa, e convidou:

— Claro, mãe! Venha até o meu quarto...

Logo que chegaram ao aposento, Marina começou a falar, passando a mão pelos cabelos da filha:

— Apesar de nunca teres te interessado pela minha religião, sei que não a repeles... Sabes, portanto, da existência dos espíritos e da sua intervenção em nossas vidas...

— É verdade, sei que existem, mas o que isso tem a ver comigo?

Marina pensou por algum tempo e redargüiu:

— Querida, tu nunca pensaste que talvez essa série de desgraças que aconteceram em tua vida possam ter sido engendradas pela ação de algum espírito? Nunca sonhaste com pessoas estranhas ou alguém que procurasse te ferir?

Vivian pensou e respondeu, reticente:

— Bem, tenho muitos pesadelos... Acordo cansada, como se estivesse envolta em uma névoa, fico sem forças... Especialmente quando sonho com ele...

Curiosa, Marina se aproximou e perguntou, interessada:

— Ele quem? Como é esse espírito?

— Não sei se é espírito ou se é minha imaginação... Mas sempre que "ele" vem, fico muito mal, procuro fugir e, quando acordo, sinto que vou morrer... É um homem negro que fica me chamando de traidora... Chama-me por outro nome...

Marina retirou do bolso do casaco a mensagem recebida no centro espírita e, entregando nas mãos de Vivian, pediu:

— Leia isso, minha filha. Depois conversaremos...

Vivian sentou em sua cama e começou a ler a mensagem; de nosso plano, enquanto a jovem se inteirava do teor da missiva, Menmet colocava as mãos sobre sua cabeça e transmitia-lhe vigorosos feixes energéticos, que envolviam aquele cérebro enfraquecido pelas investidas de Rufino.

As correntes de luz se espalhavam pelo córtex cerebral e seguiam até o coração, para logo após se espalharem por todo o veículo físico.

À medida que esse fenômeno ocorria, a memória espiritual de Vivian se aclarava e a moça sentia renascer do passado a lembrança de Leonor.

Após ler todo o conteúdo da mensagem, Vivian falou, com a voz embargada:

— Acho que não mereço isso, mãe! Sinto que já errei muito e não duvido que tenha traído esse pobre infeliz que me persegue... Tenho uma sensação, não exatamente uma lembrança, de algo muito sério... Acho que em uma fazenda...

Marina, que possuía dons mediúnicos desenvolvidos, tornou:

— Acho que sim, querida. Posso mesmo te afirmar que foi aqui, em Pelotas, que tudo aconteceu... Por isso quiseste vir para cá depois do acidente...

— Por que não me falaste isso antes? Pensei que estava louca, parecia que eu vivia duas vidas... Antes não gostava daqui, me sentia mal, mas depois comecei a querer ficar nesse lugar para sempre... Parecia que algo me prendia aqui...

Marina abraçou a filha e disse com serenidade:

— Tudo a seu tempo! Não aceitarias as minhas palavras se não visse com os teus olhos a verdade... Também vejo este homem a que te referes... Posso te adiantar que ele foi teu escravo...

Um calafrio percorreu o corpo de Vivian. Sentia o corpo todo arrepiado e, como nunca, a angústia que lhe assomava ao peito parecia sufocá-la.

Sabendo de antemão que a medicina terrena não poderia ajudá-la naquele momento, manifestou-se, decidida:

— Irei com vocês ao centro espírita. Estou cansada disso tudo e quero saber exatamente o que aconteceu e por que esta sombra me persegue...

Marina sorriu. Mais uma etapa estava vencida; haveria ainda muito pela frente, mas algo lhe dizia que um grande passo havia sido dado.

Agora sabia que uma grande caminhada surgia à frente e era preciso que Vivian se fortalecesse para empreendê-la...

Estava tranqüila. Vivian não estava só!

Chamaria Henrique, o pai de Vivian, para que toda a família estivesse unida naquele momento.

50

PERDÃO ENTRE DUAS ALMAS

Theo chegou no dia seguinte cheio de esperanças quanto a seu futuro com Vivian, mas, ao mesmo tempo, temeroso quanto à reação da esposa.

Acreditaria Vivian na história quase absurda em que se vira envolvido sem saber de nada, e que quase lhe custara a vida?

Como lhe explicaria o encontro com Juliana naquele congresso, já que nunca lhe dissera nada sobre sua viagem?

Preocupado, procurou inicialmente saber como estava sua mulher.

Pôde verificar pequena mudança em seu comportamento. Havia algum tempo, a jovem evitava sua aproximação, permitindo-lhe apenas a presença com relativa distância.

Theo havia se conformado mas, naquele dia, quando chegou, Vivian, ainda sob o influxo do auxílio recebido de Menmet, segurou sua mão e lhe perguntou:

— Theo, sei que você não é espírita, mas aceitaria ir comigo lá no centro que a Fernanda freqüenta?

Theo, meio confuso, mas mais pelo fato de Vivian tocá-lo, respondeu com presteza:

— Se é o que você deseja... Tudo bem. Irei onde você quiser, Vivian...

— Então vou lhe dar para ler um recado que recebi de um espírito...

Vivian buscou a carta em seu quarto e entregou ao marido. O rapaz leu a mensagem e ficou pensativo por alguns minutos.

Vivian, intrigada diante de seu silêncio, indagou:

— O que houve? Acha que não é verdade?

Theo respondeu, impressionado:

— Não é isso... Mas é estranho! Você sabe que eu nasci em São Paulo, mas, desde a primeira vez que viemos à casa de sua irmã, tive a impressão de conhecer esta cidade... Quando criança, sonhava muito com um padre... Às vezes achava que era eu...

Vivian sentiu novamente um calafrio percorrer-lhe o corpo. Sempre tivera aversão por aquela cidade, sobretudo as fazendas antigas, da época dos charqueadores... Era gaúcha, mas tinha horror ao charque, diga-se de passagem.

Por fim, comentou, angustiada:

— Acho que existe alguma coisa em nosso passado que nos liga a esta cidade, e nisto está a causa de nosso sofrimento...

Dessa forma, ficou combinado que no dia seguinte iriam ao centro espírita para iniciar o que acreditavam ser um novo caminho em suas vidas.

* * *

Foram recebidas por Cleonice, que além de diretora do centro era também uma médium de faculdades apuradas.

Logo ao chegar, o olhar de Vivian pairou durante algum tempo no ambiente; de repente, como se fosse atraído, fixou-se em Cleonice.

A cor negra da pele da respeitável mulher de uns cinqüenta anos aproximadamente cativou logo o coração de Vivian. Nunca diferenciara a cor da pele e detestava o preconceito, independentemente do motivo.

Cleonice se aproximou, também atraída pela presença de Vivian. Fernanda e Marina apresentaram Theo e Vivian a Cleonice, que falou com carinho:

— Estava te esperando há muito, menina! Que Jesus te abençoe e ilumine o teu caminho e o do teu esposo...

Vivian perguntou, curiosa:

— Sabia que eu viria? Como pode ser isto?

Emocionada, Cleonice respondeu:

— Talvez não consigas entender de pronto, mas a tua chegada já vem sendo preparada há muito tempo... Menmet tem trabalhado arduamente para que pudesses vir até nós... Tua mãe e Fernanda também...

A simpatia recíproca que se estabeleceu entre as duas mulheres era intensa. Sem saber por que, Vivian sentiu vontade de abraçar Cleonice; no mesmo instante, a bondosa mulher abriu os braços, envolvendo Vivian em um abraço maternal.

Sensibilizada, Vivian, acompanhada por Theo, se sentou na platéia para ouvir a preleção evangélica. Dessa feita, Marina e Fernanda se dirigiram para um grupo de estudo das obras básicas.

Marina já freqüentava havia algum tempo o grupo e, sendo uma médium experiente, fora convidada a participar do estudo.

O expositor daquele dia falava do capítulo IV do *Evangelho Segundo o Espiritismo*, "Ninguém poderá ver o reino de Deus se não nascer de novo".

De forma clara e lógica, traduzia as palavras de Jesus em um sentido novo, trazendo claridades desconhecidas às lições do Mestre nazareno.

Falava da justiça de Deus e de sua misericórdia, que renovam as oportunidades para aqueles que caem; que o objetivo de nossas vidas é o aprendizado da Lei de Amor e que através dessa lei evoluímos, nos aproximando de nosso Pai.

Que as mazelas do mundo são o resultado de nossos atos impensados do passado e que colhemos os frutos de nossa semeadura, nesta ou em vidas futuras...

Explicava a necessidade da reencarnação, para o encontro com aqueles que prejudicamos ou por quem fomos prejudicados...

A vida se tornava mais leve à medida que o jovem falava, pois, através de sua palavra inspirada, cada ouvinte captava de acordo com a sua necessidade e todos se sentiam revigorados e felizes.

No final, após uma oração cheia de esperança e fé, a palestra foi encerrada e pudemos observar que o salão havia sido tomado por flores de inenarrável beleza, que, ao tocarem os encarnados ali presentes, se transfundiam em energias revigorantes.

Theo sentia imensa felicidade e, ao cruzar o olhar com o de Vivian, notou, depois de muito tempo, um pequeno lampejo de esperança em seus olhos.

No final, quando todos se reencontraram, Cleonice se dirigiu a Vivian e solicitou, prestimosa:

— Vivian, gostaria de colocar teu nome em nosso trabalho de desobsessão... Aceitarias o nosso auxílio?

Vivian respondeu com um suspiro:

— Certamente... Acho que é o único caminho...

Cleonice ponderou com sensatez:

— Sei que não estás dormindo com tranqüilidade... Isso é normal nestes casos... Normalmente, quando adormecemos e nos retiramos do corpo, entrando na faixa espiritual que nos é própria, nos encontramos com nossos afetos ou desafetos no plano espiritual; ao regressarmos ao corpo físico, lembramo-nos, algumas vezes, do que vivenciamos nesse período; é aí que temos nossos sonhos ou pesadelos...

Vivian concordou:

— Realmente, não consigo dormir direito. Tenho a impressão de que alguém me vigia...

Theo resolveu perguntar:

— O que nos aconselha a fazer em um caso desses?

Cleonice respondeu prontamente:

— Inicialmente, Vivian deverá procurar auxílio médico, para que possa repousar adequadamente; nosso organismo precisa do sono para se recuperar e o espírito também renova suas energias no contato com o mundo que lhe é próprio... Vivian precisa que sua mente descanse, para que possa melhorar... Depois, a terapia do passe e água fluidificada lhe auxiliarão em sua recuperação física e espiritual e, a seguir... Bem, o trabalho será árduo...

A conversa seguia interessante, mas era hora de retornar. Os quatro voltaram para a casa de Fernanda e, após o jantar, conversaram por algum tempo e foram dormir.

Cada qual trazia na alma um pouco mais de esperança de que ainda poderiam ser felizes.

***

Alguns dias mais tarde, com a chegada de Henrique para passar o fim de semana, faltaria apenas Rodrigo para que a família estivesse completa.

Vivian meditava sobre os últimos acontecimentos. Pela primeira vez, sentia que deveria mudar, se quisesse ser feliz.

Olhou para Theo, que falava com seu pai, distraído, e repentinamente sentiu que uma onda de amor tomava conta de seu coração. Apesar de tudo, ele ainda estava ali, a seu lado, enfrentando mais aquela batalha na tentativa de vê-la restabelecida.

Como poderia acusá-lo? De que poderia acusá-lo? De a haver traído? Mas quais eram as provas? Condenaria o marido por toda a vida, apenas por causa de um telefonema? "Isto é um absurdo", pensava. "E se fosse engano? Se fosse alguém conhecido, uma amiga em dificuldade?" E pensar que quase morrera por causa daquele telefonema!

Vivian sentiu ligeiro mal-estar. Como fora inconseqüente!

Sentia um certo constrangimento ao ver toda a família reunida por sua causa. Todos procuravam o seu bem... E ela?

Quando trocara o conforto de sua casa para fazer o bem para quem quer que fosse?

Sempre vira a mãe em atividades em prol do semelhante, deixando, muitas vezes, o aconchego de seu lar para ir prestar este ou aquele benefício. Sabia que Fernanda participava das atividades de evangelização das crianças, e ela? O que fazia para o alívio do sofrimento alheio?

Vivian começava a cair em si. Abria os olhos para a realidade mais importante da vida, aquilo que realmente importaria no dia em que partisse da Terra... "Meu Deus!", pensou. "Como eu perdi tempo!"

Disposta a mudar o rumo de sua vida, Vivian sentiu vontade de abraçar um a um os membros de sua família. Inexplicavelmente, sentia vontade de estender aquele abraço a todos os que conhecia, a todos os que passavam na rua...

Era um sentimento novo que experimentava. Um desejo de fraternidade e paz a envolvia.

Havia quanto tempo não conseguia nem pensar no semelhante? Não saberia dizer...

Ao ver Vivian sozinha, Theo resolveu se aproximar.

Dia a dia, cada vez mais, podia ver o resultado do tratamento espiritual que ela estava fazendo.

O passe, a água fluidificada, a assistência às palestras doutrinárias e, principalmente, a decisão de se modificar interiormente traziam resultados verdadeiramente animadores.

Vivian já mostrava um novo brilho no olhar. Aproximando-se com cuidado para não interromper os pensamentos da moça, Theo parou a seu lado e aguardou. Vivian voltou-se com ar interrogativo. Foi quando Theo resolveu falar:

— Acho que precisamos conversar...

— Sei o que você está querendo dizer... Mas, antes que diga qualquer coisa, eu quero falar, Theo...

— Preciso que confie em mim... — disse o rapaz, aflito.

— Não diga nada. Apenas me ouça: não o culpo por nada, quero que me perdoe por não ter confiado em você...

Theo, surpreso, não podia acreditar no que ouvia. Temendo não estar compreendendo as palavras de Vivian, explicou:

— Vivian, querida, nunca fiz nada de que possa me envergonhar ou esconder... Sempre amei você mais do que tudo... Quase enlouqueci quando pensei que ia perdê-la...

Vivian deu um pequeno sorriso e tornou:

— Já lhe disse que não precisa dizer nada... Estou disposta a esquecer tudo... Durante todo este tempo em que estive doente você sempre esteve ao meu lado, sempre me apoiou, mesmo quando pedi que se afastasse de mim... Essa foi a maior prova do seu amor, Theo...

Emocionado, Theo ainda quis falar, mas Vivian o abraçou carinhosamente e, depois de muito tempo, o marido apaixonado pôde envolver em seus braços a mulher que sempre amara.

O reencontro do casal foi selado com um beijo, no qual aqueles espíritos, que desde muito se amavam, confirmavam o desejo de continuar a trilhar juntos as estradas da vida...

* * *

No plano terreno, o tratamento espiritual de Vivian teve continuidade, acrescido de uma orientação médica calcada na medicina da alma.

Na espiritualidade, observávamos uma sensível modificação nas faixas vibratórias dos envolvidos no problema.

A freqüência de Vivian às palestras doutrinárias acarretava enorme benefício aos dois planos da vida.

Enquanto Vivian se reformulava interiormente, modificando suas emanações espirituais, que se refletiam em sua aura, mais límpida, Rufino passava por admirável transformação.

Já não encontrávamos no antigo escravo a sede de vingança de outrora, mas um enorme cansaço e desilusão, frutos de quem investiu longo tempo em uma cega desforra e não encontrou nenhuma felicidade em tal procedimento.

Taciturno, mais infeliz do que nunca, Rufino acompanhava Vivian como quem estivesse anestesiado, perplexo, diante de um mundo novo, que desconhecia.

As preleções evangélicas caíam em sua alma como leve blandícia, que acalmava suas dores e diminuía o seu desejo de se vingar. Pela primeira vez, depois de muito tempo, sentia um grande alívio, uma trégua ao sofrimento que lhe parecia físico, tal era sua intensidade.

Olhava para Vivian e não identificava Leonor, mas alguém que lhe abria um caminho novo de libertação.

Foi avaliando essas disposições que Menmet tomou uma decisão:

— Meus irmãos, acho que chegou a hora de agirmos mais diretamente. Pediremos aos mentores da casa a permissão necessária para colocarmos Rufino diante de Leonor, finalmente!

Dessa forma, Menmet foi autorizado a providenciar a realização de uma sessão mediúnica com a presença de Vivian, Theo, Marina, Fernanda, Clara e Cleonice.

Cerca de uma semana após, o grupo se reuniu conforme o combinado.

Cleonice dirigia os trabalhos e, com profunda inspiração, fez a prece de abertura, rogando ao Pai Celestial proteção e amparo para o cometimento da noite.

Envoltos em suave atmosfera, onde elementos espirituais de delicadíssima estrutura compunham o ambiente, Cleonice falou:

— Meus queridos irmãos! Recebemos a solicitação dessa reunião por nossos mentores e aqui estamos, com o intuito de auxiliar àqueles que nos procuraram em momento difícil... Que Deus e Jesus nos amparem na tarefa que nos concederam... Estamos à disposição da espiritualidade para que possamos servir à causa do Cristo... — e Cleonice se calou.

O silêncio durou alguns minutos.

De repente, a voz de Clara se fez ouvir:

— Minha querida, filha! Sei que me reconheces em teu coração, nos refolhos de tua alma!

“Sim, é o teu pai de outrora, que aqui vem com o desejo de te auxiliar em tua libertação...

Não ignoras que teu sofrimento se deve a um passado no qual foste um tanto negligente com os sentimentos alheios...

Não estamos pretendendo te lançar a culpa ou levar-te ao remorso, mas acreditamos que podes compreender, com os esclarecimentos que tens recebido, que estás colhendo os frutos de uma infeliz semeadura, realizada há muito tempo, que começou bem antes de tua encarnação, há quase dois séculos, nesta cidade...

Esperamos por este momento por muito tempo... Cremos já ser possível o tentame que realizaremos neste dia!

Pedimos a oração de todos e o pensamento voltado a Jesus, o nosso mestre inolvidável!

Que o senhor nos ampare..."

Após as palavras iniciais de Menmet, novamente o silêncio se fez ouvir.

Vivian sentia a grandeza do momento e não conseguia conter as lágrimas.

Mais alguns segundos e Clara deu um profundo suspiro. Esperou um pouco e, com a voz entrecortada, entre gemidos e lamentos, clamou:

— *Me ajude*!... *Me ajude*! Eu não agüento mais!

Cleonice olhou para Clara e, por sua visão mediúnica, percebeu um homem negro ligado ao aparelho mediúnico. Compadecida, perguntou:

— Estamos aqui para ajudá-lo, meu irmão!

Ouviu-se novamente a voz que demonstrava um terrível sofrimento:

— *Tô* cansado! Faz muito tempo... *Me* machucaram muito... Não agüento mais!

— Podes falar, irmão, estamos aqui para ouvi-lo e tentarmos diminuir tuas dores...

— Nunca saí de perto dela... Ela morreu por minha causa... Acabei com a família dela...

Cleonice procurava envolver o espírito ali presente em vibrações de muito amor e serenidade. A seguir, prosseguiu:

— O que importa é que isso tudo já passou... Tu sabes que, ao fazermos mal aos outros, infligimos as Leis Naturais, as Leis de nosso Pai...

Rufino revidou, ofendido:

— Mas foi ela que me traiu! Confiei na sinhazinha e ela fugiu... E eles nos pegaram...

Cleonice sentiu ter tocado em um ponto crucial para aquela alma. Com infinita piedade, continuou:

— Sim, eu sei que erraram contigo, irmão. Mas ela já pagou tão caro por aquele deslize e por outros de um passado mais distante... Não seria a hora de perdoá-la?

— Não posso... Não consigo. Nunca perdoei ninguém...

— Talvez não lembres, mas deve haver alguém que já perdoaste... Pensa um pouco...

Imediatamente, impelido pela influência magnética dos mentores espirituais ali presentes, Rufino se lembrou do momento em que reconheceu o pai antes de morrer.

Confundido pelas cenas que lhe inundavam tão claramente a memória, voltou-se para Vivian e questionou, súplice:

— Por que, sinhazinha? Por que não foi ao menos me *vê morrê*?... Por quê? Eu amava a sinhá...

Chorando, Vivian não conseguia erguer os olhos. Sabia que era tudo verdade.

Rufino olhou ao redor e, reconhecendo a todos, exclamou:

— *Tá* tudo aqui!... O *dotozinho*, esse virou padre *despois* que ela morreu... A prima... e... *Peraí*! A senhora é... Não pode ser!

Cleonice fez um sinal afirmativo com a cabeça, concordando:

— Sim, irmão, fui escrava como tu... Naquela época tinha outro nome...

— Januária! Como tu *tá* diferente!... Não é mais escrava...

— Sim... Aprendi a religião dos brancos... Conheci Jesus! Aprendi a perdoar e esquecer...

— Não posso, Januária! Eu odeio *ela*... Ela também me odeia...

— Posso te garantir que no coração da sinhazinha não existe nenhum ódio... Ela mudou muito... Sofreu e se modificou...

Rufino se voltou e, através da médium Clara, observou Vivian. Procurando se conter, Vivian conseguiu falar:

— Não vês que não sou a mesma? Eu não o odeio e peço humildemente que me perdoe por todo o mal que lhe fiz...

Enquanto falava, Vivian envolvia Rufino em uma vibração fraternal, acompanhada pelos presentes, que se mantinham em prece.

Rufino recebia em pleno coração os apelos ao perdão que, de nossa parte, também a ele dirigíamos.

Confuso, o escravo começou a chorar.

Eram lágrimas abafadas por quase dois séculos de perseguição e vingança.

Doía-lhe a zona do plexo cardíaco diante da emoção desconhecida que sentia. Envergonhado, não sabia o que dizer.

Cleonice tomou a palavra e aconselhou amavelmente:

— Precisas descansar, irmão... Vê quem se apresenta ao teu lado... Podes ver? São os teus pais, que vieram te buscar...

— Não mereço que eles venham... Fui muito mau... Matei a sinhazinha e agora...Esse Jesus não vai me *perdoá*...

— Saiba, meu irmão, que foi através da sua bondade e misericórdia que vieste aqui, hoje! Ninguém te acusa de nada, meu amigo... Somos irmãos, todos erramos pelas estradas da vida...Vai em paz... Oraremos por ti...

— Perdão! Adeus!

A médium suspirou fundo, enquanto Rufino se afastava na companhia de Florêncio, Narcisa e de outros espíritos afins.

Emocionados, nenhum dos presentes conseguiu conter as lágrimas.

Cleonice fez uma prece fervorosa de agradecimento e encerrou a tarefa.

A missão estava cumprida.

Finalmente aquela paixão, que se transformara em sombra destruidora, se afastava para seguir seu caminho.

Mas será que nossa história termina aqui?

Ainda não... Porque a vida é eterna e se renova a cada momento, dando ensejo a novas oportunidades de reabilitação e trabalho...

Capítulo Final

Dois anos mais tarde, recebo um fraterno convite de Menmet.

Desejava o querido amigo minha presença na fazenda de Henrique e Marina, pois queria concluir a bela história que me permitira assistir e da qual, de certa forma, pude participar discretamente.

Ansioso pelas novidades, dirigi-me novamente à bela região do pampa gaúcho. Reconhecia, embevecido, que aquelas paisagens em nada deixavam a desejar às planícies verdejantes que conhecera em minhas romagens terrenas.

Logo na chegada, Menmet gentilmente se aproximou e, após as saudações habituais, convidou-me para acompanhá-lo até a varanda da vasta residência. Chegamos a tempo de presenciar o seguinte diálogo:

— Filha, sempre quis te falar o quanto senti não ter podido estar mais perto de ti, mas tu sabes que só mais tarde vim a saber da verdadeira causa de tua doença... Tua mãe queria me proteger; mas quero que tu saibas que eu sempre estive contigo em pensamento... Tu bem sabes o quanto te amo, não é, minha filha?

Vivian sorriu e respondeu ao pai:

— Claro que sim, pai! Eu mesma não queria que você soubesse tudo o que passei... Foi tudo um pesadelo. Ainda bem que acabou... Vivemos outros tempos, graças a Deus. Aquilo tudo ficou para trás, apesar de ter sido uma dura prova... Apesar de tudo, tenho de reconhecer que se não fosse todo aquele sofrimento não teria abraçado a Doutrina Espírita como uma bênção em minha vida...

"O trabalho que eu e Theo temos realizado junto aos espíritos sofredores nos tem trazido gratas surpresas ao coração..."

Theo se adiantou e continuou:

— Realmente foi uma prova bem dura, mas, com a ajuda de Deus, acabamos vencendo. A dedicação de Vivian ao trabalho mediúnico e minha nova interpretação da vida me fizeram vislumbrar novos horizontes e entender a morte de uma maneira totalmente nova... Nunca havia conseguido lidar com esse assunto... Para mim, também, foi muito importante o fato de Vivian ter-me perdoado sem querer saber o que havia motivado aquele telefonema...

— Felizmente aquela moça ligou, esclarecendo tudo... — completou Fernanda.

Rodrigo, que tinha a seu lado uma bela jovem, em quem reconhecemos Maria Antônia, a esposa do passado, aproveitou:

— Já que estamos voltando ao passado, devo pedir desculpas, Theo, por tê-lo julgado. Há muito tempo queria fazer isso. Eu andava com umas idéias estranhas naquela época...

Intuída pela presença dos espíritos que ali se reuniam, Marina concluiu:

— Quem saberá os laços que nos uniram no passado? Graças ao auxílio que recebemos na casa espírita, estamos aqui todos confraternizando pelo primeiro ano do nosso pequeno Henrique...

Álvaro, marido de Fernanda, interveio:

— Certamente o meu sogro deve estar feliz com o nome do primeiro neto...

Henrique, que não era ninguém menos que José Venâncio, caminhou até a janela e, erguendo o neto, voltando-o para a imensidão de terras à sua frente, declarou, emocionado:

— Herdarás uma parte de tudo o que tenho; crescerás forte e robusto e tudo farei para que sejas feliz... Se fosse preciso, daria a minha vida por ti, meu neto... És um Dornelles Camargo e aprenderás a amar esta terra e sua gente, respeitando a todos como filhos de Deus!

Marina enxugou uma lágrima que caía, furtiva.

Vivian olhou para Theo e sorriu, enquanto ele a beijava, feliz.

Fernanda — com a gestação já bem adiantada — recostou a cabeça no ombro do marido.

Tereza e João Carlos, os pais de Theo, se abraçaram.

Uma vibração de felicidade tomou conta de todos nos dois planos da vida, pois naquele momento realizavam-se os desígnios amorosos de Deus pela ação misericordiosa da reencarnação. José Venâncio, o antigo algoz, recebia como herdeiro e neto abençoado o escravo que um dia, em uma senzala em solo gaúcho, ele mesmo mandara matar, pela ação do açoite impiedoso.

Rufino voltava com o compromisso de lutar contra as pesadas barreiras do preconceito. Abraçaria os caminhos do Direito, onde teria condições de defender os menos favorecidos.

Vivian recebera em seu seio materno a antiga sombra que por tanto tempo a perseguira por um malfadado amor. Um amor que, vítima do desprezo, transformara-se em ódio. Para que se regenerasse e se equilibrasse diante das Leis Divinas, um novo e definitivo sentimento precisava brotar entre aquelas almas.

Um amor infinito, imensurável, eterno...

Como mãe e filho, Vivian e Henrique (Leonor e Rufino) se redimiam finalmente das sombras do passado...

Fim

Leia os romances de Schellida!
Emoção e ensinamento em cada página!
Psicografia de **Eliana Machado Coelho**

Um Diário no Tempo
A ditadura militar não manchou apenas a História do Brasil. Ela interferiu no destino de corações apaixonados.

Despertar para a Vida
Um acidente acontece e Márcia, uma moça bonita, inteligente e decidida, passa a ser envolvida pelo espírito Jonas, um desafeto que inicia um processo de obsessão contra ela.

O Direito de Ser Feliz
Fernando e Regina apaixonam-se. Ele, de família rica, bem posicionada. Ela, de classe média, jovem sensível e espírita. Mas o destino começa a pregar suas peças...

Sem Regras para Amar
Gilda é uma mulher rica, casada com o empresário Adalberto. Arrogante, prepotente e orgulhosa, sempre consegue o que quer graças ao poder de sua posição social. Mas a vida dá muitas voltas.

Um Motivo para Viver
O drama de Raquel começa aos nove anos, quando então passou a sofrer os assédios de Ladislau, um homem sem escrúpulos, mas dissimulado e gozando de boa reputação na cidade.

Obras de Irmão Ivo: leituras imperdíveis para seu crescimento espiritual
Psicografia da médium Sônia Tozzi

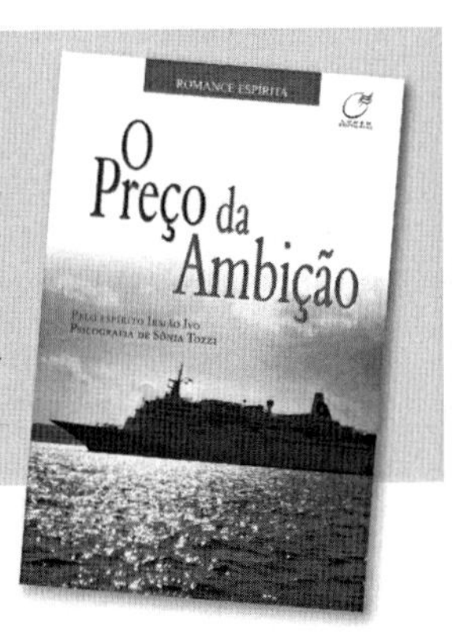

O Preço da Ambição

Três casais ricos desfrutam de um cruzeiro pela costa brasileira. Tudo é requinte e luxo. Até que um deles, chamado pela própria consciência, resolve questionar os verdadeiros valores da vida e a importância do dinheiro.

A Essência da Alma

Ensinamentos e mensagens de Irmão Ivo que orientam a Reforma Íntima e auxiliam no processo de autoconhecimento.

O Amor Enxuga as Lágrimas

Paulo e Marília, um típico casal classe média brasileiro, levam uma vida tranqüila e feliz com os três filhos. Quando tudo parece caminhar em segurança, começam as provações daquela família após a doença do filho Fábio.

Somos Todos Aprendizes

Bernadete, uma estudante de Direito, está quase terminando seu curso. Arrogante, lógica e racional, vive em conflito com familiares e amigos de faculdade por causa de seu comportamento rígido.

Obras da médium Vera Lúcia Marinzeck de Carvalho

Rosana, a Terceira Vítima Fatal

Suspense, morte e o reencontro, na espiritualidade, de Rosana e Rafael, dois personagens vítimas da violência.

160 páginas | 14 x 21 cm | ISBN 85-86474-12-6 | Código de Barras 9788586474125

Amai os Inimigos

O empresário Noel é traído pela esposa. Esse triângulo amoroso irá reproduzir cenas do passado. Após seu desencarne ainda jovem, Noel vive um novo cotidiano na espiritualidade e se surpreende ao descobrir quem era o amor de sua ex-esposa na Terra.

144 páginas | 14 x 21 cm | ISBN 85-86474-48-7 | Código de Barras 9788586474484

Escravo Bernardino

Romance que retrata o período da escravidão no Brasil e apresenta o iluminado escravo Bernardino e seus esclarecimentos.

152 páginas | 14 x 21 cm

ISBN 85-86474-13-4 | Código de Barras 9788586474132

Véu do Passado

Kim, o "menino das adivinhações", possui intensa vidência desde pequeno e vê a cena da sua própria morte.

184 páginas | 14 x 21 cm

ISBN 85-86474-01-0 | Código de Barras 9788586474019

O Rochedo dos Amantes

Um estranha história de amor acontece no litoral brasileiro num lugar de nome singular: Rochedo dos Amantes.

144 páginas | 14 x 21 cm

ISBN 85-86474-14-2 | Código de Barras 9788586474149

espírito Rosângela (infantil)

O Pedacinho do Céu Azul

História da menina cega Líliam cujo maior sonho era ver o céu azul.

32 páginas | 21 x 28 cm

ISBN 85-86474-20-7 | Código de Barras 9788586474200

espíritos Guilherme, Leonor e José

Em Missão de Socorro

órias de diversos resgates realizados no Umbral por abnegados trabalhadores do bem.

176 páginas | 14 x 21 cm | ISBN 85-86474-37-1 | Código de Barras 9788586474378

Maria Nazareth Dória
obras do espírito Helena

Jóia Rara

Leitura edificante, uma página por dia. Um roteiro diário para nossas reflexões e para a conquista de uma padrão vibratório elevado, com bom ânimo e vontade de progredir. Essa é a proposta deste livro que irá encantar o leitor de todas as idades.

98 páginas | 11 x 15 cm (bolso)

ISBN 85-86474-83-5 | Código de Barras 9788586474835

Sob o Olhar de Deus

Gilberto é um maestro de renome internacional, compositor famoso e respeitado no mundo todo. Casado com Maria Luiza, é pai de Angélica e Hortência, irmãs gêmeas com personalidades totalmente distintas. Fama, dinheiro e harmonia compõem o cenário daquela bem-sucedida família. Contudo, um segredo guardado na consciência de Gilberto vem modificar a vida de todos.

192 páginas | 14 x 21 cm | ISBN 85-86474-79-7

Código de Barras 9788586474798

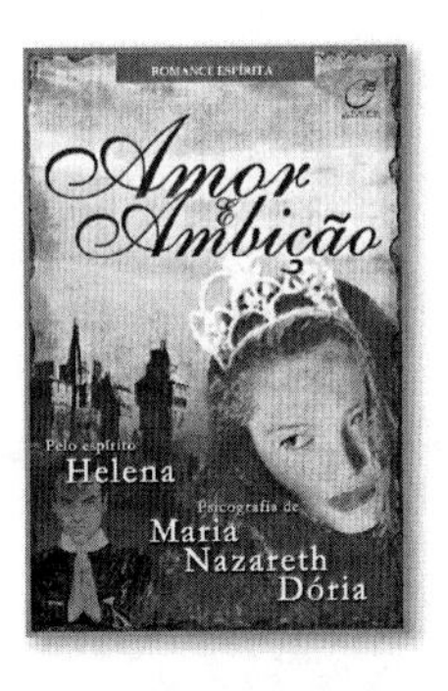

Amor e Ambição

Loretta era uma jovem nascida e criada na corte de um grande reino europeu entre os séculos XVII e XVIII. Determinada e romântica, desde a adolescência guardava um forte sentimento em seu coração: a paixão por seu primo Raul. Um detalhe apenas os separava: Raul era padre, convicto em sua vocação.

320 páginas | 14 x 21 cm

ISBN 85-86474-60-6 | Código de Barras 9788586474606

Um Novo Despertar

Simone é uma moça simples de uma pequena cidade interiorana. Lutadora incansável, ela trabalha em uma casa de família para sustentar a mãe e os irmãos, e sempre manteve acesa a esperança de conseguir um futuro melhor. Em meio à rotina de suas duras tarefas, ela nunca deixou de estudar até conseguir o seu diploma.

Porém, a história de cada um segue caminhos que desconhecemos.

192 páginas | 14 x 21 cm

ISBN 85-86474-66-5 | Código de Barras 9788586474668